JN066347

コロナ危機と欧州・フランス

医療制度・不平等体制・税制の改革へ向けて

尾上修悟 著

明石書店

コロナ危機と欧州・フランス

——医療制度・不平等体制・税制の改革へ向けて

目　次

第三部　ポストコロナの課題

序章　コロナ危機で問われているもの

一．問題の所在

二〇一九年末から始まったコロナウイルスの感染は、わずかの期間であっという間に全世界に広がり、それはまさにパンデミック（大流行）の様相を呈した。一体、どうしてコロナ感染はこれほどの勢いで拡大したのか。なぜそれを早い段階で食い止めることができなかったのか。そもそも世界の各国は、そうしたウイルス感染を防止する体制を十分に整えていたのか。これらの疑問が直ちに思い浮かんでくる。

実は、コロナ感染が勃発する直前に、ジョンズ・ホプキンズ（Johns Hopkins）大学の健康安全保障センターにより、ウイルス感染に関する調査書が『グローバル健康安全保障指標（*Global Health Security Index*）』と題して著された[1]。かれらはその冒頭で、次のように警鐘を鳴らした[2]。自然的、人工的、あるいは偶然的な生物的脅威は、それがいかなる国で引き起こされてもグローバルな規模で健康と経済をリスクに晒す。なぜなら伝染病は国境を越えるからである。それゆえすべての国は、伝染を阻止して健康を維持することに素早く対応しなければならない。一方、グローバルなリーダーと国際組織は、伝染病の脅威に対抗するための能力を集団的に高めることに責務を負わねばならない。

そこで同センターは、このような警告を発する根拠として、一つの指標を示した。それは、グローバル健康安全保障指標（ＧＨＳ指標）と呼ばれるものである。かれらは世界の一九五ヵ国を綿密に調査し、そうした指標を初めて公表した。それは、かれら自身が、世界の諸国が偶然あるいは故意により発生した死に至る病原菌の潜在的脅威に直面していると認識したからに他ならない(3)。同センターは、ＧＨＳ指標の計測の下で次のような分析結果を導き出す(4)。それは、病原菌に対する国民的な健康安全保障のレベルは世界中で根本的に低いというものであった。どの国も、ウイルスの流行・大流行の防止に対して十分に準備できていない。多くの国は、健康安全保障能力、及び重大な伝染病を発見・阻止すると共に、それに対応するのに必要な能力をはっきりと示していないのである。そこには、政治的、社会的、経済的、並びに環境的なリスクに対する各国の脆弱性が見られる。

同センターはこうして、世界各国に次のような勧告を行った(5)。第一に、諸国は健康安全保障リスクに取り組むための行動をとらねばならない。リーダーは、そのために投資をコーディネートする必要がある。第二に、各国の健康安全保障能力は毎年、透明な仕方で定期的に測定されねばならない。第三に、国民的かつ国際的な健康安全保障のリーダーは、政治的及び社会・経済的なリスク要因を減少させるために努める必要がある。そして第四に、ウイルスの流行・大流行の防止に対する準備不足をカバーするために、緊急に必要な融資メカニズムが新たに確立されるべきである。これは、多国間のグローバル健康安全保障融資メカニズムを導くものとなる。

今日振り返って見ると、このジョンズ・ホプキンズ大学健康安全保障センターの警告と勧告が、いかに貴重なものであったかがよくわかる。そこで示されたグローバル健康安全保障指標が正当なものであるとすれば、コロナパンデミックはまさしく起こるべくして起こったと言わねばならない。我々はその意味で、健康の面における大きなリスクを抱えた社会に生きている。このリスク社会は、コロナ危機に直面してそれを鎮静化する能力の欠如を暴露したのである。

第二次世界大戦後の世界各国は、人々の健康に関する安全保障システムを発展してきたはずではないのか。少なくとも先進諸国の我々はそう信じてきた。ところが、コロナパンデミックによる前代未聞の健康リスクが出現して以来、もはや誰も健康に対して安全に保障される状態にないことが露呈された。現代社会はまさに、人々の健康に関して安全保障の社会からリスクの社会に移行したのである[6]。しかも、リスクは国境を越えて世界的に広がることから、そうした社会はグローバル化する。それゆえ、このリスクをコントロールするためには、どうしても超国家的な対策が必要とされる。そこでは国際的活動が強化されねばならない。しかし、国際的な保健政策は依然として存在しない[7]。コロナ危機の下で、現行の健康安全保障システムの存続可能性が問われているのはそのためである。実際に今回のコロナ感染のリスクほど、我々が今日、健康の面でいかに脆弱な世界に生きているかを如実に示すものはなかった。

他方でコロナパンデミックは、ウイルス感染に関する学問的対象の問題も提起した。果してそれは、疫学を軸とした自然科学の対象としてのみ分析されるものなのか。そこには、社会科学の立入る余地はないのか。この点が問われたのである。実は、疫学そのものが、コロナ流行以前から社会科学のアプローチをますます受け入れてきた[8]。なぜなら、疫病においては健康と社会の要因が交錯しているからである。ここに社会科学の貢献を見ることができる。科学知識に頼るだけで、健康危機を乗り越えることは決してできない[9]。この点をまず確認する必要がある。

コロナウイルスの感染を例にして見ても、家庭や住宅さらには人種などの諸々の社会的な要因を考慮しなければならない。確かにウイルス感染は、原則としてその犠牲者を選ばない。それは富、社会的地位、あるいは人種などに無関係なはずである。ところが実際には、後に論じるように（第六章）、社会・経済的に不利な立場にある人々は、感染リスクに一層晒される。その結果、コロナウイルスによる発病と死亡は不平等に現れる。コロナ危機はまさに社会危機をもたらす。疫病が社会的次元でも分析されねばならない根拠はここにある。この分析は、パンデミックの要因を説き明かすだけでなく、社会的不平等と対決しながら社会危機を克服するためにも必要とされるのである。このようにして見れば、疫学と社会科学は協力しながら、疫病の原因と結果を理解することに努めなければならない。

一方、疫病のような生物的脅威に関して、社会科学の中でも経済学による分析の役割を強調する必要がある。先に見たジョンズ・ホプキンズ大学の健康安全保障センターがいみじくも指摘したように、伝染病は健康危機だけでなく経済危機をもグローバルな規模で引き起こすことが明らかだからである。実際に後に論じるように（第三章）、コロナパンデミックの下で断行された外出制限のような疫病の感染防止対策は、世界中に甚大な経済的被害をもたらした。それは前代未聞の経済不況となって現れたのである。したがって、コロナ危機による経済的諸結果についてきちんと分析しておかねばならない。それはまた、ポストコロナの指針につながると言ってよい。

さらに、疫病の阻止をめぐる政府の対応も注視しなければならない。冒頭で示したように、コロナ流行以前から健康に関する各国政府の危機管理が不十分であったからには、それを挽回するための適切な対策が果してとられたかが問われるのである。もしそうでなければ、人々の不満と怒りによる政治的混乱が生じることは間違いない。コロナ危機は政治危機をも巻き込むと言わねばならない。

以上の点を踏まえると、今回のコロナ危機は政治、経済、社会のすべての面を含めた複合的危機の様相を呈したと言ってよい。そうであれば、この危機から真に脱出するには経済復興だけで済ます訳にはいかない。そこではまた、社会と政治のあるべき姿が追求されねばならない。本書で総合的な視点に立って分析することに努めたのはそのためである。

二．本書の目的と構成

本書は以上のような問題意識の下に、欧州とフランスを分析対象にする。欧州に注目するのは第一に、言うまでもなく欧州がコロナ流行の一大震源地になったからである。イタリアから始まり、欧州大陸を経てイギリスに至るまで、コロナ感染は欧州全体に広がった。ジョンズ・ホプキンズ大学の調査によれば、フランス、イギリス、イタリア、スペイン、ドイツ、並びにポーランドの六ヵ国のコロナ感染者を合わせると、その数は二〇二一年夏の段階で米国とインドに次いで大きい。一方、欧州を分析対象とするもう一つの理由は、このコロナ危機を契機として欧州（ＥＵ）が統合の将来に向けた新しい方向を示したことにある。この点は後に詳しく論じるように（第七章）、ポストコロナに向けた復興プランの中で、ユーロ共同債の発行が認められたことに求められる。

他方で、欧州の中でもとくにフランスを重視するのは第一に、フランスのコロナ感染者数がＥＵで最大であり、どうしてそれほど感染が広まってしまったのか、またそれによってどのような影響が及ぼされたかという点をしっかりと把握する必要があるためである。そこでの政治・経済・社会の全般的な側面における諸要因を探究することは、複合的危機としてのコロナ危機の様相を捉える上で非常に重要であると考えられる。

さらに、フランスを分析対象とするもう一つの理由がある。それは、コロナ危機に直面したフランスの人々の意識と要求の中に、ポストコロナの世界を展望する姿が見られる点である。今回の健康危機が、フランスの人々の西洋とEUに対する信頼に深い影響を与えたことは疑いない。このことは実は、ドイツやイギリスなどの他の欧州諸国におけるよりもフランスで一層強く現れた。フランスでのコロナ流行直後の世論調査は、それをよく表している。[10] かれらは、今日の西洋モデルとグローバリゼーションモデルに対する批判を強めた。回答者の約半分が、資本主義システムは深く改革されることを望んでいる。この改革の中に、公正な租税システムの設立が含まれる。それは、脆弱な人々がコロナ禍での債務に苦しむ中で、富裕者に対する課税の要求となって現れたのである。

本書の目的は、欧州とフランスを分析対象としながら、今回のコロナ危機から一体いかなる教訓を引き出せるか、また、それを基にしてポストコロナの望ましい経済・社会をいかに描くかを論じることである。コロナパンデミックによるショックは、政治・経済・社会の面で全く新しいものとして突如現れたのでは決してない。この一大ショックは、コロナ流行以前からすでに定着していた現代の不公正で不平等な経済・社会体制の持つ欠陥が、コロナ危機で一層大きくかつ深くなったことを、我々に目に見える形で示したにすぎないのである。では、公正で平等な体制に向けていかに進むべきか。その指針を考える絶好の機会が、今回のコロナ危機によって与えられたと言わねばならない。

本書の構成は、この目的に沿う形で序章と終章を除き三部・八章から成る。第一部（「コロナ感染に対する危機管理」）では、欧州とフランスにおけるコロナ感染に対する危機管理がいかに行われたかが論じられる。第一章は、欧州の危機管理を見る一方、最初の震源地となったイタリアに対する欧州の姿勢を検討する。第二章は、フランスの危機管理としての外出制限策を取り上げると共に、それによる影響を回避するための緊急プランに関する諸問題が論じられる。第二部（「コロナ禍の経済・社会危機」）では、コロナパンデミックはいかなる経済的かつ社会的な危機をもたらしたかが、とくにフランスに注目しながら分析される。それは四つの章から成る。第三章は、コロナ感染防止対策が前代未聞の経済不況を引き起こしたこと、またそれによって経済的不平等が深まったことを論じる。第四章は、経済不況が進む中で、雇用と失業の問題が新たな形で展開されたことを検証する。第五章は、コロナパンデミックによって医療体制が崩壊する過程を、とくに医療用資財の不足と関連させながらフランスに即して明らかにする。第六章は、コロナ危機がたんに経済不況の危機だけでなく、様々な社会問題を生み出したと同時に社会的不平等をもたらしたことを分析する。そして第三部（「ポストコロナの課題」）では、コロナ危機から脱出するための復興プランについて、欧州全体（ＥＵ）とフランスの各々のプランを取り上げながら、その意義と課題が追求される。第七章は、欧州の復興プランについて、とくにユーロ共同債の発行に注目しながら、それの欧州統合の将来における意味を考察する。第八章は、フランスの復興プランがもたらす効果と、その結果生じる債務の問題を検討することにより、危機脱出のための政策に対する展望を探る。そして最後に、やや長い終章を総括として設けた。そこでは、以上の分析をつうじていかなる教訓が引き出せるか、またポストコロナで残された課題にどう取り組むかが、制度的かつ理論的な観点から論じられる。

注

（1）Johns Hopkins, Center for health security, *Global Health Security Index*, Johns Hopkins, October, 2019.

（2）*ibid.*, p.5.

（3）*ibid.*, p.6.

（4）*ibid.*, p.9.

（5）*ibid.*, p.10.

（6）Cattacin, S., Ricciardi, T., Gamba, F., et Nardone, M., “En guise d’introduction: Qu’arrive-t-il à nos sociétés?” in Gamba, F., Nardone, M., Ricciardi, T., Cattacin, S., dir., *Covid-19 Le regard des sciences sociales*, Seismo, 2020, p.16.

（7）*ibid.*, p.18.

（8）Wanner, P., “Épidémologie et sciences sociales”, in Gamba, F., et. al., dir., *op. cit.*, p.286.

（9）Gamba, F., Cattacin, S., Ricciardi, T., et Nardone, M., “Sciences sociales et humaines comme sciences de l’orientation”, in Gamba, F., et.al., dir., *op. cit.*, p.329.

（10）Goar, M.,“《La battaille de la confiance est peut-être perdue》”, *Le Monde*, 19-20, avril, 2020.

第一部

コロナ感染に対する危機管理

第一章　欧州の危機管理とイタリア救済問題

二〇二〇年に入って欧州は、コロナ流行の一大震源地になった。しかし当初、それは欧州全体ではなくほぼイタリアに限られていた。このイタリアにコロナ流行が集中していたという事実が、実は二つの重要な問題を投げかけたのである。一つは、イタリアでの流行が他の欧州諸国に伝播することを、各国さらには欧州全体が真剣に意識し、それに対する防止策を素早く施行したかという問題であり、もう一つは、コロナ流行によっていち早く大きな被害を受けたイタリアに対し、欧州（ＥＵ）は、かれらに救いの手を初めから差し延べたかという問題である。欧州の各国並びにＥＵは、これらの問いにいかなる姿勢を示したか。まず、この点を本章で検討することにした。それは、その後の欧州ひいては世界のコロナパンデミックに対する危機管理と、そこからの脱出を考える上で非常に重要な意味を持つと思われるからである。

一．コロナ流行以前の疫病対策

最初に、コロナ流行以前における欧州の疫病に対する対応の仕方を、冒頭で述べたジョンズ・ホプキンズ大学の健康安全保障センターによるグローバル健康安全保障指標（GHS指標）の計測結果から見ることにしたい。この結果は、その後のコロナウイルスへの欧州各国の対応に反映されていると考えられるからである。

グローバル健康安全保障指標は、諸国の発表する完全に公開されたデータに基づいて計測されたものであり、それは以下の六つのカテゴリーに分かれる[1]。第一に、阻止力（病原菌の出現あるいは放出を阻止する能力）。第二に、発見と報告（流行の初期の発見と報告）。第三に、迅速な対応（流行拡大に対する迅速な対応と緩和）。第四に、保健システム（患者と医療従事者を守るための十分で堅固なシステム）。第五に、国際規律のコンプライアンス（国民的能力の改善、融資プラン、グローバル規準の遵守）。そして第六に、リスクの環境（生物的脅威に対する全般的なリスク環境）。同指標は、これらのカテゴリーの各々についてスコアとランクを示している。それはさらに三つに分類される。ボトムスコアは〇～三三・三点、ミドルスコアは三三・四～六六・六点、並びにトップスコアは六六・七～一〇〇点である。これにより同センターは、カテゴリー別に各国の評価を表す[2]。それによれば、全世界的に低い評価が与えられたのは、阻止力（三四・八点）、迅速な対応（三八・四点）、並びに保健システム（二六・四点）である。それらはいずれも平均で四〇点を下回る。とくに保健システムに対する評価は、平均で三〇点以下であり極端に低い。

そこで、これらの三つの低い評価をえたカテゴリーについて、欧州大陸の主要国と米英のアングロ・サクソン諸国、並びにその他の日本を含めた主要国のスコアとランクを表したのが表1－1である。見られるように、総合力に関して言えば、欧州主要国は確かに平均点をはるかに上回っている。かれらのうちイギリスを含めて五ヵ国がトップランクに入り、六〇点台の国も六ヵ国ある。かれらは総じて、他の諸国よりも高い評価を与えられた。しかし、そこには評価のばらつきが見られることも指摘しておかねばならない。南欧諸国の評価はイタリアとギリシャを中心に、北欧諸国のそれよりもはるかに低い。また、全世界で評価の低かったカテゴリーについて見ても、やはり同様の傾向が見られる。とくに阻止力のカテゴリーにおいて、南欧諸国の評価の低さは明白である。また迅速な対応のカテゴリーでは、とりわけイタリアとギリシャの評価が極めて低い。ただし、ここでは北欧諸国（スウェーデン、デンマーク、ノルウェー）、さらにはドイツとフランスの評価もそれほど高くない。この点は、かれらのコロナ流行への対応を考えるときに頭に入れておく必要がある。そしてこのような傾向は、保健システムのカテゴリーでも同様に見ることができる。このカテゴリーでは、スウェーデンとドイツの評価も五〇点以下でかなり低い点が注目される。保健システムの評価で七〇点以上のトップランクに入ったのはオランダ一国であり、六〇点台をえた国も三ヵ国にすぎない。またイギリスの評価も、このカテゴリーに限っては六〇点以下で低い。このように、保健システムに関して欧州主要国は、決して高く評価されていなかった。因みに欧州以外の諸国でも、保健システムに対する評価は同様の傾向を示した。例えば、総合力でトップを誇った米国でも、保健システムに関してはそれほど高い評価をえていない。そのスコアは、阻止力のそれよりも一〇ポイント近く低い。また、総合力が南欧並みに低い日本において、その保健システムに対する評価は五〇点にも満たない。要するに保健

表１－１　グローバル健康安全保障指標

国名	総合力		阻止力[1]		迅速な対応[2]		保健システム[3]	
	スコア	ランク	スコア	ランク	スコア	ランク	スコア	ランク
米国	83.5	1	83.1	1	79.7	2	73.8	1
イギリス	77.9	2	68.3	10	91.9	1	59.8	11
オランダ	75.6	3	73.7	4	79.1	4	70.2	3
スウェーデン	72.1	7	81.1	2	62.8	14	49.3	20
デンマーク	70.4	8	72.9	5	58.4	19	63.8	5
フランス	68.2	11	71.2	6	62.9	13	60.9	8
ドイツ	66.0	14	66.5	13	54.8	28	48.2	22
スペイン	65.9	15	52.9	32	61.9	15	59.6	12
ノルウェー	64.6	16	68.2	11	58.2	20	58.5	14
ベルギー	61.0	19	63.5	15	47.3	53	60.5	10
ポルトガル	60.3	20	52.8	33	67.7	8	55.0	17
イタリア	56.2	31	47.5	45	47.5	51	36.8	54
ギリシャ	53.8	37	54.2	28	44.0	66	37.6	50
日本	59.8	21	49.3	40	53.6	31	46.6	25
中国	48.2	51	45.0	50	48.6	47	45.7	30
インド	46.5	57	34.9	87	52.4	32	42.7	36
ロシア	44.3	63	42.9	62	50.1	43	37.6	50
全世界	40.2		34.8		38.4		26.4	

注

1）病原菌の出現あるいは放出の阻止。

2）流行の伝染に対する迅速な対応と緩和。

3）患者と医療従事者を守るための十分で堅固なシステム。

出所：Johns Hopins, Center for Health Security, *Global Health Security Index*, Johns Hopkins, October, 2019, pp.20-25 より作成。

システムに関して言えば、先進諸国におけるその評価はこぞって低いのである。この点を忘れてはならない。

くり返しになるが、南欧諸国のコロナ流行直前におけるウイルス感染対策の評価は、北欧諸国のそれに比べてかなり低い。それでは、南欧諸国は初めからそうした悪い医療体制を抱えていたかと言えば決してそうではない。否、むしろ全くその逆であった。二〇〇〇年に発表された世界保健機関（WHO）の報告書によれば、医療の質で測ると南欧諸国の評価はいずれも高いものであったことがわかる[3]。一九一ヵ国の中で、イタリアが二位、スペインが七位、ポルトガルが一二位、並びにギリシャが一四位である。そしてそのときの一位は何とフランスであった。因みにスウェーデンは二三位でドイツは二五位であり、北欧諸国の医療の質は全体的に南欧諸国のそれより劣っていたのである。

それから二〇年近くを経て、事態はどうして逆転してしまったのか。それはギリシャ危機のときに明らかにされたように、南欧諸国は二〇〇八年の金融危機以来、非常に厳しい財政緊縮を強いられ、その結果、医療支出を大きく減少せざるをえなかったためである。医療の質がそれゆえ低下したのも当然であった。この点は、最高の質を誇ったフランスにおいてさえあてはまる。

もちろん、このグローバル健康安全保障指標のみで判断することは避けねばならないが、それがコロナ流行の背景を探る上で大いに参考になることは否定できない。同指標がコロナ流行にいかに反映されたか。具体的には、迅速な対応と保健システムのカテゴリーにおける欧州諸国の評価が低いことと、コロナパンデミックとはどのように相関していたか。これらの点こそが問われるに違いない。では、実際にコロナ感染はいかに現れ、それに欧州はどう対応したか。次にこの点を見ることにしたい。

二．コロナ流行への対応

まず、欧州のコロナ流行に対する当初の対応を見てみよう。結論を先取りして言えば、かれらの対応は、はっきりと遅れたのである。二〇二〇年の一月に入って、すでにイタリアでコロナの流行が見え始めた。イタリア政府は同月末に、中国との往来を制限するため、かれらとの間の航空関係を停止する旨を発表した。同時にイタリアはＥＵに対して、保健相会議の開催を強く求めた。ところが、ＥＵはこの段階で、コロナウイルスについて一切語ろうとしなかった。[4] 欧州委員会の新委員長であるＵ・フォン・デア・ライエン（Von der Leyen）が、中国のコロナ危機が欧州に及ぼす影響を初めて認めたのは、二〇二〇年三月に入りイタリアでのコロナ感染による死者が急増したときであった。そしてその直後に、世界保健機関（ＷＨＯ）は、欧州がコロナパンデミックの震源地になったことを発表する。

このように、ＥＵのコロナ流行への対応は確実に遅れたのである。こうしたＥＵの姿勢に対し、域内からも批判の声が上がった。例えばスウェーデンの外相Ａ・リンデ（Linde）は、二〇二〇年三月一〇日のル・モンド（Le Monde）紙のインタビューで次のように語る。[5] 欧州は尊大にもコロナの流行を無視している。欧州の「国境管理」は新たな正しい健康管理であるはずなのに、それは依然として現実のものとなっていない。国境を越えるウイルスに対し、欧州規模で対応しているかが問われるべきである。国民の健康の問題は結局、国民的権限の問題に還元されてしまった。健康の危機管理は、国民国家の能力であってＥＵの能力ではない。

リンデのこの発言は全く正しいと言わねばならない。これまでＥＵは、経済とりわけビジネスに関しては各国の権限を超えて様々な対策を打ち出してきた。ところが、今回のコロナ流行による健康危機の問題は当初、ＥＵ全体の問題として対処されることはなかったのである。もちろん、そうした流行の伝播を当局が正しく予想することはできない。実際に二〇二〇年三月早々の段階で、コロナウイルスによる健康危機が欧州全体に津波のごとく襲ってくると信じる人はいなかった。この点は十分に考慮されねばならない。しかし、我々がここで銘記すべき点は、ＥＵがコロナ流行の問題をイタリア一国の問題として片付けてしまったという点である。フォン・デア・ライエン委員長は記者会見の中で、コロナ流行に関する質問に対し、「それはイタリアの状況である」と答えた[6]。これは驚くべき発言である。それは、かつてギリシャが債務危機に陥ったときのＥＵの姿勢につうじると言ってよい[7]。

こうしたＥＵの姿勢に対し、ＥＵのイタリア大使Ｍ・マッサーリ（Massari）は次のような警告を発した。コロナ流行の危機管理をイタリアだけに任せてはいけない。ＥＵは早急に有効な手段をとる必要がある。さもなければ我々はリスクに晒される。それはまさしく一九一四年のときに、欧州のリーダーが無遊病者のごとく戦争に向かって突き進んでいったかのようである。この警告が、それから間もなくして現実のものとなったことは言うまでもない。

イタリア政府はこうして、二〇二〇年一月末に緊急事態宣言を発してから何週間にもわたって、欧州のコロナ流行に対する無気力な反応を激しく非難した。それにもかかわらず、欧州の保健相による異例の会議も空しいものと化す。ＥＵは、コロナ流行に対してパニックにもなっていないし、またそれに対して技術的レベルで管理するときでもないとみなした。そして欧州委員会の保健担当局も、コロナパンデミックが仮に起こったとしても、それに対して利用可能な医療設備のレベルは、あわてるようなものではないと豪語した。欧州委員会は、EUはそうしたパンデミックに対して有効に反応できるし、そのための医療用資財は備えられていることを強調したのである。このようにEUは、コロナ流行に対して当初、危機意識を全く持っていなかった。同時に、人々の間で健康危機が迫ったとき、かれらを保護するのは国民国家であってEUではない。こう認識されたのである。

ここで問題とされるべき点は二つある。一つは、そうしたEUのコロナ流行に対する楽観主義が疫病に関する科学的根拠に基づくものであったかという点である。政治家や官僚にとって科学的な予想ができないことは当然としても、かれらは少なくとも専門家の科学的知見に耳を傾ける必要がある。EU並びに各国の政治家は、果してこのことを行ったであろうか。この点が問われるに違いない。もう一つの問題は、健康危機の管理が欧州レベルのものではなく、国民的レベルのものに矮小化された点である。欧州は神聖不可侵の原則として、人の域内自由移動を認めている。こうした中には当然にコロナ感染者も含まれる。つまり、人の移動に伴って感染も移動する。したがってイタリアでのコロナ流行は、決してイタリアだけの問題ではない。この極めて単純なメカニズムをEUは無視した。このことの正当性が問われるのは疑いない。

三．イタリアの救済要求

イタリアはコロナ流行の進む中で、マスクに代表される医療用資財の不足などの様々な困難に直面した。イタリア政府はそこで、二〇二〇年二月末にEUに対して救いを求めた(8)。しかし、それは空しかった。隣国は、かれらの声を上の空で聞いたのである。「欧州はイタリアを見捨てた」という表現がある。これは、イタリアのナショナリストの好むスローガンであり、二〇一五年にイタリアが、押し寄せる海外からの移民による危機に直面したとき発せられた。そのときのEUのイタリアに対する金融支援は、移民の処理を補償できるものではなかった。そしてこのスローガンの示す現象が、コロナ危機に伴って再び登場したのである。

こうした中でマッサーリ大使は、二〇二〇年三月一〇日に、医療用資財を供給する市民保護メカニズムの発動をEUに求めた(9)。ところが、この呼びかけに応じるEU加盟国は何と一国もなかった。このメカニズムに賛同したのは、もう一つのコロナ流行震源地であった中国だけである。さらにもっとひどいことが起こった。EUは、医療用資財を全体として準備しなかっただけではない。加盟国の中で、国民的エゴイズムをむき出しにする国が現れた。ドイツとフランスは三月半ばに、マスクとその他の医療用資財をEU域内に輸出することを禁じたのである。このことは、民間のレベルでイタリアにそれらの財が渡るのを奪ってしまうことになる。イタリアはこうして二重の打撃を与えられた。

EUのイタリアに対するこのような姿勢を尻目に、実は三月半ばにいち早くイタリアに援助の手を差し伸べたのは中国とロシアであった(10)。イタリアに対し、中国はマスクや人工呼吸器を空輸する一方、ロシアは医師や薬品を送り込んだ。またキューバも人員をイタリアに派遣した。フランスやドイツがイタリアに支援したのはその後であった。まずはフランスがマスクを提供し、次いでドイツがイタリアの患者を受け入れたのである。では、もしも中国とロシアが積極的なイタリア支援を行わなかったらどうであったか。フランスとドイツはほんとうにイタリアを援助したであろうか。少なくとも医療用資財の提供は、かれらがその輸出を禁じた以上ありえなかったのではないか。このように考えると、フランスとドイツのイタリア支援は要するに、たんに地政学的な観点から行われたにすぎないのではないか。それは、人道的かつまた欧州の連帯的な観点からではない。こう思われても仕方ないであろう。

実際に、今回のコロナ流行により大きな被害を受けたイタリアに対して欧州のとった姿勢は、かれらの「保護する欧州」という評価を大幅に引き下げるものであった。EUが、健康危機の管理に対して無能力であり、それは唯一国民国家に任せられてしまうことが暴露されたからである。イタリアのナショナリストが、ここで再びEUを強く非難したのはそのためであった。

イタリアの首相G・コンテ（Conte）はこうした中で、緊急性こそが欧州に対する最後通牒になると通告した。彼は、「今日の欧州は明日にはもうない」と語る[11]。イタリアは緊急に支援を必要としているのに、欧州はただ屈辱を与えているだけである。イタリア政府はこのように嘆くと共に、もしもイタリアがコロナ流行によって頓挫すれば、ユーロ圏もEUも崩壊する恐れがあると訴えた。連帯こそがEU固有の利害だとすれば、このイタリアの警告はまさに最後通牒であったと言ってよい。こうしたイタリアの主張に対し、ドイツの財務相O・ショルツ（Scholz）は支持を表明する。彼は、連帯は危機のときにはもはやオプションではないとし、それがなければ欧州のプロジェクトは崩壊すると唱えたのである。このショルツの発言は全く正しいと言わねばならない。

四．EUの緊急支援

以上のようなイタリアの緊急支援に対する強い要求が起こる中で、EUはやっと対策を練り出す。その背後に、ショルツ財務相の発言に見られるような、ドイツにおける一定の支持があったことを忘れてはならない。言い換えれば、ドイツが全体として強く反対するとEUは一切動けない。では、なぜドイツが急に態度を変えたのか。それは、欧州に押し寄せるもう一つの大被害（カタストロフ）、すなわち欧州経済の崩壊という状況が次第に現実味を帯びてきたからに他ならない。

こうした中で、欧州委員会のフォン・デア・ライエン委員長は、欧州がコロナウイルスを過小評価してきたことを認め、その感染拡大に対決するために必要なことはすべて行うことを宣言した。[12]同委員会は、これが一つの戦争であることを意識し、次の二つの対策を告知したのである。一つは、国家に企業を救済する権利を認めることであり、もう一つは、財政安定協定を停止することである。EUはコロナ危機に直面して、競争と財政に関する二大原則を一旦取り除いた。競争原則にしたがえば、歪みのない自由な競争が前提とされ、国家は企業を原則的に支援できない。一方財政原則は、一国の財政赤字と公的債務の対GDP比を、各々三％と六〇％に留めるものである。

EUが、これらの基本原則を一旦廃してまでも緊急対策を打ち出したことは評価されなければならない。この点は、とりわけ財政原則についてあてはまる。筆者はこれまで、EUの財政安定協定には根本的な問題があり、その見直しの必要を強く唱えてきた。[13]ところが、新財政協定（二〇一一年）が成立して以降も、EUは同協定を廃すどころか、修正すら認めなかった。それは、ドイツの強硬な保守派の主張する財政均衡という黄金律の下で維持されてきた。フランスのF・オランド（Hollande）大統領が、同協定の再検討を訴えても、ドイツのA・メルケル（Merkel）首相は、頑としてそれを受け付けなかったのである。[14]財政安定協定は、まさに神聖不可侵のものであった。

それゆえ、この大原則が一時的ではあっても排除されたことの意義は非常に大きい。フランスのE・マクロン（Macron）大統領の経済アドバイザーであったパリ・シアンス・ポリティーク教授の

J・ピザニ‐フェリー（Pisani-Ferry）も、ル・モンド紙のインタビューで、財政規律の弾力化の決定を評価する[15]。各国の健康危機に応じた政府支出は、財政安定協定で謳われた規律を免れる必要がある。その限りでEUの示した対策は正当性をもつ。

では、そうした財政規律を一旦停止するという決定が、EU独自の主体的な判断でなされたかと言えば決してそうではない。そこには、加盟国の要求が強く働いていたと見ることができる。今回のコロナ流行に対決するために、かれらは大きな財政支出を余儀なくされた。それは、二つの基本的な対策を遂行する中で進められた。一つは、コロナ流行を阻止するための直接的な支出であり、もう一つは、感染防止策の経済に与える影響を回避するための支援である。とくに後者については、外出制限の経済に与えるインパクトが極めて大きいと考えられた。そこで、そのような政府支出によって、かれらが大きな財政赤字に見舞われるのは当然であった。欧州におけるコロナ流行の震源地となったイタリアでは、コンテ首相が自国の経済を救うためには何でも行うと宣言し、GDPの一・五％に当る二五〇億ユーロの支援を準備した。これによってイタリアの財政赤字が悪化するのは言うまでもない。その対GDP比は、欧州の規律（三％）をはるかに超える。そして、この傾向がより劇的に現れたのはフランスにおいてであった。

フランス政府は、非常に厳しい外出制限策を打ち出しながら、その経済に及ぼすネガティブ効果を極力抑えなければならない。かれらは、このようなジレンマに陥った。それはまた、フランスに限らず欧州全体にあてはまる問題であった。そうしたジレンマの中で政府は、巨大な財政支出に直面せざるをえない。外出制限が発動される以前にすでに、労働相のA・ペニコー（Pénicaud）は、政府は雇用を守るために財政支出の制限にかかわらないことを表明した[16]。B・ル・メール（Le Maire）経済・

財務相も、コロナ危機がフランスの財政の方向を変えるのは疑いないことを認めたのである。

そこで問題となるのは、欧州の安定協定で定められた財政規律（財政赤字と公的債務の対GDP比を各々三％と六〇％にする）である。[17]フランスはこれまで、マクロンの約束の下にこの財政規律を遵守すべく努力を重ねてきた。[18]この基本方針は転換されざるをえない。フランスはコロナ危機により、こうした事態を迎えたのである。ところが、財政方針の転換は当然フランスの意向のみで行えるものではない。フランス政府はそれゆえ欧州のパートナーに対し、共同の復興プランを呼びかける中で財政規律の弾力化をEU本部に呼びかけることになる。

実は、コロナ流行に対処するための政府支出により、財政赤字の拡大を図ったのはイタリアやフランスだけではなかった。そもそも財政安定協定をつくり上げ、財政規律を最も重んじてきたはずのドイツさえも、ここにきて財政支出拡大というタブーを破る動きを示したのである。かれらはコロナ危機に直面し、あれほど強調してきた財政均衡のドグマを捨て、歴史上最大の予算を用意した。メルケル首相は、今回は例外的事態であると判断し、一〇億ユーロの緊急支出を行う。これは、ドイツの保健体制を強化するためであった。同時に彼女は、経営困難な企業への支援を発表する。さらに三一億ユーロの補足的投資プランも示された。このようなメルケルの財政支出拡大策の背後に、ドイツのエコノミストの進言があったことも否定できない。かれらは、コロナ危機の経済に対する影響を抑えるために財政均衡の原則を打ち壊す必要があることを訴えたのである。[19]

しかも留意すべき点は、そうしたドイツのエコノミストの主張がすでにコロナ危機以前から見られたという点であろう。例えば、ドイツ経済研究所総裁のM・ヒューテル（Huther）は、ドイツ経済政策の中心的教義である財政均衡は経済的に正当化できない誤った政策であると唱える。[20]財政均衡という固定観念は、根拠なしに公共投資を制限すると共に、よい投資チャンスを逃した。彼はこう断じる。このような、公共支出に賛同する考えは、もともと左派系のエコノミストが表したものである。ところが今日、それはヒューテルのような雇用者に近いエコノミストによっても支持される。かれらは、長い間の巨大な公共投資の遅れがドイツ経済を苦しめたと主張する。実際に表１－２に見られるように、ドイツの公共投資のＧＤＰに対する割合は、二〇一〇年から一〇年間にわたって低いままである。それは、他の欧州諸国と比べてみればはっきりする。とりわけフランスのそれとの差が大きい。こうして、ドイツのエコノミストの間で、公共投資を拡大する必要から財政均衡の原則を打破することが声高に唱えられたのである。

表１－２　欧州主要国の公共投資

（対 GDP 比、%）

国　名	2010	2015	2019
ドイツ	2.4	2.1	2.5
イタリア	3.1	2.4	2.3
イギリス	3.2	2.7	2.8
フランス	4.2	3.4	3.6
オランダ	4.2	3.6	3.4
スペイン	4.7	2.5	2.0

出所：Boutelet, C., "Comment l'Allemagne est devenue Keynésienne", *Le Monde*, 8, september, 2020 より作成。原資料は、Eurostat、ドイツ財務省などによる。

　このようにして見ると、今回の財政規律の弾力化というＥＵの決定も、結局はドイツとフランスの二大国の支持があって初めてなされたのではないか。そう思わざるをえない。とりわけそこにはドイツの意向が強く働いていた。ドイツが賛成すればＥＵは動くのである。この決定により、当面どの国も財政規律を守らなくてもよいことになった。委員長のフォン・デア・ライエンも、欧州経済がこの嵐に対抗できるようにあらゆることを行うと宣言する。欧州の統治者はこうして、とにかく連帯の手段を語った。このことが、これまでドイツとオランダにより一貫して拒否されてきたこと、また財政規律こそが神聖不可侵の原則とみなされてきたことを踏まえると、それは画期的な進展であると言わねばならない。

他方で、EUを離脱したイギリスも、やはり財政支出の拡大を表明した[21]。B・ジョンソン（Johnson）首相は、国民に対して誰も損をしないことを約束する。これにより、医療手当ての政府による支払い、社会的負担金や小規模商店に対する不動産税の停止などが施行された。一方、イングランド銀行も徹底した金融緩和策をとる。利子率を〇・七五％から〇・二五％に引き下げることによって企業に対する金融支援を行った。さらに新財務相のR・スナック（Sunak）も財政支援を図る。三〇〇億スターリングの補足的支出が、二〇二〇年四月から二〇二一年三月までなされることになる。イギリスではこれまで、保守党政権の下にかなり厳しい財政緊縮政策がとられてきた。この点は、とくにD・キャメロン（Cameron）政権のときにはっきりと現れたし、T・メイ（May）政権も基本的に緊縮の方向を示した[22]。ところが今度は、同じ保守党政権によって思い切った財政緩和策が提示されたのである。

このようにして見ると、EUもイギリスも、かつてないほどの規模で財政支出の拡大を企図したことがわかる。欧州各国は今回のコロナ流行に対し、あらゆる手段を使いながら、その拡大を防ぐと共に、それによる経済への影響を最小限に留めるように努めたのである。そしてこの点は、EUそのものに対しても当然あてはまる。

一方、こうしたEUの対策に関して、もう一つの大きな問題がある。それは、それらの対策が最終的には国民的レベルでの危機管理に帰着してしまい、EU全体としての共通の対策とはならないという点である。企業支援も、また保健のための支出も、いずれも各国民国家に委ねられてしまう。そうなると、ここでさらに困難な問題が立ちはだかる。それは、コロナショックの非対称性という問題である。各国はコロナ流行を阻止するために、後に見るように（第二章）、外出制限のような厳しい対策をとる必要があり、それによる経済ショックは確かに対称的に現れる。ところが、政府支出の能力に関して言えば、コロナショックは非対称的であると言わざるをえない。イタリア、スペイン、ポルトガル、並びにギリシャの南欧諸国は、すでにリーマンショックで経済を非常に疲弊させた。かれらは債務と引換えに極めて厳しい財政緊縮政策を強いられてきた。ギリシャはその典型である。(23)したがって南欧諸国は、コロナ危機に直面しても明らかに十分な経済・社会支援ができない。これに対して、最も財政的に余裕のある国は言うまでもなくドイツである。かれらは豊富な支援対策を打ち出すことができる。このようにして見ると、欧州委員会の提示した競争原則と財政原則の停止も、結局はドイツを最も有利にするのではないか。こう思わざるをえない。

ところで、ＥＵが全体として共通の緊急支援を何もしなかったかと言えば決してそうではない。欧州中央銀行（European Central Bank, ECB）は当初、最大の被害国であるイタリアを守る用意をしなかった。したがってイタリアの債券は市場から嫌われ、その利子率は非常に上昇した。しかし、総裁のＣ・ラガルド（Lagarde）はその過ちを認め、その後各国の債券を七五〇〇億ユーロ購入することを決定した。(24)さらに二〇二〇年末までに、その購入額を一兆ユーロ以上にすることも謳われる。このＥＣＢによる債券購入は、いわゆる非伝統的政策としての量的緩和策を示す。二〇〇八年の金融危機の際にとられた政策が、ここで再び登場したのである。コロナ危機下の、こうした前代未聞の規模の債券購入は、「パンデミック緊急購入プログラム（Pandemic emergency purchase programme, PEPP）」と称された。(25)こうしてラガルド総裁は、欧州の連帯意識はコロナウイルスと同じように伝染しているとみなし、ＥＣＢの金融支援を誇示した。

一方、ＥＵ自身も緊急の金融支援を提示する。[26] かれらは、コロナ流行で引き起こされた経済的被害に対し、五四〇〇億ユーロまで割り当てることに合意した。この金融支援プランは三つの経路を辿ると考えられる。第一の経路は、欧州投資銀行（European Investment Bank, EIB）を通すものである。ＥＩＢは、企業に対する新たな貸付を二〇〇〇億ユーロまで認める。第二の経路は、コロナ感染防止策としての外出制限や休業要請によって生じた一時的失業（chômage partiel）に対する賃金補償の融資である。ただし、これは全会一致をえたものではない。そして第三の経路は、ＥＵの前代未聞のリセッション（景気後退）に対応するための欧州安定メカニズム（European Stability Mechanism, ESM）の活用である。

ＥＳＭは、二〇一二年にユーロ圏の金融支援を行うためにつくり出された。これはまた、欧州通貨統合が脅威に晒されたときにユーロを守ることを目的とする。そこでＥＳＭの金融支援メカニズムを最初にごく簡単に示すと次のとおりである。[27] まず、ＥＳＭは基本的に加盟国の資本応募から成るファンドを形成する。その際の応募比率は国民所得などに基づくＩＭＦ方式に順じる。一方、その他の原資として、金融市場での証券発行によるものも予定される。同時にＩＭＦからの資金サポートもあるので、ＥＳＭはＩＭＦと密接な協力関係を持つ。したがってＩＭＦの場合と同じく、ＥＳＭによる資金供与にはコンディショナリティ（貸付条件）が伴う。また、資金を借り入れた国はＥＵにより監視される。

こうしたＥＳＭの基本原則の下にＥＵは、コロナ流行で最も影響を受けた国に対して信用を供与することに合意した。[28] それは、二四〇〇億ユーロを上限に利子率を特別なものとした。ところが、ここでＥＳＭの制約がある。加盟国は、そのＧＤＰの二％以上をＥＳＭから借り入れることができない。イタリアを例とすれば、その額は三六〇億ユーロを上限とする。しかも今回、特別なコンディショナリティが追加された。それは、借入れが唯一、コロナ感染と結びついた予防に対する直接的かつ間接的な支出に向けられるべきとするものである。したがって保健のための支出以外に向けた金融支援には、さらなるコンディショナリティが設けられる。

このように、ＥＳＭによる資金供与は何の制限もなしに行われるのではない。それには貸付の厳しい上限と様々なコンディショナリティが伴う。この点もＩＭＦ方式に沿うものである。しかも加盟国の借入れは、全会一致で認められなければならない。一方、ＥＣＢによる量的緩和策にしても、かれらが無限に債券を購入する訳にはいかない。これらの点を踏まえれば、そうした金融支援のみで果して十分なのかが問われるであろう。さらに補足的な資金供与を考える必要があるのではないか。最後にこの点について見ることにしたい。

五．コロナ債の発行問題

コロナ流行の一大震源地となり、その影響を最も受けたイタリアは、多額の財政支出の必要から資金不足に陥った。そこでコンテ首相は二〇二〇年三月二六日に欧州大統領のＣ・ミシェル（Michel）に対し、共同債務手段の創出を要求する[29]。これにより、再建のための支出に対して確固たる融資を可能にすると考えられたからである。フランスは、このイタリア案に直ちに賛同した。ユーロ危機の際に生じたＥＵ内南北間対立を再現してはならない。フランスの願いはこの点に尽きる。そして今回、同案に対する賛同の輪は広がりを示した。イタリア、スペイン、ポルトガル、並びにギリシャの南欧諸国とフランス以外に、アイルランド、ルクセンブルク、ベルギー、さらにはスロベニアも加わり、「九ヵ国グループ」が成立したのである。

では、肝心のドイツはいかなる姿勢を示したか。本来、ドイツこそがこのグループに加入すべきである点から、フランスはドイツに支持を呼びかけた。ドイツは、イタリアの提案の前日に財政規律の義務を取り除くことに合意したし、また先に見たように、実際にかれらは他国よりも一層大きな経済支援プランを示していたのである。しかし、ユーロ共同債の発行に関してはそうでなかった。ドイツの経済相P・アルトマイヤー（Altmaier）は、コロナ債のような新しい考えには慎重であるべきと語る。それは、長い間拒絶されてきたアイデアをむし返すだけであるとみなされた。事実、ユーロ危機のときにもメルケル首相は、ユーロ共同債で危機を解消することはできないと主張した[30]。これは、当時のイタリア首相M・モンティ（Monti）が、ユーロ共同債の発行こそが唯一の解決手段であると唱えたのと全く正反対であった。今回、コロナ債の発行をめぐって同じことがくり返されたのである。

しかも銘記すべき点は、このコロナ債というユーロ共同債に対し、メルケル首相が以前にも増して強硬に反対した点であろう。彼女は、二〇二〇年三月二六日のオンラインによるEU二七ヵ国のサミットに参加することを、怒りを露にして拒否した。このドイツの猛烈な反対にオランダのM・ルッテ（Rutte）首相も同調する。かれらは、こぞってコロナ債の発行を拒絶した。それは、債務の相互化に等しいと判断されたからである。

こうしたドイツとオランダの姿勢に対し、イタリアとスペインは真っ向から反発した。ドイツは欧州共通の対応を制限し、現在の状況を深刻に考えない。かれらはこのように主張した。またポルトガルのA・コスタ（Costa）首相も、ドイツとオランダに対する嫌悪感を露にした。欧州は、ドイツが反対すれば何も動けない。この思いが各国に再び伝わった。ここに、「欧州のドイツ」ではなく「ドイツの欧州」が再現されたのである。こうした中で、スペインのP・サンチェス（Sanchez）首相とイタリアのコンテ首相は、EUサミットでの共同宣言を拒絶した。かれらは、それがコロナ流行により被害を受けた国に融資することに対して、不十分な連帯しか示していないと判断したのである。[31]

一方、当初イタリアの案を積極的に支持したフランスはどうであったか。マクロン大統領は南北対立の回避を謳ったからには、イタリアとスペインに代表される南部とドイツやオランダを中心とする北部との間で調停を行うべきであった。しかしマクロンは、ドイツとの関係悪化という政治的コストを考慮し、そうした調停を十分に行わなかった。ドイツは「反対」という切り札をかざし、フランスもそれに同調したのである。ここに、実はマクロン政権の発足以来、ドイツとフランスが描いていた「独仏協調」という路線を見ることができる。[32]このようにEUの二大国であるドイツとフランスが、全体の方向を決定してしまう。これでもって、果して欧州のめざすべき固有の連帯意識を高めることができるであろうか。欧州中央銀行のラガルド総裁が多額の債券購入を決定したのも、連帯意識が欧州全体に伝播するのを期待したからではないのか。しかしコロナ債の発行に関して、この連帯意識は働かなかった。ユーロ共同債の悲願は、二〇二〇年三月のコロナ流行の初期段階で達成されなかったのである。

コロナ流行が欧州で広がりを示し始めたとき、フランスのレクスプレス（L'Express）誌の編集部は、欧州が決断を迫られていることを次のように表明した。[33]このパンデミックに対し、欧州は今こそ大きなテスト、すなわち諸国間の不可欠な連帯が国民的エゴイズムを乗り越えられるかというテストを受けるときであり、それはまた、欧州プロジェクトの核心に触れる問題である。果して欧州は、前代未聞の脅威に対してコーディネートできるであろうか。この点は全く定かでない。より不安なことは、欧州全体で考えることができない点にある。コロナウイルスとの対決は真の戦争であり、確固たるリーダーが求められる。それなのに、一体誰がその役を担うのか。メルケル、フォン・デア・ライエン、さらにはマクロンのいずれでもない。かれらは共に、欧州の理想主義と対立主義の衝突にとらえられてしまう。そのとき、欧州の市民は、EUが人々を守らないと非難するに違いない。

このレクスプレス誌における表明は、実はイタリアのコロナ債発行案が出される以前のものである。そこで表された欧州の連帯意識の欠如を危惧する思いは、コロナ債に対するドイツとオランダの拒絶によってまさに現実のものと化した。連帯を目指すいかなる対策も、EUで全会一致の支持をえられないことがはっきりしたのである。確かに、欧州中央銀行の量的緩和策による流動性供給や欧州安定メカニズム（ESM）をつうじた資金供給などの金融政策が、いち早く行われたものの、それらの融資は加盟国間で相互化されたものではない。そこには連帯意識が見られない。そうした信用供与による債務は、債務国自身で返済しなければならないからである。

筆者は先に、EUの危機に際して絶対的に必要とされるべきことは加盟国間のコーディネーションであり、それはユーロ共同債の発行によって成就されることを強調した[34]。これこそが、欧州における真の財政資金移転をもたらすと考えられるからである。パリ・シアンス・ポリティーク教授のピザニ‐フェリーも、緊急事態には相互支援ファンドの創出に向けた財政資金の供給を行う必要があることを主張する[35]。

欧州は、コロナ債の発行を二〇二〇年三月のコロナ流行が最初に起こった段階で否定した。このユーロ共同債は、議論を先取りする形になるが、それからわずか二ヵ月後に今度は一転して容認される。なぜこのような逆転劇が生じたかは後の章（第七章）で論じることにして、ここで銘記すべき点は次の点にある。それは、コロナ債が初めて提案されたときに、少なくともＥＵの三分の一の国が賛同したにもかかわらず、同案は拒絶されたという事実である。そうしたユーロ共同債の発行は時期尚早であると判断されたためなのか。あるいはドイツとオランダを含めてＥＵ諸国は、そもそもコロナ流行の危機管理に関して連帯意識を持つことがなかったためなのか。これらの問いを念頭に置きながら、その後の動きを分析する必要がある。

以上からわかるように、ＥＵがコロナ流行に対する防止策を直ちに打ち出したということはできない。それは、震源地のイタリアがなすべきことであって、ＥＵが全体として行うことではない。当初、このように判断されたのである。こうした対応の遅れが、後にパンデミックによる一大被害を欧州にもたらしたことは否定できない。政治家と官僚は、医者や科学者のアドバイスを真に受け入れたのか。この点が問われるのは当然であろう。

他方で、最大のコロナ感染国であり、それによって最も被害を受けたイタリアに対する欧州の支援も遅れてしまった。これは、医療用資財の面のみならず資金の面でも現れた。とくに後者の点では、コロナ債発行の要求に対する欧州の当初の反応に留意する必要がある。同発行の拒絶はそのまま、当時の欧州のコロナ流行阻止に対する連帯の欠如を如実に表しているからである。そして、そうした欧州の姿勢は、その後のコロナ危機に対する応じ方に反映される。本章で、欧州のイタリア救済問題にとくに着目したのはそのためである。

注

（1）Johns Hopkins, Center for Health Security, *Global Health Security Index*, Johns Hopkins, October, 2019, pp.7-8.
（2）*ibid.*, p.9.
（3）拙著『ギリシャ危機と揺らぐ欧州民主主義』明石書店、二〇一七年、六八ページ。
（4）Margottini, L., Stockton, B., et Schoen, C., "Les ratés de la crise du Covid", *L'Express*, 16, juillet, 2020, pp.36-37.
（5）Kaufemann, S., Malingre, V., et Stroobauts, J.-P., "Les《sommanbles》de l'Europe", *Le Monde*, 2, mai, 2020.
（6）*ibid.*
（7）前掲拙著、一五四～一五五ページ。
（8）Van Renterghem, M., "L'Italie comme métaphore", *L'Express*, 9, avril, 2020, p.41.
（9）Kaufemann, S., et.al., *op.cit.*
（10）Van Renterghem, M., *op.cit.*, p.41.
（11）*ibid.*
（12）Kanfemann, S., et.al., *op.cit.*
（13）拙著『欧州財政統合論』ミネルヴァ書房、二〇一四年、第一部参照。
（14）拙著『「社会分裂」に向かうフランス』明石書店、二〇一八年、八八～八九ページ。
（15）Malingre, V.,"《Ce n'est pas le moment d'économiser》", entretien avec J. Pisani-Ferry, *Le Monde*, 13, mars, 2020.
（16）Belouzzane, S., et Tonnelier, A., "Le gouvernement français prêt à franchir les 100% de dette publique", *Le Monde*, 13, mars, 2020.
（17）財政規律について詳しくは前掲拙著『欧州財政統合論』第一章参照。
（18）前掲拙著『「社会分裂」に向かうフランス』二一〇～二一一ページ。

（19）Albert, É., Boutelet, C., Gautheret, J., et Malingre, V., "Les trois semaines qui ont chamboulé l'orthodoxie économique européenne", *Le Monde*, 27, mars, 2020.

（20）Boutelet, C., "Comment l'Allemagne est devenue Keynésienne", *Le Monde*, 8, septembre, 2020.

（21）Albert, É., Gautheret, J., et Hauteville, J.-M., "Une relance économique en ordre dispersé", *Le Monde*, 13, mars, 2020.

（22）拙著『ＢＲＥＸＩＴ「民衆の反逆」から見る英国のＥＵ離脱』明石書店、二〇一八年、二九～三三ページ、三三四～三四一ページ。

（23）前掲拙著『ギリシャ危機と揺らぐ欧州民主主義』二二一～二六ページ。

（24）Albert, É., et. al., "Les trois semaines qui ont chamboulé l'orthodoxie économique européenne", *Le Monde*, 27, mars, 2020.

（25）Albert, É., "Malgre la crise, la BCE reste attentiste", *Le Monde*, 31, octobre, 2020.

（26）Malingre, V., "Europe: un accord à plus de 500 milliards d'euro", *Le Monde*, 11, avril, 2020.

（27）拙著『フランスとＥＵの金融ガヴァナンス』ミネルヴァ書房、二〇一二年、二三四～二三六ページ。

（28）Malingre, V., "Europe: un accord plus de 500 milliards d'euro", *Le Monde*, 11, avril, 2020.

（29）Kaufemann, S., et.al., *op.cit.*

（30）前掲拙著『フランスとＥＵの金融ガヴァナンス』二七四ページ。

（31）Kaufemann, S., et.al., *op.cit.*

（32）前掲拙著『「社会分裂」に向かうフランス』三四六ページ。

（33）L'Express, "L'Europe au pied du mur", *L'Express*, 12, mars, 2020, p.8.

（34）前掲拙著『欧州財政統合論』一九四～一九五ページ。

（35）Malingre, V., "《Ce n'est pas le moment d'économiser》", entretien avec J. Pisani-Ferry, *Le Monde*, 13, mars, 2020.

第二章　フランスの外出制限と緊急支援問題

コロナパンデミックに直面したドイツ、フランス、並びにイタリアを中心とする欧州の主要諸国が、まずもって採用した対策は外出制限であった。そして、この対策こそが、その後の欧州経済・社会に対して前代未聞のインパクトを与える直接的契機となったのである。もちろん、外出制限は今始まった対策では全くない。それは、歴史的に疫病の感染防止に用いられてきた手段である。驚くべきことは、そうした手段が未だに最良のものの一つとみなされている点であろう。ところが、この伝統的な対策の与えるインパクトは、かつての中世のときのようなものと比べものにならないほど大きい。我々はこの点に留意する必要がある。本章では、この外出制限が発令された経緯、それによるインパクトを和らげるための経済支援対策、さらにはその効果をめぐる諸問題などに関し、フランスをめぐって検討することにしたい。というのも、フランスの外出制限策は欧州で最も厳しいものの一つとみなされるからである。

一．外出制限の発動

フランスのメディアで外出制限（confinement）という言葉が用いられたのは、二〇二〇年の一月末からであった[1]。この用語はまさに、一大経済ショックを表す大恐慌と並び称されるものとして、二〇二〇年に突如現れたのである。ただし、この用語がフランスで最初に登場したのは、一三四八年におけるあのペストパンデミックのときであった。それから実に七〇〇年近くも経て、この言葉は蘇える。それはまさしく、コロナパンデミックに合わせて世界に流布したのである。

そうした中でフランス政府は当初、中国のコロナ対策をよそに、外出制限に対して批判的な姿勢を示した。マクロン大統領は、二〇二〇年の三月に入っても、「脆弱な人々を除いて外出する習慣を変えるべきではない」と語る[2]。しかし、それからわずか一週間後に事態は急変した。フランス政府は二〇二〇年三月一七日から外出制限を発動したのである。ル・モンド紙は、その間の経緯を次のように詳細に記している。

保健局長のJ・サロモン（Salomon）は三月一日の段階で、フランスは事態をコントロールできると表明する。実際に当時のコロナ感染者は圧倒的に中国人であった。世界全体で八万七五〇〇人の感染者のうち、中国人が八万人を占めたのである。これに対して欧州ではイタリアで一〇〇〇人、フランスに至っては一三〇人を数えるほどであった。警戒レベルはステージ2であり、コロナ感染は十分に抑えられる。かれらはこう判断した。この段階で誰も「自粛」以外考えなかった。サロモンは、中国のような劇的な外出制限は論外であり、それは民主的でないとみなす。疫学の専門家もマスメディアに対し、コロナウイルスはインフルエンザほど危険ではないとし、過剰な不安を煽る報道を否定する。そして三月四日においても、政府スポークスマンは、まだコロナ流行の段階ではないし、仮にステージ3に達してもフランスの経済活動を止めることはないと宣言した。その際に、コロナウイルスは空気感染しないし、マスクも役に立たないとみなされた。ところが、それから間もなくしてパリで感染者が増え始める。E・フィリップ（Philippe）首相はこのときすでに、コロナ流行はグローバル経済活動に厳しい影響を与え、フランスもそのショックを受けざるをえないことを明らかにした。

そうした中で専門家委員会は三月一〇日に、イタリアのような大混乱を避ける必要を訴え、外出制限策を初めて議論する。ところがこの段階でも新保健相のO・ヴェラン（Véran）は、フランスの病院が患者で飽和になる兆しはないと判断した。政府スポークスマンも、イタリアはフランスと異なり、コロナ流行を阻止できないでいると語る。しかし、これに対して医療関係者は、蘇生サービスをすべての人に与える場がないことを恐れ、フランスがイタリアと同じようになることは間違いないと反論したのである。

そして三月一二日に、米国は欧州のシェンゲン圏との往来を一ヵ月間禁ずることを表明する。保健に関する議論はいよいよ国際レベルに達した。これを受けてマクロン大統領は、フランスだけ別格にすることは困難であると判断し、ついに同日、国民に対して声明を発表した。それは、一週間前の反外出制限の対応と全く正反対のものであった。彼はそこで、「この一世紀間でフランスが経験した最も深刻な健康危機」に対決するための真のプランを述べる(3)。実際に三月一日からわずか一〇日の間に、フランスのコロナ感染者は三倍近くに増大し、イタリアと同じく蘇生サービスの飽和というリスクに直面したのである。

マクロンの声明には、小学校から大学までのすべての学校の閉鎖が盛り込まれた。これは前代未聞の対策であった。また、レストラン、カフェ、映画館、並びに劇場なども閉鎖され、イタリアやスペインと同じく、すべての人に外出制限が求められた。コロナ感染を阻止する唯一の効果的手段は、やはり人口全体の外出制限であることが、ここで確認されたのである。そしてフランスは、外出制限決定から四八時間後にそれを実行するイタリア方式によるのではなく、三月一六日の決定翌日から即座に少なくとも一五日間の外出制限を設けた。一方、外出制限を徹底させるための新たな秩序も発令された。C・カスタネ（Castaner）内相は、外出許可証の必要と違反した場合の制裁として罰金を課すことを発表する(4)。同時に、新たな危機管理として大量の警察官が動員された。

以上に見たように、フランスのコロナ流行への対応は、前章で見たEUのそれと同じく明らかに遅れをとった。あるいは、フランスはEUの対応を鑑みながら動いたと言ってよいかもしれない。他方で、こうした遅れはEUやフランスにだけ見られたものではない。それは、EUを離脱したイギリスにおいても一層はっきり現れた(5)。ジョンソン首相は、第二次世界大戦のときの有名な、「冷静に事を運ぼう（Keep Calm and Carry On）」というスローガンを国民に発し、他国の行った外出制限や学校閉鎖に順じない姿勢を示した。そこでは、中国の行ったような外出制限は、その解除後に感染がリバウンドするリスクを持つとみなされた。しかしイギリスの科学者は、政府に対して外出制限策を直ちにとるように勧告した。かれらは、政府が科学的根拠を参照するように求めたのである。これに対してジョンソンは、保守派の好む説、すなわち強い者が生き残るという自然陶汰説にしたがった。その結果、イギリスのコロナ感染の致死率は他国のそれを上回ることになる。

ところでマクロンが発表した外出制限策は、当然に一部の経済活動をストップさせてしまう。これにより、経済不安が人々の間で高まることは疑いない。政府はこの不安を取り除く政策を緊急にとる必要がある。次にこの点を見ることにしたい。

二、経済支援対策の提示

先に示したように、フィリップ首相はコロナ流行の経済抑制効果を不安視した。とくに航空産業を中心とした遠距離輸送の崩壊は、フランス経済を永続的に困難な状況に追い込むと思われた。一方、経済・財務相のル・メールは、リセッションを否定するものの、フランス経済は二〇一九年の第四・四半期から明らかに景気後退局面に入っていることに気づいていた[6]。実際に、OECDは二〇二〇年の三月初めに、フランスの同年における経済成長の低下を予想する。そこでル・メールは直ちに、企業に対する支援の強化を宣言した。それはまた、フランスの商業連合が強く要望するものであった。そして外出制限が、フランス経済をさらに悪化させることは疑いなかった。

こうした中でマクロンは、「どんなにお金がかかっても（quoi qu'il en coûte）」経済支援を行うことを約束する[7]。それは、企業に対する支援と賃金労働者に対する支援の双方を含んでいた。前者については「国家保証付き貸付（prêts garantis par l'État, PGE）」、後者については「一時的失業」が主たるものである。

マクロンは、企業に対する貸付のうち三〇〇〇億ユーロまで国家が保証することを発表した。ル・メール経済・財務相は、これによって五〇万社以上の企業が恩恵を受けるとみなす[8]。確かに、そうした貸付で企業の流動性不足が一定程度解消されることは間違いない。しかし、ここには大きな問題も残る。それは、巨額の信用の配分の問題である。[9] ル・メールがいみじくも語ったように、この貸付がすべての企業を支援するものではないとすれば、信用供与の偏りという信用割当ての問題はなくならないのではないか。その結果、中小企業が資金調達の面で不利になるのは言うまでもない。コロナ危機により流動性不足に最も苦しんでいるのが零細企業と中小企業であることを考えると、この国家保証付き貸付は、企業間の不平等を根本的に改善するものではない。また、仮に企業がそうした信用をえられたとして、かれらはそれをいかに返済するかという債務問題がその後に残ると言わねばならない。

一方、賃金労働者に対する一時的失業の対策はどうか。これは実は、ドイツのとった対策からヒントをえたものである。ドイツでは、すでに二〇〇八年のサブプライム危機に対する緩衝策として一時的就業策を導入した。[10] これは、リセッションによるレイオフ（一時解雇）を避けるために雇用を保証するものである。今回マクロンはドイツの成功にならい、企業に対して雇用を最大限守るように促した。そこでフランスでは、ドイツよりも一層寛大な措置がとられた。労働相のペニコーは、一時的失業者に対する国家の賃金負担比率を、ドイツのそれが七〇％であるのに対して八四％に設定した。こうした策が、人々の政府に対する信頼につながると考えられたのである。

しかし、この一時的失業策にも様々な問題が潜む。[11] まず、企業が一時的失業を要求するための手続が複雑である。かれらは労働省に登録する際に、総売上げなどの証拠を示さなければならない。当局の事務作業も、約二二万社を対象として膨大なものとなる。さらに一層大きな問題は、一定の企業が一時的失業の対象外になるという点である。そうした策が適用されるためには、商店の開店が求められる。したがって、一時的に休業している企業は対象から外されてしまう。また、テレワークが可能な企業も同様の扱いを受ける。

このようにして見ると、一時的失業は決して万能の策ではない。少なくともそれは、零細企業や中小企業の倒産を避けるのに十分な対策にはならない。また、仮に一時的失業が認められたとしても、企業は賃金労働者に対して賃金を前もって用意する必要がある。国家が八四％分の支払いをいつ行うかを知ることができないからである。

ところで、フランス政府の行った非常に厳しい外出制限に対し、人々のほぼ大部分（九割近く）は賛同していることが世論調査よりわかる。[12] しかし、それで事が終るのでは全くない。フランスの人々は同時に、経済は間違いなく悪化すると考えており、政府は経済の転換を迫られるからである。マクロンが、どんなにお金がかかっても経済支援を行うと訴えたのはそのためであった。大統領にとって当面の大きな問題は、市民をコロナ感染から守る一方で経済生活を維持するという問題であり、両者のバランスを図ることが喫緊の課題とされた。

マクロンは、もしもすべての経済活動を止めてしまえば、直ちに生きていくことができなくなるとし、イタリアのように、生活必需的でないセクターの活動をすべて停止する考えを否定した。彼はあくまで、企業活動は存続されるべきことを主張する。この考えは、企業寄りの右派の政治家による支持をえた。[13] 実際にかれらは、外出制限による経済的大被害（カタストロフ）を大いに懸念した。ル・メールもそれゆえ、何百万人もの失業者と何万人もの死者との間で調停しなければならないと語る。右派を代表する共和党の政治家も、優先されるべきは明らかに健康であるものの、それと経済活動とを結びつける必要があるとし、経済的制限の解除を求める。かれらは同時に、企業の諸々の負担をなくすことを強調する。ここで問題とされるべきは、そうした政府の方針の正当性であろう。

一方、労働組合や左派の政治家は政府と異なる反応を示した[14]。フランスの複数の労働組合は、企業活動に対する新たな規制を要求する。それは、コロナに対する人々の安全を保障するためであった。また左派の政治家は、共産党と不服従のフランスを中心に、経済機能を最小限に厳しく制限することを訴える。その目的は、まず生命の維持こそが重要だからである。したがってかれらは、健康か経済かという二者拓一的な選択そのものが誤りであるとみなす。こうした主張は全く正しいと言わねばならない。

三．外出制限と政治的混乱

二〇二〇年三月一七日から開始されたフランスの外出制限は、直ちに効果を発揮することがなかった。否、むしろ外出制限が始まってからしばらくは、入院の必要なコロナ感染者が激増した。コロナ感染の入院者数は、外出制限開始直後の二九七人から二〇日間も経たないうちに（四月五日）一〇倍弱の二八七四人に増えたのである[15]。フランスのコロナ感染による死者の数も、イタリアとスペインに次いで高い値を示した。こうした中でフランスは、外出制限期間を当初の予定から大幅に変更せざるをえなかった。マクロンは二〇二〇年四月一三日のＴＶインタビューで、外出制限を五月一一日まで延長することを発表した[16]。彼はこうして、五月一一日からフランスの新しいステップが踏み出されることを人々に伝えたのである。

ところが、コロナ流行の第二波のリスクが見られる中で、五月一一日の外出制限解除は簡単ではなかった。学校再開に対しては教員組合が心配する一方、鉄道などの公共輸送の主たる会社も強い緊張感を露にした[17]。このような、制限解除に対する反対意見が飛び交う中で、大統領府は、緊急事態宣言のさらなる延長を検討せざるをえなかった。他方で政府筋は、フィリップ首相が表明したように、大統領府の圧力にもかかわらず外出制限の解除をぜひとも求めた。かれらは、あくまでも経済活動の再開を優先させる姿勢を示したのである。したがって、この段階でフランスのコロナ感染対策は一枚岩ではなかった。

こうした中でマクロン自身は、二〇二〇年四月半ばに新たな方向性を示す[18]。その際に彼の念頭にあった第一の問題は国家主権の問題であった。マクロンは、欧州における国家主権の概念を再検討する必要があることを唱えた。この点は、彼が外出制限を最初に提示した際に、国民に対して「我々は（国家主権の）コントロールを再び設ける」（カッコ内は筆者）と宣言したことにつながる[19]。このことは実に、イギリスのEU離脱の支持者が謳った「国家主権のコントロールを取り戻そう（take back control）」というスローガンと共鳴する[20]。そしてマクロンは、「フランスの統一（La France unie）」という言葉を用いた。これは、F・ミッテラン（Mitterrand）が一九八八年の大統領選で表明したものである。

このようにして見ると、マクロンの意図した新しい方向は決して独自のものではない。その中で彼は、農業、保健、工業、テクノロジーの分野における独立性を強調する。これはまた、欧州に対する一層の自立的戦略を打ち出すものであった。この点も実は、ミッテラン政権時代に唱えられた、国民的な国家主権と計画化という「国民的同盟（l'union nationale）」の発想を受け継ぐものである。

こうしたマクロンの意向を受けて、与党の共和国前進は「国民的同盟政府」という構想を示した[21]。これは、右派と左派の双方からつくられる与党である。この新政府案に対し、右派は共通のプロジェクトを条件とし、左派はためらいを表した。左派は、国民的連帯はコロナと闘うためであり、危機脱出後に政治的議論を開始すべきであるとした。これに対して共和国前進は、フランスの今後の世界を三段階で考える。第一に、保健にプライオリティを置いた緊急措置、第二に、フランスを進展させるための再建、そして第三に、社会モデルを伴う再構築である。こうした過程の前提として、教育、文化、環境、並びに保健などに対する公共投資を据える。ただしかれらは、右派と左派の極端な片寄りを排し、あくまでも自由と保護という両にらみの姿勢を依然として保つ。この点はマクロンの思考法と全く同じである。要するに、マクロニズムの針路（cap）は変わっていない。

フィリップ首相はこうした中で、二〇二〇年五月一一日に外出制限を解除するプランを四月末に国民議会に提示し承認をえた。しかしそれは五月初めに下院で否決されてしまう[22]。そこでは、政府の準備不足に対する野党の批判が噴出した。これに対してフィリップは、外出制限による社会的かつ経済的なコストは巨大であり、その有害な影響を強調する。結局、フランスの健康に関する緊急事態宣言は二〇二〇年七月一〇日まで延長されることが、最終的に下院で可決された[23]。

このような外出制限の解除をめぐる政治的抗争により、フランスの政治体制は分裂する姿をはっきりと表した。まず、野党内での分裂が現れた。右派の共和党が制限延長に賛同したのに対し、左派の社会党、共産党、並びに不服従のフランスは、それに反対したのである。左派の反対は、制限延長による企業と個人を含めた弱者への強い影響を案じたからに他ならない。他方で、与党である共和国前進も分裂し始めた[24]。二〇二〇年五月一九日の段階で、大統領を支えるべき政党はすでに議会での絶対的多数を割ってしまった。共和国前進を離れた議員は、新たに環境と社会をテーマとした政党をつくる。かれらは、マクロンが右派でも左派でもないという当初の考えを捨ててあまりに右寄りになったことを批判し、与党にも野党にも属さないことを決定したのである。共和国前進が、そもそも哲学も歴史もない政治運動として出現したことを顧みれば、今日のこうした分裂は必然的な帰結であると言ってよい。

一方、大統領と首相の間の関係も、実はコロナ危機の到来により悪化し始めた。フィリップが外出制限解除のプランを国民議会で採択させることに対し、マクロンは反対の意向を表した[25]。これにより共和国前進は、政府が大統領に忠実になるのが困難になったとみなす。この段階でフィリップの更迭問題が浮上したのである。コロナ危機は、こうしてフランスの政治危機をも引き起こした。

ところで、外出制限が延長された以上、それの経済に対する負の効果を当然考えねばならない。ル・メール経済・財務相は、二〇二〇年三月の段階でリセッションを否定したものの、四月に入ると一転して同年が第二次世界大戦後最悪の不況を迎えることを認める[26]。彼はそこで、フランス経済景気研究所（Observatoire français des conjonctures économiques, OFCE）や国立統計経済研究所（Institut national de la statistique et des études économiques, INSEE）の研究者を招集し、今回の経済危機を乗り越えるプランを検討した。この中で研究者は様々なアイデアを提出した。コレージュ・ド・フランスの教授でマクロンの経済アドバイザーであったP・アギオン（Aghion）は、パートタイマーや不安な被雇用者などの最も脆弱な人々をプランの目標とすべきことを、また、ＯＦＣＥ総裁のX・ラゴ（Ragot）は、一時的失業の支援をあまりに急いで取り除いてはならないことを、そして経済シンクタンクのP・アルチュ（Artus）は、製品に対する課税を低下すべきことを各々提唱した。アギオンとラゴが、コロナ危機の社会に及ぼすネガティブ効果を考慮していることは疑いない。これに対してアルチュのアイデアは企業寄りのものである。

他方でル・メールは、企業の投資を絶対的に優先すること、及び税金の引上げで経済を復興させないことを保証した。とくに租税の問題に関して、彼はマクロン政権の当初から組み込まれた政策を踏襲する。それゆえ、全体の二〇％に当たる最も富裕な人々に対する住民税の廃止を継続させることが表明された。これは、すでにフランスの世帯の八〇％に相当する部分に対して住民税を撤廃したことと呼応する[27]。このようにして見ると、ル・メールの方針は、基本的に供給サイドからの政策を示していると言ってよい。同時に、共和国前進の財政政策に留意する必要がある。かれらは、財政赤字を継続させるのではなく、ポストコロナで財政均衡に戻すことを主張したのである。

表2－1　フランスの支援金の配分

（10億ユーロ）

費　目	支援額
一時的失業に対する補償	20.0
小企業に対する連帯ファンド	6.0
病気で働けない人と生活保護者の補償	1.5
企業の納税と社会的負担金支払いの猶予による補償	48.5
経営困難な大企業の支援	20.0

出所：Tonnelier, A., “L’État double son plan de soutien à l’économie, à 100 milliards”, *Le Monde*, 11, Avril, 2020より作成。

ル・メール経済・財務相は、以上の議論を踏まえながら今回の経済危機が一九二九年恐慌にも匹敵すると捉え、二〇二〇年四月一五日に新たな予算案を発表した[28]。それは一〇〇〇億ユーロの支援から成り、その配分は表2－1のとおりである。政府はこうした案に基づきながら、第二の支援プロジェクトを修正予算案として四月二三日に議会に提出した[29]。これは、経済支援に一一〇〇億ユーロ注入するもので、そのうち四〇〇億ユーロ以上が公共支出、その他は社会的負担金の支払い猶予や貸付保証などで表される。この修正予算は、同年三月の当初の予算であった四五〇億ユーロの二倍以上に膨らんだ。このことは、それだけフランス経済の健全性が脅かされていることを示すと言わねばならない。実際に、一時的失業の負担が二〇〇億ユーロから二五八億ユーロに、また連帯ファンドが六〇億ユーロから七〇億ユーロに各々引き上げられた。

このように第二次修正予算案は、経済的・社会的な緊急性に対応するものとして提示され、これは企業の財務と雇用を大いに改善するものとみなされた。しかし、ここで注視すべき点がいくつかある。一つは、連帯ファンドを豊かにするために、企業に対する一層の課税が下院で拒絶されたことであり、もう一つは、タクスヘイブン（tax haven, 租税回避地）に子会社を設けている企業に対する支援を禁ずる対策が、同じく認められなかった点である。前者については、とくに保険会社が問題とされた。[30]ル・メールは、企業に対して国民的連帯の努力を呼びかける一方、マクロンは保険が経済を建て直すのに必要なことを訴える。これらは、いずれもマクロン政権に対する批判を和らげることをねらいとした。これを受けて政府は保険会社に対し、連帯ファンドへの拠出金の引上げを求めた。ところがかれらは、コロナ流行と結びついた企業の利益の損失を補償するつもりがないことを表明する。これでは保険会社が、そうした補償による崩壊を恐れたのも当然であった。ここで問題とされるべきはむしろ、企業の利益損失の補償を民間セクターの保険会社に押し付けることにあるのではないか。そうした補償はやはり、租税をつうじた再分配政策によるものでなければならない。

一方、後者についてル・メールは、タクスヘイブンに子会社をもつ企業に対する公的支援に賛同しないものの、そのことを法として明文化する必要はないと語る。同時に政府は、租税の引上げは考えないことを明らかにした。この点はマクロン政権下で一貫している。かれらは、租税の変更による再分配政策を依然として念頭に入れていないのである。ただし付加価値税については、マスクや消毒剤を含めた保健のための財に対して、一定（五・五％）の削減が図られた。

ところで今回、若者に対して特別支援が設けられた。[31] フィリップ首相は二〇二〇年の五月早々に、若者に対する異例の支援を発表したのである。それは、外出制限中に職を失った学生に二〇〇ユーロ供与するというものであった。この支援金は、約八〇万人の若者を対象として六月半ばに支払われる。これに四一万五〇〇〇人の不安な若者、すなわち学生ではないが、住宅個人援助（aide personnalisée au logement, APL）を受け取っていない若者が加わる。かれらにも同じく、六月末に二〇〇ユーロ支払われることが認められた。これにより、コロナ危機による最大の犠牲者の一人として学生を含めた若者が経済支援の対象として位置付けられた。もちろん、若者支援問題は今日始まったものではない。それはすでに、オランド政権のときに謳われていた。[32] コロナ危機は、同問題が依然として解消されていないばかりか、さらにそれを悪化させたことを明らかにしたのである。

さて、外出制限が延長される中でマクロンは、二〇二〇年六月一四日のTV演説で、コロナ流行に対する「最初の勝利」を宣言した。[33] それは、コロナウイルスに対する闘いを告知してからちょうど三ヵ月後に当たり、彼はフランスの完全復帰を約束した。レストランやカフェ、学校や教会、さらにはシェンゲン圏も六月中に再開されることが人々に知らされたのである。

これまでマクロンは、コロナ危機に際して国民とのコミュニケーションを欠き、自己満足に終っているとみなされてきた。それゆえ彼の支持率は、世論調査で停滞したままであった。では、マクロンは今回の復帰宣言で果して国民の信頼をえることができるであろうか。彼の基本的姿勢を見る限り、それは決して定かでない。マクロンは、右派でもなく左派でもないと言いながら、実際には経済・社会面で一層右寄りの道を歩んでいる。同時に彼は、リベラリズムを否定するつもりがない。したがって増税は強く拒絶される。こうした彼の姿勢が続く以上、仮にフランスが復帰したとしても、様々な問題が経済と社会の両面で現れることは疑いない。そこで問われるのは、これまでのマクロン政権下のコロナ危機対策に対する野党や国民の反応であろう。最後にこの点を見ることにしたい。

四．政府の危機管理に対する批判

マクロンが二〇二〇年三月半ばに発した外出制限の指令は、果して適切な時期に行われたであろうか。彼の決断は遅すぎたのではないか。フランスはそもそも前章で見たように、疫病への迅速な対応の点で優れているとは言えない。もちろん、国家がつねに正しい予想を行うことは決してできない。したがってかれらは、疫病の流行が広がるまで待つ。その結果、決断は当然に遅くなる。[34]そこでは先に論じたように、政治家と科学者との間で意思疎通が欠けている。今回のマクロンの決定もその例外ではない。前保健相のA・ブジン（Buzin）はすでに二〇二〇年一月の段階で、コロナ流行に対する警告を科学者の提案に基づいて発していた。国民議会議長のR・フェラン（Ferrand）も、フランス全土でコロナ流行の兆しが見えることを指摘していたのである。[35]そうした中で、感染を防ぐための医療用資財は、マスクや陽性反応テスト器具を含めて大いに不足していた。それにもかかわらず、執行部の間でコロナ流行は抑えられると楽観視された。これらが重なり、マクロンは流行の爆発（パンデミック）が見えるまで決断を遅らせたと言わねばならない。この点は、先に見たＥＵ全体の危機管理と全く同じである。

さらに、マクロンの姿勢にはもう一つの問題がある。それは、国民との間でコミュニケーションが不足している点に見出せる。この問題は、あの「黄色いベスト」運動が勃発したときに露呈され、彼はそれを解消することを誓ったはずである[36]。ところがマクロンは、国民の眼には依然として「天上の人」と映っていた。フランスが、さらには全世界がこの一世紀で経験した最も重大な健康危機に陥っているとき、大統領は人々に対して頻繁に語りかけ、かれらに事態を正しく説明する必要がある。しかしフランスでは、こうした危機の管理運営は、保健相、首相、並びに内相に任せられていた[37]。大統領がそれに関与することはなかった。このような仕事の分担主義で、一大健康危機に真に対処できる訳はない。

マクロンは外出制限の声明で、「我々は戦争状態にある」ことをくり返し語った。では勝利の道筋がそこで示されたのかと言えば全くそうではない。どのような戦略をとるべきか。このことも、彼は理解していなかったのではないか。マスクなどの必要資財の不足問題は、彼の念頭にはなかった。フランスの人々とりわけ医療関係者が、それらの不足でいかに困難な状況に置かれていたか。大統領は当初、この点を知る由もなかったのである。

さらにマクロンは、コロナ感染防止の戦略をフィリップ首相に一任した。それは先に示したように、政府の役割とみなされたからである。大統領は大きな方向を固め、首相が管理の第一線に立つ。この役割分担が決められたのは二〇二〇年三月末であり、したがって政府が本格的に戦略面で動き出したのは四月に入ってからであった[38]。では、どうしてそのような分担が決められたのか。そこには与党の強い思惑が働いていたと言わねばならない。それは、マクロンが国内のリスクに晒されるのを防ぐことである。果して、そのようなことが可能であろうか。

実は与党の思惑とは逆に、コロナ流行の危機管理をめぐって、マクロン大統領に対する批判が激しさを増した。とくにマスクなどの医療用資材の不足に対して批判が集中した。これにより、フランスの一般市民のマクロンに対する信頼は地に落ちる。それは、彼の危機管理に対する能力に関してであった。こうした事態にフィリップ首相は国際比較をしながら、どの国も今日、コロナ危機に完全な対応を示していないと語る[39]。コロナ危機は国際的な危機であり、フランスの対応は他国と比べて何ら遅れをとっていない。首相はこのように主張した。これはまさしく国民不在の政治を示すものであり、民主主義の根幹を揺がす問題であるとさえ言える。

他方で、マクロンのコロナ危機対策における基本的な考え方にも問題がある。彼は今回、二つの点でこれまでの方針を明らかに転換させた[40]。一つは、自由主義から保護主義への転換であり、もう一つは、親欧州主義から国民的主権主義への転換である。マクロンは当初より、自由主義者であることを明確に示していた[41]。ところが先に示したように、彼はコロナ危機に際して、国家によるコントロールを取り戻す考えを打ち出した。また、そうしたコントロールは欧州全体にも及ぶ。彼は、シェンゲン圏における国境コントロールの強化を提案する。これらの考えを踏まえながら与党の共和国前進は、マクロニズムの転換を通してフランス社会の変更を訴えた。それは、マクロンの唱えるフランスの統一をめざすことでもある。

では、このようなマクロンの考えの転換を、真の針路変更と受け止めてよいかと言えば決してそうではない。彼はまず、自由主義を根本的に排除することを絶対にしない。先に見たように彼は、人々とりわけ富裕者や企業に対する増税を断固として拒否する。また、国家によるコントロールの復権を唱えながら、企業行動の自由があくまで尊重される。労働相のペニコーが危機時の解雇禁止案を示したのに対し、執行部はそれに強く反対した[42]。一方、欧州に関しても、マクロンがほんとうに反欧州主義に至ることはない。むしろ逆に、欧州の結束をつうじた独自の主権を彼は唱える。このようにして見ると、マクロンの基本的姿勢は結局当初から変わっていない。相反する二つの事柄を同時に進めることが、彼の念頭につねに据えられているのである。それはまた矛盾の固まりであり、強い偽善の姿を国民に晒すことになる。

一方、マクロン政権によるコロナ危機の管理に対して、野党はいかなる反応を示したか。マクロンの最大のライバルであるM・ル・ペン（Le Pen）の率いる国民連合の動きを見てみよう。彼女はそもそも、フランスの国家主権の確立とそれに伴う反欧州の考えを打ち出し、人民の統一を訴えていた(43)。その意味でマクロンの方針転換は、彼女の考えの正当性を示す上で都合のよいものとなった(44)。実際にル・ペンは、自身に誤りはなかったことを唱えた。ただし彼女は、極端なナショナリズムのトランプ（Trump）主義も否定する。他方で彼女は、マクロンを痛烈に批判した。彼の考えの転換は、彼自身のイデオロギーであるグローバリズムと欧州主義の崩壊を如実に物語る。ル・ペンはこのように主張した。そして彼女は、コロナパンデミックに伴う経済と社会の危機に対する人民の怒りに同感し、かれらの支持を期待する。しかし、ル・ペンがほんとうにフランスのすべての人々、とりわけ底辺の脆弱な人々に寄り添っているかと言えば決してそうではない。外出制限の中で、下層の人々が外出しているることを彼女は非難したのである。コロナ危機はむしろ、彼女の本心を引き出したと言わねばならない。

では、フランスの一般の人々は政府の危機管理に対していかなる感情を抱いたか。二〇二〇年三月二四〜二五日の世論調査は、大統領と国民との間に断絶が生じていることを明白に示している(45)。同調査で大統領の支持率は一〇ポイント低下した。健康危機管理の点で、回答者の五六％が不満足の意思を表す。また、かれらの五九％がコロナ流行に対決する策が不十分である、そして六九％の人々が大統領は対策を打ち出すのが遅すぎたと答えた。後者の点について回答者の八〇％以上が、マスクや陽性反応テスト器具の供給は遅すぎると答えていることがわかる。他方で、外出制限や商店の閉鎖に対しては、回答者の大半が賛同の意を表した。この点については、フランス以外の欧州諸国でも同様の現象がはっきりと見られた。例えばギリシャでも、世論調査による回答者の八二％が、K・ミツォタキス（Mitsotakis）首相のとった策、すなわち二〇二〇年三月一〇日からの学校閉鎖、及び三月一八日からの商店（カフェやレストランなど）の閉鎖と外出制限を支持したのである(46)。

ところで、国民の政府の危機管理に対する不満は、フランスでことの他強いことが、二〇二〇年四月の世論調査から判明する(47)。フランスで回答者の三〇％ていどしか政府を信頼していないのに対し、ドイツとイギリスでその割合ははるかに高い。それは各々六〇％と六四％を示している。ドイツとイギリスの人々は、政府の危機管理は良いと考えているのである。これに対してフランス人の回答者の八〇％は、政府が誤りを犯したと見る。こうした調査結果から判断すれば、フランス政府は人々の信頼に対する闘いですでに敗北したと言ってよい。

このような中で、フランスの人々は怒りの気持を高めていたことがわかる。一体、誰がこの怒りを鎮めることができるのか。それをル・ペンに任せてよいのか。この点が問われるに違いない。左派の責任がここで問題となる。本来であれば左派こそが、そのような一般の人々とりわけ底辺の庶民の怒りを代弁しなければならないからである。フランスの左派は今日、伝統的なもの（赤）とエコロジスト（緑）の二派から成る(48)。かれらは果して、コロナ危機に対して連合することができるか。この点こそが最も重要な課題となる。かれらはもちろん、マクロンとル・ペンの二大軸を否定する。ではオールタナティブを打ち出せるかと言えば、それは定かでない。不服従のフランスは、「人民連盟（Fédération populaire）」を呼びかける。それにはエコロジストも労働組合も含まれる。しかし、エコロジストは左派とのブロックを望むものの、その具体的な手段を依然として示していない。コロナ危機が経済・社会危機を包み込む以上、それを克服するために左派の連合が強く求められるのは言をまたない。

以上の議論を振り返って見ると、フランスのコロナ流行に対する危機管理策は間違いなく遅れをとった。いくら非常に厳しい外出制限を設けたとしても、それは感染爆発を阻止するのに有効ではなかった。では、フランスのコロナパンデミックが、たんなる対策の遅れのみから引き起こされたのかと言えば決してそうではない。フランスは、保健システムとして表される医療体制の欠陥を露呈した。それは医療施設、医療用資財、さらには医療従事者の不足となって現れたのである。そうした中で感染の広がりを食い止めることはできなかった。適正な保健システムの確立こそが、ウイルス感染に対する最重要な策であることを、このフランスの事例は如実に示していると言わねばならない。

注

（1）Charrel, M., et Madeline, B., "Les maux de la crise en dix mots", *Le Monde*, 26, décembre, 2020.
（2）Lemarié, A et Pietralunga, C., "L'exécutif réfléchit à confiner les français", *Le Monde*, 17, mars, 2020.
（3）Lemarié, A., et Pietralunga, C., "Emmanuel Macron prône une《France unie》", *Le Monde*, 14, mars, 2020.
（4）Chapuis, N., "Confinement: mobilisation des forces de l'ordre", *Le Monde*, 18, mars, 2020.
（5）Poirier, A., "Le pari fou de Boris Johnson", *L'Express*, 19, mars, 2020, pp.40-41.

（6） Faye, O., Pietralunga, C., et Tonnelier, A., “L'exécutif craint《un choc》pour l'économie”, *Le Monde*, 9, mars, 2020.

（7） Lemarié, A., et Pietralunga, C., “Macron sonne la《mobilisation générale》”, *Le Monde*, 18, mars, 2020.

（8） Bloch, R., “Prêts garantis: les desous d'un plan à 300 milliards”, *L'Express*, 20, mai, 2020, p.38.

（9） *ibid*., p.39.

（10） Guinochet, F., “Chômage partiel: Macron veut aller plus loin quele modèle allemand”, *L'Express*, 19, mars, 2020, p.39.

（11） Guinochet, F., “Les limites du chômage partiel”, *Le Monde*, 2, avril, 2020.

（12） Faye, O., Lemarié, A., et Pietralunga, C., “Urgence sanitaire, crise économique: Emmanuel Macron entre deux feux”, *Le Monde*, 25, mars, 2020.

（13） Belouezzane, S., “LR veut débattle du《déconfinement économique》au Parlement”, *Le Monde*, 8, avril, 8, avril, 2020.

（14） Demoulières, R.B., Bissuel, B., et Tonnelier, A.,“Protéger les salariés sans paralyser le pays, le dilemme du confinement”, *Le Monde*, 25, mars, 2020.

（15） *Le Monde*, 7, avril, 2020.

（16） Le Monde, “Le 11 mai prochain sera le début d'une nouvelle étape”, entretien avec E. Macron, *Le Monde*, 15, avril, 2020.

（17） Faye, O., Lemarié, A., et Pietralunga, C., “L'exécutif confronté aux périls du décofinement”, *Le Monde*, 5, mai, 2020.

（18） Faye, O., et Pietralunga, C., “La majorité tente de《réinventer》le macronisme”, *Le Monde*, 19-20, avril, 2020.

（19） Lemarié, A., et Pietralunga, C., “Emmanuel Macron prône une《France unie》”, *Le Monde*, 14, mars, 2020.

（20）拙著『ＢＲＥＸＩＴ「民衆の反逆」から見る英国のＥＵ離脱』明石書店、二〇一八年、一一六～一一七ページ。

（21）Pietralunga, C., De Royer, S., et Zappi, S., "Emmanuel Macron cherche son union nationale", *Le Monde*, 16, avril, 2020.

（22）Lemarié, A., et Pietralunga, C., "Déconfinement: la fin de l'union nationale avant le 11 mai", *Le Monde*, 6, mai, 2020.

（23）Roger, P., "L'état d'urgence sera prolongé jusqu'au 10 juillet", *Le Monde*, 12, mai, 2020.

（24）Faye, O., et Lemarié, A.,"Macron face à la fronde de sa majorité", *Le Monde*, 22, mai, 2020.

（25）Faye, O., et Lemarié, A., "Macron-Philippe, un couple sous pression", *Le Monde*, 9, mai, 2020.

（26）Tounelier, A., "A Bercy, l'utilité d'un plan de relance fait débat", *Le Monde*, 8, avril, 2020.

（27）拙著『「社会分裂」に向かうフランス』明石書店、二〇一八年、二五八ページ。

（28）Tonnelier, A.,"L'État double son plan de soutien à l'économie, à 100 milliards", *Le Monde*, 11, avril, 2020.

（29）Tonnelier, A., "Le Parlement adopte un nouveau plan à 110 milliards d'euro", *Le Monde*, 25, avril, 2020.

（30）Chocron, V., "L'exécutif demande aux assureurs de se mobiliser", *Le Monde*, 15, avril, 2020.

（31）Lemarié, A., et Pietralunga, C., "Déconfinement: la fin de l'union nationale avant le 11 mai", *Le Monde*, 6, mai, 2020.

（32）前掲拙著『「社会分裂」に向かうフランス』三五ページ。

（33）Faye, O., et Lemarié, A., "Emmanuel Macron prépare la《reconstruction》", *Le Monde*, 16, juin, 2020

（34）Benz, S., "Restons chez nous et gardons la tête froide", *L'Express*, 19, mars, 2020, p.20.

（35）Nouchi, F., "Coronavirus: les graves insuffisances française", *Le Monde*, 20, mars, 2020.

（36）拙著『「黄色いベスト」と底辺からの社会運動』明石書店、二〇一九年、一四七～一五一ページ。

（37）Pietralunga, C., "L'impossible communication de Macron", *Le Monde*, 31, mars, 2020.

（38）Pietralunga, C., "Gestion de crise: le vrai-faux repli de Macron", *Le Monde*, 3, avril, 2020.

（39）Faye, O., Rescan, M., "Macron et Philippe en première ligne défensive", *Le Monde*, 2, avril, 2020.

（40）Faye, O., et Pietralunga, C., "Le virage de Macron pour《reprendre le contrôle》", *Le Monde*, 15-16, mars, 2020.

（41）前掲拙著『「社会分裂」に向かうフランス』二四三ページ。

（42）Faye, O., et Pietralunga, C., "Macron pense déjà au《jour d'après》", *Le Monde*, 20, mars, 2020.

（43）前掲拙著『「社会分裂」に向かうフランス』一〇九〜一一〇ページ。

（44）Soullier, L., "Au Rassemblement national, un 1er-Mai ordinaire en période extraordinaire", *Le Monde*, 2, mai, 2020. do., "Marine Le Pen accuse Emmanuel Macron de《fautes gravissimes》", *Le Monde*, 3-4, mai, 2020.

（45）Becher, M., Brounard, S., Foucault, M., et Vasilopoulos, P., "Confinement: le pessimisme et la défiance en nette progression", *Le Monde*, 29-30, mars, 2020. Faye, O., Lemarié, A., et Pietralunga, C., "Macron face au mur de l'opinion publique", *Le Monde*, 29-30, mars, 2020.

（46）Rafenberg, M., "Face à l'épidémie, une fierté nationale retrouvée", *L'Express*, 30, avril, 2020, p.38.

（47）Goar., M.,"《La bataille de la confiance est peut-être perdue》", *Le Monde*, 19-20, avril, 2020.

（48）Mestre, A., et Zappi, S., "Confinées, les gauches se mettent à rêver d'unité", *Le Monde*, 5, mai, 2020.

第二部

コロナ禍の経済・社会危機

第三章　経済不況の進展

コロナパンデミックが発生して以来、欧州各国に求められたのは、健康と経済の両者をいかに調整するかという極めて困難な課題であった。この調整の出発点となったのが、前章で見た外出制限である。それは果して、各国経済にいかなるインパクトを与えたか。このインパクトがネガティブであればあるほど、その後の経済復興に大きな負担がかかることは間違いない。そこで本章では外出制限の及ぼした、フランスと欧州の経済に対する影響について、マクロ経済的側面とミクロ経済的側面の両面から検討することにした。なお、本章での主たる分析対象の期間は、最初に外出制限の行われた二〇二〇年の第一・四半期から第二・四半期までの間である。

一．外出制限の経済的インパクト

フランスの国立統計経済研究所（ＩＮＳＥＥ）は、外出制限が実施されてからわずか一〇日後の二〇二〇年三月二六日に、健康危機の経済活動に対する影響について最初の推計結果を発表した[1]。コロナパンデミックの発生以来、世界中の統計機関が経済活動を計測することの困難に直面しているものの、外出制限の与える経済ショックを測定することは、政策決定者や経済アクターにとって必要不可欠な作業と考えられたからである。それゆえＩＮＳＥＥはいち早く、仮に不正確であっても概算として正しいと思われる数値を公表した。

国立統計経済研究所の発表した数値はかなり悲観的なものであった。フランスの経済活動は週に三五％減少し、一ヵ月の外出制限はＧＤＰの三ポイント、また第一・四半期で一二ポイントのインパクトを与えると予想された。外出制限が長びけば長びくほど、そのインパクトが一層大きくなるのは言うまでもない。したがつて経済成長は、外出制限の期間に依存するので予測することができない。こうした事態は、同研究所の歴史で前代未聞の出来事であった。

一方、国立統計経済研究所は、経済セクターによる大きな違いを強調する。輸送、ホテル、レストラン、あるいは娯楽施設などは非常に激しい影響を受けたのに対し、テレコミュニケーションや保険などはそれほどの影響を受けずにいる。また商業サービスの約三分の二と工業の半分は現状を維持できた。さらに、こうしたフランスの経済活動の極めて強い低下について同研究所は、その大部分が世帯の消費の崩落によるものとみなす。それは、外出制限と商店の閉鎖の結果である。とくに衣類や輸送用資財（自動車を含む）に対する支出は九〇～一〇〇％減少した。全体でそうした消費は、通常の六五％ほどになると予測される。

国立統計経済研究所はさらに、事業主の景況判断から景気の状況を見る。それによると景況判断は一〇ポイント低下した。これは、一九八〇年に調査が始まって以来最も大きな減少を示す。例えば二〇〇八年の金融危機のときでも、景況判断の下落は九%であった。また、そうした判断を受けて雇用状況指標も、一九九一年に計測を始めて以来やはり最も低下した。このように事業状況を表す指標は、すべての面で悪化した。しかも注視すべき点は、これらの指標が外出制限前の三月初めに事業主が述べたものという点である。したがって、外出制限後にそれがさらに悪化することは疑いない。

　他方で、フランスを代表する景気研究機関であるフランス経済景気研究所（OFCE）も、外出制限の経済活動に与えるショックに関する分析を発表している[2]。そこでもやはり、そうしたショックが前代未聞の大きさであることが示されている[3]。実際に三月半ばからの国民的規模での外出制限に続いて、フランスの経済活動の指標は急速に悪化した。それは例えば、電気消費量に関する数値に現れた。二〇二〇年三月の電気消費量は、正常時に比べて一五%、また四月のそれは一八%も減少したのである。同時に、世帯の消費行動を表す銀行キャッシュカードの利用に関する数値にも、外出制限によるショックが直ちに反映された。

　ところで、外出制限の影響を考えるときに問題とされるべきは、その強度である[4]。オックスフォード大学の研究は、世界の一八五ヵ国で採用された外出制限策の厳しさの度合を測定する上で、二つの判断基準を示している。一つは、各対策（学校や企業の閉鎖、公的イベントの制限、外出制限、公共輸送機関の閉鎖、内外旅行の制限）に関する制限の厳しさを測ることであり、もう一つは、各対策に関する地域的な性格を見ることである。こうした基準の下に、欧州諸国の外出制限の厳しさが判断される。

　欧州は中国に続いて、急速にコロナパンデミックの震源地となった。そこでかれらは、外出制限策を採用し始める。その最初の国がイタリアであった。そこでは二月末の地域的な外出制限から始まり、三月一〇日についに全土にわたってその制限が広げられた。フランスも先に見たように、イタリアやスペインと同じく、世界で最も厳しい外出制限を行った国である。こうして各国の制限の厳しさに違いが現れた。例えばドイツでは、企業の閉鎖の厳しさは緩やかなままであるのに対し、学校のすべては全土で閉鎖された。また米国では、外出制限がより緩やかであると共に、少なくとも二〇二〇年の第一・四半期まで一般的な対策がない。そして欧州では唯一スウェーデンが、外出制限に対する強い対策を講じていない。このように、外出制限の強度は各国間で異なり、そのことが、一国経済に与える同制限のショックの大きさの違いとなって現れたのである。

二．リセッション（景気後退）の到来

（一）フランスと欧州のリセッション

こうした中で、フランス経済の先行きは全く見えない状態に陥った。国立統計経済研究所は、従来のモデルでは予測できないことを表明しながらも、外出制限が長期にわたって続けば、経済の低落は非常に激しくなるとみなした[5]。この下落は、二〇〇八年の危機時よりも大きいと予想された。フランスは、第二次世界大戦以来最大のリセッションを経験すると思われたのである[6]。数多くの経済セクターが、外出制限により停止された。それがリセッションの最大の要因であることは疑いない。

その後、国立統計経済研究所は二〇二〇年四月末に、新たな推計値を発表した[7]。それによればフランスのＧＤＰは、二〇二〇年の第一・四半期で五・八％低下した。この値は、一九四九年に開始されたＧＤＰの四半期毎の測定値として最大であった。これにより、フランスは間違いなくリセッションに入ったことが確認された。また経済セクター別で見ると、建設業の損失が最大であり、製造業や商業

サービスの活動も低下した。こうした中で企業の投資も崩落する。そして対外貿易の貢献もネガティブであった。輸出の下落は輸入のそれを上回ったのである。

一方、世帯の消費も同じく、二〇二〇年の第一・四半期に六・一％下落した。これは、非生活必需品を販売する商店の閉鎖による。内訳を見ると、工場で生産された財の消費の減少が最大であり、その他のサービスやエネルギーの消費も減少したことがわかる。唯一増大したのは食料品の消費であった。しかも、このような世帯の消費が著しく下落したのは、外出制限の開始された三月に入ってからであるという点に留意する必要がある。同月だけで、そうした消費は実に一八％弱ほど減少したのである。

確かに、フランスのエコール・ノルマール経済学教授のD・コーエン（Cohen）が指摘するように、フランスの比較優位はコロナ流行で最も影響を受けるセクター、すなわち航空輸送、旅行、並びにデラックス商品などであり、このことが、スペインやイタリアと並んで世界で最もGDPを減少させたと言ってよい(8)。実際にフランスの航空産業は、かつては雇用創出のチャンピオンであった。同産業は二〇〇九年以降に雇用を倍増した。しかし、その繁栄は終ってしまった(9)。航空産業は、コロナパンデミックで最も影響を受けたセクターであった。国境の封鎖は空港を空にしたからである。しかもその影響は輸送サービスに限らない。それによって航空機の製造も激減した。その総売上げは三〇％も失われたのである。

以上のように、フランスの二〇二〇年第一・四半期におけるGDPは、たった二週間の外出制限にもかかわらず、歴史的な低い水準を記録した。そしてこの傾向は、フランスに限って見られたものでは全くない。それは、コロナ流行に直面して外出制限を行った欧州主要国のすべてで現れた。欧州全体のＧＤＰは、外出制限の始まった二〇二〇年第一・四半期に劇的に落ち込んだのである。フランス経済景気研究所は、同時期の世界の主要国に関して、その経済成長率を計測している[10]。それによると、フランスの成長率の下落率は二〇％近くであり、イタリアのそれよりも大きい。その他の欧州では、スペインとイギリスの成長率の下落率は二〇％を超えるほどに著しい。それらに比べると、ドイツの成長率の低下は同時期まではより小さい。このように、経済成長の低下に関して各国の間でばらつきが見られる。それは第一に、先に見たような外出制限の強度の違いを表している。しかしそればかりでない。外出制限によるＧＤＰの押し下げ効果は、それによって大きな影響を受ける商業サービス（ホテル、旅行、レストランなど）の一国経済に占める重みにも強く依存している。フランスやイタリア、スペインなどの南欧諸国でＧＤＰの低下が激しいのはそのためである。

コロナ流行で最初に大きな被害を受けたイタリアについて見ると、強い規制が設けられた北部は、まるで戦争時のような雰囲気を漂わせたと言われる[11]。北部はイタリアの輸出の大半を占めるため、その経済活動の下落は当然に全体に対して重大な影響を及ぼす。さらに、最悪の結果は旅行業に現れた。イタリア銀行の調査によれば、二〇一八年に外国人旅行者がイタリアで支出した金額は実に四二〇億ユーロにも上る。ところが今回の外出制限により、ローマを中心とする観光地で海外からの旅行者は激減し、旅行収入は大幅に低下した。

一方、スペインでも同様の現象を見ることができる[12]。四六〇〇万人を超える住民は外出制限を強いられ、首都のマドリードや一大観光都市のバルセロナの街は空になってしまった。こうした異常事態がスペイン経済に与えた負の効果は、明らかに大きいものであった。そもそもスペイン経済は、二〇〇八年の金融危機以来ずっと麻痺したままであった。コロナ流行は、それに拍車をかけながら経済成長を下落させたのである。スペイン政府はしたがって、外出制限に伴う経済コストをつねに問題とせざるをえなかった。経済・財務相が、外出制限を含めた緊急事態宣言の発令にためらいを表したのもそのためであった。

では、フランスや南欧諸国と異なって製造業に比較優位を持つドイツはどうであったか。かれらは、コロナ流行による経済不況を免れたであろうか。ドイツのコロナ流行に対する危機管理は当初、国際的に称賛された。その結果先に見たように、かれらの成長率の低下は、二〇二〇年の第一・四半期で他の欧州諸国よりも小さかった。ところがその数ヵ月後に、ドイツ経済も一挙に苦しむことになる[13]。他国の場合と同じく、外出制限策はドイツの経済活動に対して、予想を上回るネガティブ効果を与えたのである。二〇二〇年四月末に、経済相のアルトマイヤーは、ドイツのGDPは二〇二〇年に六・三%減少する見込みを発表した。これは、一九七〇年に国民所得勘定計算を開始して以来前代未聞の値である。ドイツは、歴史上最もひどいリセッションに向かっているとみなされた。実際に二〇二〇年の経済活動は、二〇一九年に比べて九〇%弱も減少すると予測されたのである。

このような、ドイツ経済活動の低下をもたらす最大の要因は、ドイツ資本主義の伝統的な柱となってきた輸出の大きな減少であった。二〇二〇年に輸出は一一・六%下落すると予想される。これは、世界全体の需要の低下による。ドイツの主たる輸出品はもちろん製造品であり、それゆえ製造業企業の将来に対する悲観的な見方が高まった。こうした中で政府は、一層の支援プランを求められた。それは、企業倒産の波を押えるためである。実際にドイツの商業連合は、外出制限によって五万社が倒産の羽目に陥ると発表した。同連合はそれゆえ、外出制限をより早く解除するように政府に要請する。メルケル首相は、ここで人々の信頼を取り戻せるかが問われた。この点は、フランスのケースと全く同じであると言わねばならない。

以上に見たように、欧州は南欧諸国のみならず最大の経済大国であるドイツも含めて、外出制限により歴史的とも言えるリセッションに見舞われた。ここでぜひとも忘れてならない点は、そうした大経済不況の中で、欧州諸国間の経済的分裂が一段と深まったという点である。[14] 実際にコロナパンデミックの経済に与える影響の大きさは、EUの中で一様ではない。外出制限によってEU二七ヵ国の大部分が経済的被害を受けたものの、とりわけ大きな打撃を与えられたのはやはり、イタリア、スペイン、ギリシャなどの南欧の観光大国であった。しかもこれらの南欧諸国は、すでに二〇〇八年の金融危機以来、欧州で最も大きな債務を負ったところである。したがってかれらは、このコロナ流行による危機に対して自国経済を支えるための財政手段を持っていない。その結果、南欧諸国の経済回復力は北欧諸国のそれをはるかに下回る。前者のリセッション効果が、後者のそれよりも一層強く現れるのは言うまでもない。

ユーロ危機で出現したEU内の南北対立の問題は、このようにしてコロナパンデミックを契機に再発する。果して、この問題は解消されるであろうか。第一章で我々はすでに、EUが当初イタリアを積極的に救済するつもりのなかった点を見た。イタリアを含めた南欧諸国の経済が崩壊すれば、それはそのままEU経済の安定を脅かすに違いない。EUはまさに、コロナ危機の中で南欧に対する経済支援を、自身の存続を賭けて行うように迫られている。こう言っても過言ではない。この点はまた後に（第七章）詳しく論じることにしたい。

（二）財政赤字問題の再燃

ところで、以上に見たようなコロナ流行によって引き起こされた経済不況は、一国の財政に対して明らかに大きな負のインパクトを与える。不況により法人税や所得税が減る一方、経済支援による政府支出が増大するからである。このメカニズムはもちろん、欧州全体ひいては世界全体に通用する。中でもフランスはとりわけ大きな影響を受ける。かれらはすでに、コロナ流行以前から財政赤字問題に悩まされてきたからである[15]。

フランス政府は外出制限の発動直後に、二〇二〇年の公的赤字が対ＧＤＰ比で三・九％になることを改正予算案の中で発表した[16]。また財政担当相のＧ・ダルマナン（Darmanin）も、公的債務は危機ラインの一〇〇％を超えると語った。ところが、この段階でも政府は依然として欧州の財政規律を守る姿勢を崩さなかった。ル・メール経済・財務相は、一方で企業と賃金労働者に対する支援を謳いながら、それが財政の将来を脅かすものでは全くないと述べる。その際に彼は、財政再建の最良の方法は経済成長であることを強調する。この基本方針はその後も変わることがなかった。

フランスの財政赤字はこうした中で、二〇二〇年の第二・四半期でも深まり続けた。同年六月初めにダルマナン財政担当相は、二〇二〇年の財政赤字が二二〇〇億ユーロに達すると推計した[17]。これは、四月の改正予算案で示された三六五億ユーロの六倍以上であり、ほぼ天文学的な数値である。その背後には、当然ながら政府支出の増大がある。それは、一時的失業の補償や企業に対する連帯ファンドへの資金供給などに見られる。これに対して政府収入の増加は、経済的困難により見込まれない。付加価値税と結びついた収入は、消費の崩落によって大きく減少した。また法人税収入も、納税の軽減や一時的猶予によってやはり下落したのである。

　このような財政収支状況に対してフランス政府は、二〇二〇年六月に第三次改正予算案を組む一方、国家保証付き貸付や連帯ファンドによる信用供与の対策を強化した[18]。これらの国家による融資が、経済危機時に極めて大きな役割を演じることは間違いない。そこで問題となるのは、そのために生じる財政赤字をいかにカバーするかという点である。フランス政府は、ル・メール発言に見られるように、それを経済成長に託す。そこには、租税政策の見直しという考えの入る余地がない。そして実に不思議なことに、野党を代表する社会党や共産党も、そうした政府の方針に追随する。かれらは、世帯の購買力を改善するために経済成長を重視したのである。

　コロナ危機に伴う巨額の財政赤字は、企業支援による投資増大効果で経済成長を促す。この考えを、与党も野党も支持した。要するに、供給政策こそが財政再建で大事である。かれらは、この点を信じて疑わない。したがって需要サイドを考慮することはない。ドイツ政府の行ったことと対照的に、フランス政府は、付加価値税の一時的引下げを行うつもりがなかった。そこでは、そうした引下げが輸入商品の消費を増すだけで、その経済効果はないとみなされたのである。果して、供給政策によるトリクルダウン効果のみで、経済と財政は再建されるであろうか。この点が問われるに違いない。

　では、以上に見たようなコロナパンデミックによる経済不況は、主たる経済アクターの企業と世帯の活動にいかに反映されたか。以下で各々について検討することにしたい。

三．企業の経営困難と倒産リスク

（一）企業の債務返済問題

自己資本の少ない企業は、資金のやりくりを借入れに頼らざるをえない。その結果、債務の返済が大きな問題となって現れる。ポスト外出制限の経済に対して企業経営の前に立ちはだかるのは、この債務の大きな壁である。しかもこのことは、フランスに限らず、他の欧州諸国や米国、日本などでも同様に見ることができる。

ところで、外出制限による経済ショックで経営を悪化した企業は、三つのルートで運転資金の確保に努めたと言われる[19]。そうした資金は第一に銀行、第二に金融市場（債券市場を含む）、そして第三に、国家をつうじて供与された。この最後のルートは、コロナ流行の中で企業倒産が増えるのを防ぐために導入された。それは、先に示した国家保証付き貸付である。すべての欧州諸国は、コロナパンデミックに直面してこの種の貸付を開始した。その中で、実際に合意された国家保証付き貸付の額で最大を誇ったのはフランスであった。フランスは、そのような貸付を開始してからわずか二ヵ月半で八七〇億ユーロもの貸付を五〇万社に対して行った。さらに全体として三〇〇〇億ユーロの国家保証が見込まれた。これは、現行の銀行信用供与総額の約八％に相当するもので、かなり大きな額である。

こうして、フランスの国家保証付き貸付の対GDP比は四％にも達する。これはスペインの場合と同じである一方、イタリアのそれはフランスの半分（二％）である。これに対してドイツにおける同比率は一・三％にすぎない。このように、フランス、スペイン、並びにイタリアなどで、国家保証付き貸付が盛んに行われた。このことはまた、かれらの企業が緊急の多額の融資を必要としており、銀行と金融市場以外の資金供給ルートを強く求めたことを意味する。言い換えれば、それだけかれらは、経営困難の脅威に晒されていたのである。ドイツでそうした貸付額が少ないのは、南欧諸国とは逆に、かれらの企業経営状況がよりよいためと考えられる。

そこで、国家保証付き貸付で最も恩恵を受けるのは零細企業である。これに中小企業を加えると、かれらに対するそうした貸付の全体に占める割合は、フランスの場合に九割を超える。国家保証付き貸付はまさに、圧倒的に零細企業と中小企業に対して行われる。このことは、ある意味で当然であろう。それらの企業はそもそも信用度が低いため、銀行や金融市場から思うように借り入れることができないからである。そうだとすれば、この国家保証付き貸付は、信用割当ての問題を克服する一つの有力な手段になると言ってよい。しかし、仮にそのような貸付により零細企業と中小企業が即座に倒産するのを防げたとしても、その返済の問題が残る点を忘れてはならない[20]。

他方で欧州の企業は、銀行からも多額の信用供与をえた。そこでやはり問題となるのは債務返済である。経営困難に陥った企業は、債務の繰り延べ（リスケジュール）で乗り切れるであろうか。この点が、債権者である銀行にとって大きな不安材料になることは疑いない。二〇〇八年の金融危機のとき、銀行は流動性危機に晒された。そして今回のコロナ危機により、かれらは債務返済不能危機に脅かされることになる。

このような事態に銀行はどう対応するか。コロナパンデミックによる経済危機が出現して以来、欧州の主要銀行は金融破綻の生じる可能性を意識し始めた。しかし、これまで銀行セクターは、サブプライム危機以降にその財務構造を強化し、一層の現金を保有することに努めてきたはずである[21]。同時にかれらは今回、欧州中央銀行の支援もえた。総裁のラガルドは、ユーロ圏の銀行のリファイナンス（再融資）コストを引き下げたのである。欧州の銀行の企業に対する信用供与はこうして、かつてないほど容易になった。外出制限が発動されてからドイツやイタリア、さらにはスペインの銀行は、企業に対してできる限りの資金を供給した。もちろんフランスの銀行もその例外ではない。かれらは、外出制限から五週間の間に二五万社以上の企業に対してすでに四〇〇億ユーロを貸し付けたと言われる。実際にフランスでは、二〇二〇年の三月と四月に六一〇億ユーロの銀行貸付が行われた[22]。これは、同期比で二〇一九年のそれの四倍に当たる。さらにユーロ圏全体で見ると、その比は七倍にも上る。

では、このような巨額の信用供与を行った銀行は、どうして金融破綻の不安を感じるのか。かれらの新たな貸付の大部分は、確かに国家により保証されている。しかし、その一〇％分はそれから外される。この分は、二〇二〇年四月末の段階で潜在的に三〇〇億ユーロに相当する。同じく、ユーロ圏全体の企業と世帯の債務残高は三〇兆ユーロを上回る。これは記録的な値であり、二〇〇八年の金融危機時における一〇兆ユーロの三倍に等しい。フランスに即して見ても民間債務は三兆ユーロに上り、これは毎年生み出される富の一二五％に値する。

このようにして見ると、欧州の銀行はこの一〇年間に自己資本を増大したとしても、それは将来起こるかもしれない巨大なデフォルト（債務不履行）を埋めるのに決して十分ではない。一方で貸付の過剰があり、他方で自己資本の不足がある。その結果、銀行が債務返済不能危機に陥るのは明らかであろう。ユーロ圏の銀行の自己資本比率は、平均で一五％に達しており確かに高い。しかし、ここで問題とされるべきは銀行の債権の質である[23]。もしも債権が不良のものであれば、より多くの資本が必要とされることは言をまたない。債権の価値が自己資本比率を下回れば、潜在的に銀行は返済不能に追い込まれてしまうからである。

こうした中で銀行は、不良債権の勃発に備えて引当ての増額を図った。かれらは、信用供与の潜在的損失を恐れたのである。二〇二〇年の第一・四半期で、銀行の引当ては米国で二二〇億ドル（一九四億ユーロ）、フランスの四大銀行で三五億ユーロ、またドイツ銀行で五億ユーロにも上る[24]。とくに米国の銀行では、保証のない信用に晒される割合が欧州の場合よりも一層高い。一方、欧州の銀行は欧州中央銀行により、信用供与に対して悲観的にならないように促された。しかし、ここに困難な問題が潜む。かれらは、ゾンビ銀行すなわち引当てを過小評価したまま不良債権を蓄積する銀行を生み出さないようにする一方、引当てを過剰にすることで信用を閉ざし、経済危機を悪化させてはならないようにしなければならない。このジレンマをいかに克服するかという問題が現れるのである。このような不確実な状況の中で、欧州中央銀行はすでに不良債権の処理を考え始めたと言われる。

一方、企業は銀行からだけでなく、金融市場とりわけ債券市場から資金をえるように駆り立てられた。しかし、世界の格付け会社による企業の経営能力の評価では、債務の点ですべて赤信号が灯された[25]。世界の一〇〇〇社を超える企業は、格付けを低下させるリスクに晒されたのである。S&Pとムーディーズ（Moody's）は、二〇二一年におけるかれらのデフォルトの確率を約一一％もしくは二〇％と予想した。これは、サブプライム危機時のそれを上回っている。フランス銀行のエコノミストは、企業の債務状況を非常に心配する。それは結局、最も脆弱な企業に大きな影響を与え、かれらを経営破綻に追い込むからである。

実際に企業の発行する債券の中には、すでにジャンクボンドすなわちＢＢＢ以下の格付けを与えられる債券に至ったものも現れた。このジャンクボンドは、債券市場で悪魔と呼ばれる。しかもそのような企業に、世界的に極めて有名なものが含まれている点に留意すべきであろう。イギリスではマークス&スペンサー（Marks&Spencer）、ブリティッシュ・エアウェイズ（British Airways）、ロールス・ロイス（Rolls-Royce）、米国ではフォード（Ford）、デルタ・エアラインズ（Delta Air Lines）、そしてフランスではルノー（Renault）などがそうである。これらの超有名企業の発行する債券がジャンクカテゴリーに入ることは、コロナ流行以前では到底考えられなかった。

もちろん、このカテゴリーに入ったからと言って、かれらの経営状態が直ちに悪化する訳ではない。しかし、企業の債券が一旦ジャンクカテゴリーに入ると、より上のランクにすぐに上ることは難しい。S&Pの格付けによれば、それは一般に二年を要する。さらに、債券がこうしたカテゴリーに突入した会社は悪循環に陥ってしまう。数多くの投資ファンドは当然に、唯一最良の格付けをえた債券を購入する。他方でかれらは、ジャンクボンドを売却して資金を回収する。したがってジャンクボンドの利子率は上昇してしまう。それは、上位のカテゴリーに入る債券の利子率よりも平均で二八〇ベーシスポイント（二・八%）引き上げられたと言われる。その結果ジャンクボンドを発行した会社は、より大きな利子負担を抱えることになる。

ところで、ここでさらに銘記すべき点は、企業の債務状況は実はコロナ流行以前から非常に緊迫していたという点である。この点は欧州だけにあてはまるのではない。それはまずもって米国で現れた。米国では、二〇〇八年の金融危機に応じて企業の借入れ条件が改良されたことから、とくに不動産部門での債務が過剰となった。一方フランスでも、すでに二〇一九年の段階で企業の債務比率が悪化していた。これらを踏まえて格付け会社のS&Pは、企業の信用格付けのメディアン（中央値）は、過去二〇年間で最も低いとみなす。格付け会社はこうして、ここ数年来警告を発していたのである。それは、企業の債務の不安定な姿を心配したからに他ならない。

企業がこのように、債務の山を築いた後には何が起こるであろうか。そこでは中央銀行が債券市場に介入せざるをえない。実際に米国の連邦準備銀行は、悪魔のジャンクボンドを購入し始めた。欧州中央銀行も同じ道を辿るに違いない。さらに欧州では、こうした債券の発行以外に、ほとんどの企業は国家保証付きの貸付による債務が加わる。企業の債務はまさに累積され、このことはとりわけ、零細企業と中小企業に重くのしかかる。かれらにとって、債務返済の問題は企業の存続に直結するのである。[26]

以上に見たように、コロナ流行によって経営を悪化した企業は債務を増大し、一層困難な立場に追い込まれた。しかし他方で、コロナ禍でも経営の良好な企業は、ますます有利な状況に置かれた。かれらは、より低いコストの資金にアクセスできるからである。銀行貸付の利子率は現在、極めて低い。例えばフランスでは、それは二〇二〇年四月に平均で一%にすぎない。これは、ほとんどただの借入れコストである。さらに経営の健全な企業は、非常に低いコストで債券を発行できる。こうした企業を代表するのがデジタル技術関連企業である。かれらは、このコロナ危機から巨大な利益をえることができた。それらの企業は、危機を資金調達の絶好のチャンスと捉えた。これに反して、コロナパンデミックで最も被害を受けたセクター、すなわち商業、ホテル、レストランなどの企業は将来不安を露にする。この不安は、債務返済の困難から生まれる。低コストでの借入れを増やすことで、かれらはまさしくゾンビ企業と化してしまうのである。

このようにして見ると、今回のコロナ危機により、経済セクターと同じく企業に関しても、経営困難なものと経営良好なものとの間で極めて激しい二極分解が引き起こされた。こう言ってよいであろう。そこで前者に陥った企業は、倒産のリスクに晒されることになる。次にこの点を見ることにしよう。

（二）企業の倒産問題

コロナ危機は確実に、グローバル経済に前代未聞のショックを与えた。消費と投資の著しい崩落は、販路の制約（需要のショック）と生産の制約（供給のショック）の両者をもたらした。こうした一大経済ショックに直面して、倒産に追い込まれる企業が出現するのは疑いない[27]。例えばフランスのル・メール経済・財務相も、企業倒産の可能性を否定しない[28]。そしてその可能性は、経済セクター、企業規模、並びに地域の各々で異なる。フランスに即して見ると、とりわけホテル、レストラン、世帯に対するサービス、並びに建設のセクターで、企業は一層倒産に晒される[29]。これに対して、商業と製造業での企業倒産のリスクはそれほど大きくない。また企業規模で見ると、零細企業と大企業で倒産のリスクが高い。ここで大企業も倒産する可能性があることに留意すべきであろう。

実際に二〇二〇年の第二・四半期から二〇二一年にかけて、フランスを含めた欧州全体で企業倒産が大きく加速すると予測された[30]。二〇二〇年六月半ばの調査によれば、フランスの企業倒産数は二〇一九年半ばから二〇二一年末までに、二一％増加すると推計される。この数値はスペインでもほぼ同じ（二二％）であり、それはイギリス（三七％）、イタリア（三七％）、並びにオランダ（三六％）で一層大きくなる。このように、欧州では南欧のみならず、イギリスやオランダでも企業倒産の高まることが予想される。中でもやはり、最大の被害を受けたイタリアで企業倒産が顕著に現れる。これに対してドイツでは、企業倒産は他国よりもはるかに少ない（一二％）と想定される。

一方、倒産リスクの高い企業を規模別で見ると、小規模企業の倒産の可能性が非常に高まっている。フランスを例にすれば、かれらは財務の赤字、債務の累積、並びに国家保証付き貸付の銀行による拒絶などに直面した(31)。フランスの約四〇〇万社の中小企業の経営者は、一体どれほど持ち堪えられるかを不安視する。小規模企業は、一〇人から二〇人の賃金労働者を雇い、経済セクターではレストラン、旅行、イベント事業あるいは職人的仕事に携わる。そうした企業は信用度の低さゆえに、国家保証付き貸付も受けられない。まさにかれらは、金融的困難に陥っているのである。

では大企業はどうかと言えば、かれらもやはりコロナ危機で経営を悪化させた。実はフランスで、この点がはっきりと現れている(32)。パリで上場された株式銘柄のうち、時価総額のトップ40に入る企業の総売上げは、二〇二〇年一～六月に一九％下落した。サブプライム危機のピーク時（二〇〇九年）でも、その下落率は九・八％であった。今回の低下はその二倍にも上るものであり、それがいかに激しい崩落であるかがよくわかる。ただし、ここで忘れてならない点は、そのような業績悪化の数値はあくまでも平均値にすぎず、悪化が四〇社で一様に現れたのではないという点である。

フランスの主導的企業は、明白に二極分解された。一方で、工業、エネルギー、あるいは集団に対するサービスのセクターにおける企業の総売上げは、二〇二〇年の第一・四半期で二〇％から三〇％の大幅な下落を記録した。中でも最も打撃を受けたのはエアバス（Airbus）であった。かれらの総売上げは三九％も減少したのである。他方で、テクノロジー、メディア、テレコム、あるいは消費財のセクターにおける企業の総売上げの低下は抑えられた。その下落率は五％に留まった。フランスにおけるコロナ禍の勝利者はデラックス商品、及び中国とデジタル技術に関連する事業であった。例えば、ルイ・ヴィトン（Louis Vuitton）の率いるグループＬＶＭＨが中国で実現させた総売上げは驚くべきものである。さらに、かれらが国家支援を受けているとすれば、その優位性は一段と高まるに違いない。
このようにして見ると、コロナ危機は明らかに、企業経営の間で大きな格差を生み出したと言わねばならない。大企業と中小企業の間の格差はますます広がると共に、大企業の中でもはっきりとした格差が引き起こされたのである。企業倒産のリスクが、コロナ禍で大企業でも高まると予想されるのはそのためであった。

倒産のリスクに晒された企業は言うまでもなく、あらゆる手段を尽くしてそれを防ごうとする。そのしわ寄せが賃金労働者に来ることは間違いない。それは例えば、賃金の凍結や削減となって現れる。フランスでは、人材派遣会社の約半分が賃金凍結の手段をとったと言われる[33]。また労働組合の調査によれば、存続を脅かされた企業は、最も低い賃金の労働者に対して雇用の脅しをかけた。被雇用者はそれによって労働条件の大きな悪化を強いられる。このように企業は倒産を防ぐために、固定費用である賃金を抑制することで投資家に対してコスト削減の意思を表す一方、さらに進んで雇用を減らすことを考える。この点は例えばフランスの銀行で行われた。フランスを代表するBNPパリバ（Paribas）やソシエテ・ジェネラル（Société générale）は、実際に雇用を削減したのである[34]。

では、債務返済不能による倒産のリスクに晒された企業に対し、国家はいかなる支援を行おうとしたか。倒産を防ぐためにまずもって必要とされるのは資本の強化である。したがって、そうした企業が外出制限に際して国家に求めたのは財務の救済であった[35]。この点は、とりわけフランスにおいて顕著であった。フランスの企業の財務構造は、一般に多くの債務とわずかな資本から成っており、それは完全に不均衡であったからである[36]。中小企業連合総裁のF・アセラン（Asselin）が強調するように、これでは企業経営は持たない。そして今回のコロナ危機は、そうした企業の脆弱な財務構造を一層悪化させた。今日のフランス企業は債務レベルを高める一方、投資資金を保有しない。それゆえかれらは雇用をつくり出せない。ル・メール経済・財務相はこのように認識した上で、かれらに一定額の資本注入を図ることを表明した。また、企業に対する資金供給として二つの手段が用意された[37]。一つは転換社債であり、もう一つは共同参加型貸付である。前者は一種の信用であり、借り手が返済できないとき貸し手は株主になれる。後者は契約の形をとり、債権者が企業の利益の一部を受け取ることができる。いずれも企業の債務返済能力にしたがわないため、通常の貸付よりも条件が緩やかである。

以上のように、企業の資金調達に様々な経路が設けられた。このことが、企業の倒産を防ぐ上で一定の効果を発揮するのは疑いない。しかし、ここにもいくつかの問題が残されている。まず、資本参加の担い手の問題がある。銀行はすでに、国家保証付き貸付の一部を負担しているため、さらなる補足的な資金供給を行うだけの余裕があるかが問われる。さらに一層深刻な問題は、一体誰がそうした国家支援の恩恵を受けられるかという問題である。第一に、上場会社以外は、その対象から外れてしまう。中小企業の多くがそれに該当することは言うまでもない。フランスの経済・財務相ル・メールも、国家はすべての企業を対象として資本を増やすつもりはないことを明らかにする。要するに、国家による企業支援の選別が行われるのである。これは、支援の割当てを意味する。したがってこの支援プログラムは、倒産リスクを抱える企業のすべてを救済するものではない。

このようにして見ると、政府に強く求められるのは公正な公共政策ではないか。市場が企業を選別するのは当然であり、それを補うのが国家でなければならないはずである。経営困難な大企業に対して有利な融資条件を提示することにより、国家戦略を果せるかもしれない。しかし、それはより小さな企業をその戦略から排除してしまう。このことは、企業倒産のリスクだけでなく、大きな社会リスクを伴うに違いない[38]。他方で、国家が支援する企業を選別することの正当性を認められるとしても、そこには明快な基準が設定されねばならない。支援の透明性が求められるのである。さらに、公正の点で本来あるべき戦略としては、債務返済不能の企業のすべてに対してその自己資本に出資することが考えられる。そのためには、国家は一層の財源を準備する必要がある。今日、強く求められているのはこの点であろう。それはまた、コロナ禍の企業の二極分解を回避する手段にもなると言ってよい。

四．世帯の生活困難と経済的不平等

一方、コロナ流行による経済ショックによって、世帯の側はいかなる影響を受けたか。以下でこの点についてフランスを中心に見ることにしたい。

（一）消費と購買力の低下

コロナ感染防止策としての外出制限は、当然ながら世帯の消費を減少させた。フランスに関してフランス経済景気研究所は、そうした減少を経済セクター別に推計している。表3－1は、世帯の消費が二〇一九年の第四・四半期と比べて二〇二〇年以降にどれだけ減少するかを、セクター別で示したものである。見られるように、ホテルやレストラン、航空などの輸送で表されるサービス一般に対する世帯の消費が、二〇二〇年から二〇二一年にかけて大きく減少することがわかる。

こうした世帯の消費減少が、外出制限による直接的な影響を受けていることは間違いない。しかし他方で、それが世帯の購買力低下に基づいていることも否定できない。実際に外出制限の期間に、フ

表３－１　フランスの世帯の消費[1)]

セクター	2020年末	2021年末
ホテル・レストラン	-32%	-20%
輸送サービス	-30%	-22%
世帯に対するサービス	-26%	-9%

注　1）2019年の第四・四半期と比べた減少の割合。

出所：Peleraux, H., Plane, M., et Sampognanro, R., "《Croissance vulnérable》: impact de la Covid-19 sur l'économie française en 2020 et 2021", in OFCE, *L'économie française 2021*, La Découverte, 2020, p.84より作成。

ランスの世帯の購買力は週当り約五〇ユーロ損失したと推計される(39)。その背後に、人々の経済活動の停止による影響があるのは疑いない。とくに独立的職業従事者は、その活動から直接報酬を受ける。それゆえ活動の停止は、直ちに所得の減少につながってしまう。一方、フランス経済景気研究所は、外出制限により四六万人もの人々が雇用を見出せないと推計する。そのうちの大半（約二九万人弱）が、解雇された人々である。これにより、かれらの所得は明らかに大きな影響を受ける。他方で一時的失業策により救われた人々も、その対策が終了した時点で所得の低下が加速されるのも否定できない。

このようにしてフランスの世帯の購買力は、消費と並んで二〇二一年にも停滞したままであると予測される。賃金と雇用が減少すれば、購買力の低下は一層加速されるに違いない。こうした中で、フランスの世帯の生活に対する将来不安が高まっている。国立統計経済研究所の調査によれば、人々は所得と雇用の変化によるリスクを非常に不安視していることがわかる(40)。それは、かれらの銀行預金の増大となって現れている。フランス銀行（Banque de France）は、世帯の非貯蓄性銀行預金が二〇二〇年三月に一九六億ユーロに達したことを発表した。二〇二〇年の一月と二月に五九億ユーロであった同預金は、一挙に三倍以上に膨らんだのである。これと平行して貯蓄性預金も、同年三月に二七億ユーロに上る。他方で銀行の住宅向け信用は大きく下落した。

このように、フランスの世帯はコロナパンデミックによる経済不況の中で消費を減少させる一方、貯蓄を増やすことに集中した。かれらは、この危機にもかかわらず六二〇億ユーロもの大量の貯蓄を行ったのである。[41] これはまさに「コロナ貯蓄」とも呼べるものであった。実際に、二〇二〇年第一・四半期におけるフランスの世帯の貯蓄率は、かれらの所得の二四％にも達した。それは、二〇一九年に平均で一五％であったものから飛躍的に高まった。フランス経済景気研究所が推計した二〇二〇年第一・四半期における貯蓄率を経済アクター別に見ると、世帯の貯蓄率が突出して高い。[42] このことからも、フランスの世帯がいかに将来不安を抱えているかがよくわかる。同時に、かれらの貯蓄の高まりが、その後の経済復興プランに大きな問題を投げかけることになる。需要サイドからの経済成長がいかに見込まれるか。この点が問題とされるのである。

（二）　経済的不平等の拡大

では、すべての世帯が将来に備えて貯蓄を高めることができたかと言えば決してそうではない。貯蓄どころか毎月の生活でさえ困難な世帯も、コロナ危機の下で数多く出現したのである。[43] 実際にフランスでは、外出制限以来、月末の決済不能者が続出した。このことは何を意味するであろうか。フランスを含めて欧州各国の政府は、巨額の援助を行って経済活動の歴史的崩落を防いだ。これにより企業の多くは倒産を免れた一方、一時的失業策により欧州の四分の一の労働者がその恩恵を受けたと言われる。ところが、現実にはそうした恩恵を受けられずに生活難に陥った人々が多数存在する。政府の支援策の下で、世帯間の不平等がむしろ拡大したのである。ここに、言ってみればコロナパラドックスを見ることができる。我々はこの点を看過してはならない。こうした事態に、困窮する人々を救う手段が多くの国でとられた。スペイン、イギリス、並びにドイツでは、家賃の支払いを猶予するための支援ファンドが創設された。またノルウェーやスウェーデンなどの北欧諸国では、可処分所得の一定の割合が支援された。そしてフランスでも同様の対策が講じられたのである。

さらに、そうした生活困難者にとって深刻な問題が現れた。それは過剰債務である。フランスについて見ると、クレジットカードによる信用がコロナ流行に合わせて拡大した。それが返済能力を超えて累積したとき、世帯のデフォルトが生じるのは間違いない。このデフオルトによる不良債権が増大すれば、それが銀行経営を圧迫することも避けられないであろう。事実、フランスで過剰債務に陥った世帯は外出制限以降にかなり増えた(44)。政府による緊急支援は、そうした人々の財務の半分ほどに相当するにすぎない。一時的失業が解除されたとき、あるいはその恩恵さえも受けられないとき、かれらの債務返済が不可能になるのは目に見えている。ここに、新たな貧困層としての公衆が登場する。かれらの中には、シングルマザーで代表されるひとり親世帯、自営業者、並びに学生などが含まれる。

このように外出制限が発動して以来、貧困世帯が明らかに増大した。フランスを代表する世論調査機関（Ｉｐｓｏｓ）が二〇二〇年九月に行った調査によれば、次の事実が判明する(45)。外出制限の間に多くの資金を手元に置いている人々は、回答者のたった五％にすぎない。その多くは上級のエリート層である。また少し貯蓄できる人々は、全体の半分以下（四三％）であった。これに対して、何の蓄えもなしに生活している人々は、全体の一八％にも上る。しかも、そのうちの八％は生活不安に晒されている。かれらは、資金面の支援は言うまでもなく、それこそ食料を含めた財・サービス面の緊急支援を政府に強く求めているのである。

こうした「コロナ貧困者」とも呼ぶべき人々が出現した背後に、特有の経済すなわち闇経済の問題がある点を注視する必要がある。そこでは、小さな仕事に対する報酬が闇で現金によって支払われる。この闇の部分が、外出制限で消滅してしまった。闇労働者は、その煽りをもろに受けたのである。この闇経済の存在は、もちろんフランスに限られる訳ではない。それは南欧を中心に、欧州の至る所で多かれ少なかれ見ることができる。

以上に見たようなコロナ貧困者が新たに登場したのに対し、それでは富裕者はコロナ流行によっていかなる影響を受けたか。かれらの所得は果して減少したであろうか。フランスは、富裕者に関する報告書を二〇二〇年六月九日に公表した。これによれば、かれらは外出制限下でも依然として確固たる地位を築いていることがわかる。[46] フランスにおける富裕者の境界は例えば、メディアン（中央値）の所得である月額一七三五ユーロ（二〇一七年の時点）の二倍、すなわち三四七〇ユーロに設定される。この境界規定にしたがえば、フランスでは人口の八％（五〇〇万人）が富裕者とみなされる。ただし奇妙なことに、富裕者の境界（富裕ライン）はこれまで定まっていない。したがって国立統計経済研究所は、富裕者の境界を月額三二〇〇ユーロと規定する。この規定によるとフランスの富裕者は全人口の一〇％にも上る。これに対して、貧困者の境界には欧州規準がある。それは、メディアンの月額所得の六〇％とされる。

このように、コロナ危機の中でフランスの富裕者の数はかなりのレベルに達している。しかも気をつけるべき点は、そうした富裕者の幅が非常に大きい点である。全体の一％に当たる最も富裕な人々の月額所得は一万四七五〇ユーロであり、それは富裕者の境界に当たるものの四倍以上を示す。さらに全体の〇・一％に相当する超富裕な人々の月額所得は、一％に当たる富裕者のそれの二倍以上

（三万五〇八ユーロ）にも上る。フランスの富裕層はまさしくピラミッドの様相を呈している。また、フランスの一％に当たる富裕な人々の所得は欧州全体で最も高い。かれらの一人当り月額所得は、ドイツやイギリスのそれを上回る。こうしてフランスでは、巨額の富を抱える億万長者が実に一二〇万人にも上るとみなされる。

以上のように、フランスにおける所得の不平等は歴然として存在する。さらに資産の点から見ると、その不平等は所得の場合より一層大きくなる。フランスでは大資産を保有する富裕者の境界は、伝統的にメディアンの資産（一六万三〇〇〇ユーロ）の三倍（四九万ユーロ）と設定される。これにしたがうと、フランスの人口の一六％（四六〇万世帯）がこの資産以上を保有する富裕者である。さらに、このうち二九〇万の世帯がフランスの資産の五一％を所有している。ここには、明らかに富の集中が見られる。ただし、フランスにおける資産の集中度は中位度である。それはドイツで六〇％、また米国では実に八〇％にも達する。そして銘記すべき点は、こうした富裕者の資産保有が、コロナ危機下で変わるはずはないという点である。

一方、フランスで資産の多様化が見られる点に留意する必要がある。そこでは、不動産が全体の四七％を占めて最大であるものの、金融資産の割合も三二％でそれに続く高さを示している。この金融資産の高まりが、実は重要な意味を持つ。というのも、全体の〇・一％に当たる超富裕な人々は、資産の八六％までを株式で保有しているからである。しかもこの傾向が、コロナ危機の下でむしろ加速されたと言わねばならない。

フランスの経済分析審議会は二〇二〇年一〇月に報告書を発表し、そこで重要な結論を導き出している[47]。フランス全体の二〇％に当たる最も富裕な世帯は、二〇二〇年の三月から八月にかけて、すなわち外出制限を伴ったコロナ禍で金融資産を一層蓄蔵した。これと正反対に、全体の二〇%に相当する最も貧困な世帯は、コロナ禍で通常よりもさらに貯蓄できない。それゆえかれらは、隠し財産をつくることができないどころか、同期間内にむしろ借入れを行っている。以上がその結論である。富裕な人々は外出制限の期間に、実は貯蓄を大いに高めることができた。この間にフランスの貯蓄が激増したのもそのためであった。貧困者はそもそも貯蓄どころではなかったのである。これこそまさに、人々の間の経済的不平等を如実に物語っている。

以上に見られるように、コロナ危機が人々の生活水準の不平等を悪化させたことは明白である。しかも銘記すべき点は、フランスにおける所得の低い労働者が、二〇二〇年春の外出制限によって最も大きな影響を受けた経済セクターに一層関与していたという事実であろう[48]。実際にこのカテゴリーに属する人々の多くは、ホテル、レストラン、輸送などのコロナ流行で最も大きな被害を受けたセクターで働いている。かれらは同時に、健康上のリスクを富裕な労働者よりも一層被る。なぜなら、そうしたセクターで働く労働者は、テレワークをそれほどできないからである。図３－１は、賃金別で見たテレワークの度合を示している。同図より、賃金がより高くなるにつれて労働者はよりテレワークを行っていることがわかる。テレワークは、より高い賃金のセクターに集中しているのである。

こうした中で、フランス政府の緊急支援対策である一時的失業や連帯ファンドによる例外的支援は、確かにそうした不平等を補償するものであった。主たる対策の一時的失業策は、外出制限中の二〇二〇年三月から七月の間に、就業人口の所得の損失をカバーした。世帯の生活水準の回復も、これによってU字曲線を描くと予想された。事実、低い所得の労働者のポストはテレワークができないことから、かれらは一時的失業の状態に置かれ、その所得は全産業一律スライド制最低賃金のレベ

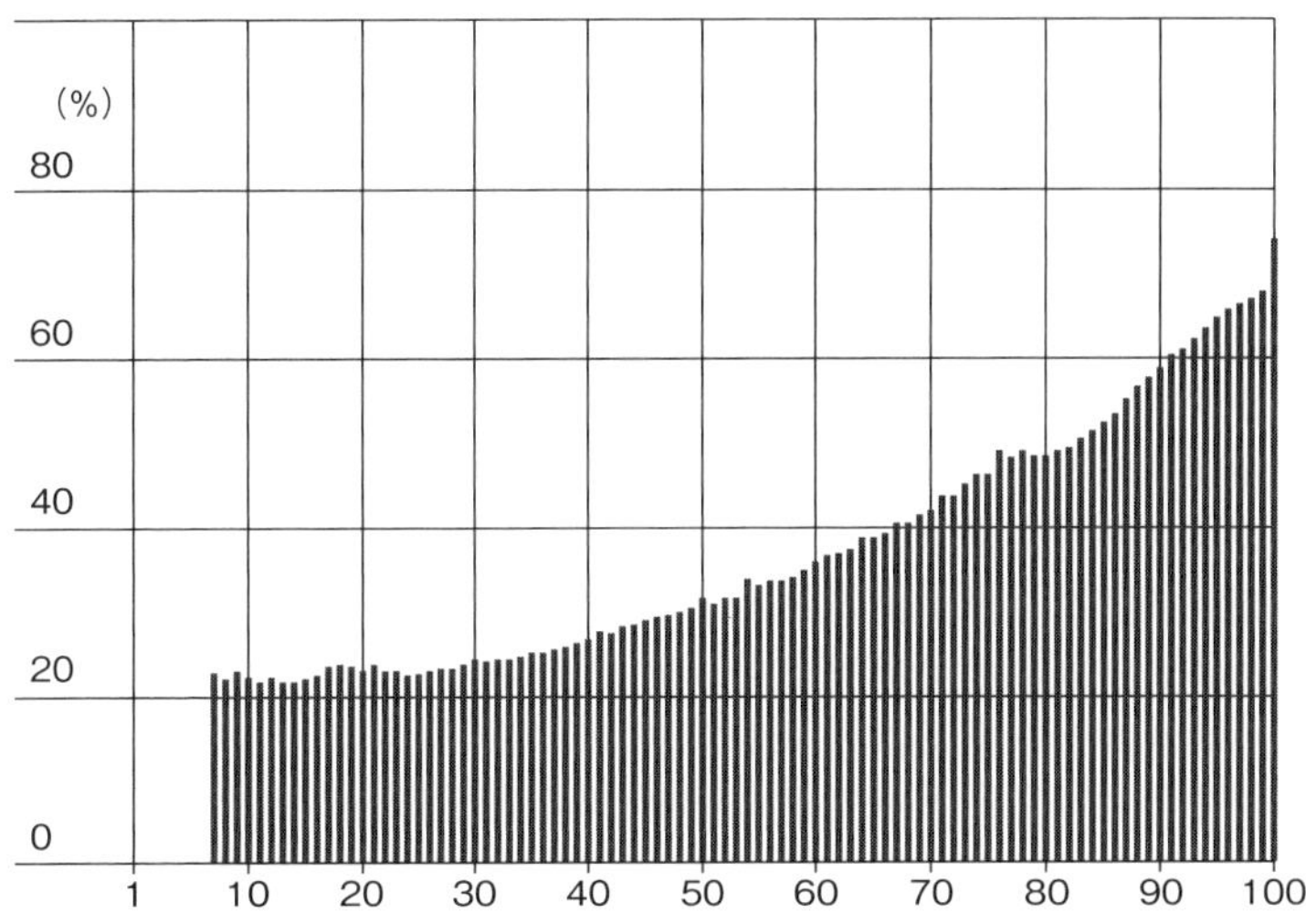

タテ軸は、時間給別に見たテレワーク可能なポストの割合
ヨコ軸は、時間給の百分位

出所：Tonnelier, A., "La crise a exacerbé les inégalités de revenus", *Le Monde*, 17, novenmber, 2020 より作成。

図３－１　フランスにおける賃金別のテレワークの度合

ルで補償された。しかし、雇用を失ったか、あるいは積極的連帯所得手当て（revenue de solidarité active, RSA）を受給する人々は、そうした恩恵を受けることがない。また、若者や更新されない短期契約労働者も一時的失業から利益をえることができない。他方で最も富裕な人々は、コロナ危機による窮地を巧みに切り抜けることができた。かれらはテレワークを行い、一時的失業の状態に置かれることがない。このようにして見れば、起死回生策とみなされた一時的失業は、労働者の間の経済的不平等を是正するための手段となるにはほど遠い。それは、不平等の拡大を逆転させるものでは全くない。

　このように、コロナパンデミックによる経済ショックの中で、賃金労働者間さらには世帯間の不平等が一層深まった。我々はこの点を、フランスの事例を通してはっきり確認することができた。こうしたコロナ禍の経済的不平等の現象はもちろん、フランスに限られるものではない。それは、欧州ひいては世界全体に見られる共通の傾向である。それゆえこの事態に、貧困者に対する緊急支援がまず必要とされることは言をまたない。それは、家族手当てなどの諸々の社会的手当てによる社会的資金移転をつうじて行われる必要がある。また後に詳しく論じるように（第八章、終章）、最も富裕な人々がコロナ禍で蓄積した資産を吸い上げることも考慮されねばならない。実際に今日、投資も消費もされない巨額の流動性貯蓄が存在する。緊急支援に対するそうした貯蓄の貢献が問題視されるのである。コロナ危機による貧困層の増大は、政治的にも社会的にも切実で深刻な課題を我々に突き付けていると言ってよい。

以上見てきたように、コロナパンデミックによる経済ショックは極めて大きなものであった。それは、予想をはるかに超えた前代未聞の経済危機をもたらした。実際に、フランスのみならず欧州全体さらには世界全体で厳しいリセッションが引き起こされた。コロナパンデミックはまさに、リセッションのパンデミックに直結したのである。このことはまた、資本主義の自由化・グローバル化のなせる業であった。そうした中で、企業も世帯も甚大な被害を受けた。それは、企業の経営困難や世帯の生活困難となって現れた。しかも企業と世帯が、そのようなリスクに対して一様に晒されたのではないという点を忘れてはならない。コロナ禍の経済危機により最も大きなネガティブ効果を被ったのは、やはり小規模の企業や貧困な世帯などの最も脆弱な経済アクターであった。だからこそ、かれらに対する緊急支援がぜひとも必要とされるのである。

注

（1）Madeline, B., "L'Insee estime à 35 % la baisse de l'activité en France", *Le Monde*, 27, mars, 2020.

（2）OFCE, *L'économie française 2021*, La Découverte, 2020.

（3）Péléraux, H., Plane, M., et Sampognaro, R.,"《Croissance vulnérable》: impact de la Covid-19 sur l'économie française en 2020 et 2021", in OFCE, *op. cit.*, pp.76-77.

（4）*ibid.*, pp.79-80.

（5）Mathieu, B., "Après la récession, quelle reprise?", *L'Express*, 2, avril, 2020, pp.36-37.

（6）Tonnelier, A., "Les consequences par secteur du confinement", *Le Monde*, 8, avril, 2020.

（7）Madeline, B., "Plus forte baisse de l'activité en France depuis 1949", *Le Monde*, 2, mai, 2020.

（8）Bouissou, J., "La récession frappera plus durement la France", *Le Monde*, 11, juin,2020.

（9）Dutheil, G., "Aéronautique: l'emploi en première ligne", *Le Monde*, 6, octobre, 2020.

（10）Péléraux, H., Plane, M., et Sampognaro, R., *op. cit.*, pp.77-78.

（11）Haquet, C., avec Juksic, V., "Vent de panique", *L'Express*, 27, février, 2020, p.44.

（12）Mathieu, L., "Derriére la quarantaine, les spectre de la crise de 2008", *L'Express*, 19, mars, 2020, p.42.

（13）Boutelet, C.,"L'Allemagne affronte une récession historique", *Le Monde*, 2, mai, 2020.

（14）Albert, É., et Malingre, V., "La pandémie menace l'Europe d'une fracture économique majeure", *Le Monde*, 29, mai, 2020.

（15）拙著『欧州財政統合論』ミネルヴァ書房、二〇一四年、二六三〜二六八ページ。

（16）Desmoulières, R.P., et Tonnelier, A., "Le Covid-19 fait dérailler la trajectoire budgétaire", *Le Monde*, 19, mars, 2020.

（17） Bissuel, B., " La crise fait plonger le déficit budgétaire", *Le Monde*, 4, juin, 2020.

（18） Roger,P.,"Face à la crise, Bercy dévoile un troisième projet de loi", *Le Monde*, 6, juin, 2020.

（19） Albert, É., "La France, premier émetteur de prêts garantis en Europe", *Le Monde*, 12, juin, 2020.

（20） Péléraux, H., Plane, M., et Sampognaro, R., *op. cit.*, p.82.

（21） Bloch, R., "Les banques face à la menace de l'insolvabilité", *L'Express*, 30, avril, 2020, p.50.

（22） Albert, É., et Madeline, B., "Les entreprises face à un mur de dettes historique", *Le Monde*, 12, juin, 2020.

（23） Bloch, R., *op. cit.*, p.51.

（24） Chocron, V., "Les banques vont affronter une vague de crédits douteux", *Le Monde*, 12, juin, 2020.

（25） Albert, É., et Madeline, B., "Les entreprises face à un mur de dettes historique", *Le Monde*, 12, juin, 2020.

（26） Péléraux, H., Plane, M., et Sampognaro, R., *op. cit.*, p.82.

（27） Guerini, M., Nesta, L., Ragot, X., et Schiavo, S., "Dynamique des défaillances d'entreprises en France et crise de la Covid-19", in OFCE, *op. cit.*, p.103.

（28） Madeline,B., avec Bollengier, A., et.al.,"De Lille à Marseille, le spectre des faillites en cascade", *Le Monde*, 23, mai, 2020.

（29） Guerini, M., Nesta, L., Ragot, X., et Schiavo, S., *op. cit.*, p.107.

（30） Madeline, B., "L'explosion attendue des faillites en France", *Le Monde*, 17, juin, 2020.

（31） Bordenet, C., "La grande détresse des petits patrons", *Le Monde*, 3, octobre, 2020.

（32） Charperon, I., "Avec l'épidémie, les entreprises du CAC40 avancent à deux vitesses", *Le Monde*, 21, octobre, 2020.

（33） Scheffer, N., "Les entreprises annoncent les premiers gels de salaires lié au coronavirus", *Le Monde*, 29, mai, 2020.

（34） Chocron, V., "Les banques lancent déjà de nouveaux plans d'économies", *Le Monde*, 23, mai, 2020.

（35）Madeline, B., "La Banque de France demande à l'Etat d'en faire plus", *Le Monde*, 13, mai, 2020.
（36）Bloch, R., "Entreprises la course aux fonds propres est lancée", *L'Express*, 27, août, 2020, p.38.
（37）*ibid.*, p.39.
（38）Guerinit, M., Nesta, L., Ragot, X., et Schiavo, S., *op. cit.*, pp.109-110.
（39）Madeline, B., "Déjà 11 milliards de pertes de revenus pour les ménages en France", *Le Monde*, 22, avril, 2020.
（40）Madeline, B., "Plus forte baisse de l'activité en France depuis 1949", *Le Monde*, 2, mai, 2020.
（41）Péléraux, H., Plane, M., et Sampognaro, R., *op. cit.*, p.83.
（42）*ibid.*, p.81.
（43）Charrel, M., "Inquiétudes sur la dette des ménages en Europe", *Le Monde*, 27, mai, 2020.
（44）Rey-Lefebvre, I., "En France, les impayés n'augmentent pas…pour l'instant", *Le Monde*, 27, mai, 2020.
（45）Chocron, V., "Les difficultés financères des ménages fragiles passent sous le radar des banques", *Le Monde*, 7, octobre, 2020.
（46）Rey-Lefebvre, I., "《Etes-vous riche?》La réponse de l'observatoire des inégalités", *Le Monde*, 11, juin, 2020.
（47）Madeline, B., et Tonnelier, A., "L'épargne de la crise profite aux plus riches", *Le Monde*, 13, octobre, 2020.
（48）Tonnelier, A., "La crise a exacerbé les inégalités de revenus", *Le Monde*, 17, novembre, 2020.

第四章　雇用・失業問題の新展開

　コロナパンデミックにより引き起こされたリセッションが、労働市場と雇用に大きな影響を与えたことは疑いない。労働者は、経済活動の崩落により働く場を失ってしまうリスクに晒された。それは同時に、企業による大量解雇という雇用破壊を伴うものであった。こうした事態をいかに回避するか。この点が各国政府に求められたのは明らかである。それは先に示したように、欧州各国が採用した一時的失業策で事足りるのか。そこにはどのような問題が潜んでいるか。またそうした対策にもかかわらず、フランスを含めた欧州における失業は実際にどれほど生まれたか。その際に、いかなる層の労働者が犠牲になったか。そしてかれらを保護するために、政府はどのような対策を施したか。さらに、そこで問題となるのは何か。本章ではこれらの、コロナ禍で生じた雇用と失業をめぐる諸問題について検討することにしたい。

一．雇用破壊と一時的失業

外出制限の間に雇用の流れは、コロナ流行により大きな影響を受けた経済セクターで完全に断たれてしまった。例えば短期労働契約が満期に達した労働者に対し、雇用は突然に消えてしまう。では、働く場を失った労働者が他に職場を見出せるかと言えば、それは簡単ではない。ここに労働市場における非対称性を見ることができる。[1] こうした事態に、雇用の崩壊を避けるため、また企業と世帯の所得を支えるため、さらには経済活動の急速な復興を可能とするために、欧州各国の政府はこぞって、コロナ危機対応戦略の中核に一時的失業策を据えた。これはもちろん、民間セクターに対してのみ行われる。この点は先に見たとおりである。そこで問われるのは、この一時的失業はいかに機能し、またどれほどの効果を発揮し、さらにそのコストは一国の財政にいかなる影響を及ぼすか、などの点であろう。

ところで、コロナパンデミックにより引き起こされた雇用破壊の危機に対し、次のような二つのヴィジョンがある。[2] 一つは米国型のヴィジョンであり、もう一つは欧州型のそれである。米国では実際に、外出制限の開始以来、三六〇〇万人もの人々が新たに失業に見舞われた。そこでかれらは、経済復興こそが雇用を回復させるとみなした。これに対して欧州では、一時的失業策によって雇用を支えることで大量失業のショックを和らげることができると考えられた。その結果、四〇〇〇万人を超える欧州の人々が一時的失業に登録されたと言われる。その際に、賃金の大部分を国家が負担した。したがってそのコストは莫大になる。果して米国型と欧州型のどちらが正しいか。欧州のエコノミストの多くは、欧州のアプローチを圧倒的に支持した。それは、雇用崩壊による社会的大被害を回避できるとみなされたのである。

表4－1は、欧州の主要国（イギリス、ドイツ、フランス、イタリア、スペイン）における、二〇二〇年五月までの外出制限中の一時的失業者と、それによる国家の負担を示している。見られるように、フランスの一時的失業者数と国家の負担額が最大である。このことは、フランスでそれだけ大量解雇の危機が迫っていたことを意味する。政府はしたがって、この一時的失業のシステムに最も寛大な姿勢を表した。かれらは、一時的失業者の賃金の八四％をカバーし、かつまたその上限額も最低賃金の四倍までとする。フランスは、一時的失業策を歴史的に最初に打ち出したドイツにおける賃金の国家負担を、さらに上回る対策を提示したのである。その結果、フランスの国家負担は対GDP比で三％を超えてしまう。これは、ドイツのそれの二倍以上に達する。こうして欧州主要五ヵ国全体で、一時的失業者は約四二〇〇万人、また国家負担額は二四四〇億ユーロにも上った。

ドイツは実は二〇〇八年の金融危機のとき、一時的失業策を導入して大成功を収めた。それは絶大な効果を発揮したのである。では今回も、ドイツの先例と同じように欧州各国で同対策は功を奏すであろうか。その鍵となるのが、各国の財政能力であることは間違いない。ドイツがそもそも、そうした対策を他国に先がけて採用できたのも、その財政に余力があったからに他ならない。現在でもドイツの国家負担は、表4－1に見られるようにGDPの一・五％にすぎない。これと対照的なのがフランスである。かれらの国家負担は極めて大きい。そこで、そうした負担の大きな国において、もしもコロナ流行が長びけばどうなるか。かれらは、財政能力の点で持ち堪えられるであろうか。この点が問われるに違いない。

表４－１　欧州主要国の一時的失業と国家負担

国　名	一時的失業者1)	国家負担2)
スペイン	3.4	13（1.0）
イギリス	7.5	62（2.8）
イタリア	8.5	37（2.1）
ドイツ	10.1	53（1.5）
フランス	12.4	79（3.25）
計	41.9	244

注　1）100万人。
　　2）10億ユーロ。カッコ内は対GDP比（%）。

出所：Albert, É., "En Europe, un filet de sécurité sans précédent", *Le Monde*, 20, mai, 2020より作成。

フランスでは先に見たように（第二章）、財政赤字がつねに政府の念頭に置かれた問題であった。そこでかれらは、一時的失業のコストをいち早く案じた。このコストは、国家と商工業雇用関連業種全国連合（Union nationale interprofessionnelle pour l'emploi dans l'indutrie et le commerce, UNEDIC）がその大部分を負担する。[3] それは、外出制限の実行直前にかなり過小評価されていた。当時の政府予算案で示された一時的失業の対策費用は、現実に推定される額の半分にも満たないものであった。政府は、一時的失業者の著しい増大を想定できなかったのである。実際に、そうした失業者は信じられないほどの規模に達した。フランスの労働組合は二〇二〇年四月半ば過ぎに、一時的失業の労働者はすでに一〇〇〇万人を超えると発表する。ということは、フランスの労働者のほぼ二人に一人がそうした失業者に登録されたことになる。その対象となる企業も八万社を優に超えていた。このような事態は後に、フランス政府に付して一時的失業策の見直しを迫ることになる。

経済・財務相のル・メールは二〇二〇年五月に入ると、一時的失業は緊急対策として必要であるものの、国家がそのための支出を負担することは長期的に見て望ましくないとする声明を発表した。[4] したがって政府は、企業に対して事業の再開を促す一方、一時的失業の条件を検討する。そこで問われるのは、一体誰がその対象となるのか、また賃金労働者のオブリゲーションは何かという点であろう。二〇二〇年三月の外出制限が行われた直後の法（保健緊急事態法）で、一時的失業によって恩恵を受ける労働者は、次の三つのカテゴリーに分類された。第一のカテゴリーは、コロナ流行の例外的事情により労働を外された人、景気予測によって活動が制限された人、並びに賃金労働者の保護を保証されない人、第二のカテゴリーは、脆弱な賃金労働者（妊娠中の女性や療養中の人）、そして第三のカテゴリーは、子供の世話をするため一日中労働することができない人、もしくはハンディキャップのある人である。この中で、どのカテゴリーが一時的失業の対象として維持されるのか。その際に、一時的失業の選別が行われるのは疑いない。

一方、一時的失業中の労働者に対するオブリゲーションも示された。労働相のペニコーは、一時的失業中に労働することは違法であると警告した。これにより賃金労働者は、雇用者の労働要求を完全に拒否する権利を持つ。しかし、一時的失業は決して休暇ではない。それは労働契約の存続を意味する。ここに、労働者に対する大きな問題が潜む。実際にかれらはテレワークで働いている(5)。この点はとくに小さな企業で現れる。そこでは労働者は、テレワークを断ることができない。それにもかかわらず、そうした労働に対して賃金が支払われることはない。これはまさしく、一時的失業の賃金労働者に対する明白なネガティブ効果であると言わねばならない。さらに、賃金労働者にとってより根本的な問題もある。それは、この一時的失業をかれらが自発的に選択することはできないという点である。この対策は、あくまでも企業による申請で成り立つ。解雇か一時的失業かを選択する権利は、企業に握られているのである。この点をぜひとも忘れてはならない。

ところで、フランス政府の一時的失業策の見直しに対し、雇用者と被雇用者の双方から様々な批判的見解が出された。[6] 雇用者側からは、当然にそうした見直しに対して嫌悪感が示された。「フランス企業運動（Mouvement des entreprises de France, Medef）」総裁のG・ルー・ド・ベジュー（Roux de Béjeux）は、それは企業の負担を増すことから誤りであるとし、より長期の対策を求めた。一方、労働組合側も批判の声を上げた。最大の組織である「フランス民主主義労働同盟（Confédération française démocratique du travail, CFDT）」総裁のL・ベルジェ（Berger）は、一時的失業を劇的に減らすのは雇用の困難なときに良い策ではないとする。また、左派の「労働者の力（Force ouvrière, FO）」も、一時的失業の中止はごく短期の失業に転換させると主張した。そして多くのエコノミストも同様の考えを表した。そこでは、政府予算の観点からのみで一時的失業策を見直すことは非常に悪いとみなされたのである。

ところが、このような批判が続出したにもかかわらず、フランス政府は二〇二〇年五月二五日に、一時的失業に関して企業に対する支援を減少させることを決定し、同年の六月一日よりそれを施行することを明らかにした。[7] これにより、一時的失業を選択した企業は、もはや賃金の全面的補償をえられない。ただし、レストランや旅行などのセクターはその限りでないし、また恩恵を受ける労働者の状態も変わらない。かれらは、純賃金の八四％を受け取ることができる。そして、その上限も最低賃金の四・五倍に設定された。政府によるこうした見直しの目的は、ル・メール経済・財務相が述べたように、企業の経済活動の復興を促すことにある。ほんとうにそのとおりになるであろうか。

ここで最大の問題とされるべき点は、そもそも外出制限によって経営困難に陥った企業が、果してその経済活動をスムーズに復活させられるかという点であろう。企業側はこの点を否定する。かれらが、外出制限下で通常の経済活動を見出せないのは言うまでもない。とくに中小企業連合総裁のアセランは落胆の意を隠さなかった。なぜなら、もしも企業が一時的失業者を再雇用できなければ、それは即解雇に転化してしまうからである。こうした考えに、左派の労働組合である労働者の力も同調する。またフランス経済景気研究所も、この政府決定により解雇の件数が増大することを予測した。

このようにして見ると、一時的失業に対して当初より予想された不安が、フランスの経験をとおして現実のものとなった。フランスのような財政能力の乏しい国が、長期にわたって国家負担を強いる対策を、何かしらの追加的な収入をえることなしに続けられるはずがない。今回のコロナ危機は、かつての金融危機と異なり、その終息の見通しをつけることが困難であった。そうだとすれば、この一時的失業策は政府戦略として、果して正しい選択であったかが問われるに違いない。それは偽善にすぎず、結局企業と賃金労働者の双方を裏切ることになるのではないか。そこで、もしもそうした結末を望まないのであれば、政府の財政能力を一層向上させることが目指されねばならない。この点は後に詳しく論じることにしたい。

二. 欧州の失業問題

コロナパンデミックの欧州経済に与えるインパクトの度合は一様でない。それは、外出制限の厳しさや経済構造の違いに大きく依存する。例えば、旅行業の国民経済に占める割合が高い国ほど、外出制限によるネガティブ効果を当然ながら一層受ける。人々の移動は国内のみならず、EU域内さらには世界全体で非常に制約されるからである。旅行セクターの国民経済に占める割合（対GDP比）をEUについて見ると、南欧諸国すなわちギリシャ、ポルトガル、スペイン、並びにイタリアでその

表４－２　EU諸国の失業率（2018年）

（年齢別構成、％）

国　名	25歳未満	25~74歳	全　体
スペイン	34.3	13.9	15.3
ギリシャ	39.9	18.2	19.3
イタリア	32.2	9.3	10.6
ポルトガル	20.3	6.0	7.0
フランス	20.7	7.8	9.1
ドイツ	6.2	3.1	3.4
オランダ	7.2	3.2	3.8
イギリス	11.3	3.0	4.0

出所：Insee, *Tableaux de l'economie française*, Insee, 2020, p.43より作成。

割合がかなり高いことがわかる。(8) そもそも旅行業は、景気変動に大きく左右される。外出制限はそれに追い打ちをかけた。南欧経済は、これによって大きなダメージを受けると共に、深刻な失業問題を生じさせたのである。

先に示したように、コロナ危機による雇用破壊を防ぐ手段として米国型と欧州型があり、後者が前者よりも労働者を一層保護するとみなされた。確かに米国の失業率は、コロナパンデミックに伴って二〇二〇年二月から同年四月にかけて大きく上昇した。とくに四月の失業率は一九四〇年以来最大の値を記録する。これに対して欧州では、一時的失業策をつうじて失業率の急上昇を防ぐことができた。しかし、それでもって直ちに欧州で失業問題が生じなかったとみなす訳にはいかない。ここで注視すべき点は、欧州における失業率が地域によって大きく異なるという点である。実際に旅行業の重みが大きい南欧諸国では、失業率が非常に上昇した。そもそも南欧諸国においては、二〇〇八年の金融危機以降、経済の悪化と財政緊縮政策によって失業率が他の欧州諸国よりも一層高い状態であった。表４－２は、二〇一八年におけるＥＵ諸国の失業率を示している。見られるように、スペイン、ギリシャ、イタリア、並びにポルトガルの南欧諸国における失業率は、ドイツやオランダ、さらにはイギリスのそれよりはるかに高い。例えばギリシャとスペインの失業率は、ドイツとオランダのそれの数倍にも達する。とりわけ二五歳未満の若者の失業率が南欧諸国で著しく高い点に留意する必要がある。このようにEUの失業問題に関して、南北間の極めてはっきりとした分裂を見ることができる。それはまた、南北間の経済格差をそのまま反映するものであった。

こうした中で、コロナ流行以前にすでに欧州で最大の失業率を示したギリシャは、コロナ危機の下で失業問題を一層悪化させた。ギリシャはこれまで、EUの金融支援を受ける代わりに非常に厳しい財政緊縮を強いられ、その結果失業者を増大させてきた(9)。そして今回、観光業に強く依存するギリシャ経済は、コロナパンデミックによって大きな打撃を受けた(10)。一時的失業の賃金労働者や休業を余儀なくされた商店などは、国家の財政能力の低さから十分な支援を受けられない。このような経済的脆弱性は、失業率にそのまま反映された。二〇二〇年八月の南欧諸国の失業率を見ると、ギリシャの失業率（一六・八％）はEU平均（七・五％）の倍以上に達している。ギリシャの悲劇は終っていないと言わねばならない。

一方スペインでも、観光業の重みがギリシャと並んで大きいことから、同様の現象が生じている。その失業率はギリシャのそれに匹敵するほどであった。実際にスペイン経済はギリシャの場合と同じく、二〇〇八年の金融危機以来麻痺したままである。それがコロナ危機によって一層悪化した。経済の柱である旅行業は一応維持されたものの、それは外出制限により国民的レベルで停止してしまった。その結果、ホテルやレストランなども非常に大きな影響を受けた。これらの経済活動の停止は、そのまま失業率の上昇に結びつく。この点はとりわけ、二五歳未満の若者に関して顕著であった。かれらの失業率は二〇二〇年三月の外出制限期間中に、実に五〇％を大きく上回るほどに高まったのである[11]。

南欧諸国はこれまで、ギリシャやスペインのみならず全体として財政緊縮を強いられてきた。このことが、社会的支出や雇用に大きな影響を与えてきたことは否定できない。それが、コロナ危機によって拍車をかけられたのである。その最大の犠牲者が若者であった。二〇二〇年に、学生でもなければ雇われてもいない、また職業教育も受けていない若者（二五～二九歳）の割合が、イタリア、ギリシャ、並びにスペインなどの南欧諸国で極めて高いことがわかる[12]。ところが、この事態に対して政府は積極的な政策を打ち出すことができない。この点は、とくにスペインではっきりと現れた。スペインでは、外出制限による経済不況時に若者や女性が真っ先に解雇された。その結果、三五歳以下の労働者の賃金は、スペイン銀行によれば金融危機時のレベル以下にまで低下する。これに対してスペイン政府は、財政緊縮の観点から何の策も講じなかったのである。

このようにして見ると、これまで明確に現れてきたEUにおける経済の南北格差は、今回のコロナ危機によって加速されたと言わねばならない。そしてこのことが、欧州における失業率の格差を引き起こしたのである。こうした状況に対し、EUはいかに対処すべきか。第一章で見たように、イタリアは二〇二〇年三月の段階でEUによって救済されることがなかった。コロナ禍で救済を受けるべき対象となる国は、もちろんイタリアに限らない。南欧諸国全体がそれにあてはまる。EUはかれらに、いかなる支援を行うべきか。この点が問われるに違いない。

ところで、コロナ危機が欧州における雇用の面で大きな打撃を与えたのは南欧諸国に対してだけではなかった。実は北欧諸国でも、同危機によって雇用に対するネガティブ効果が現れたのである[13]。この点に留意する必要がある。例えばノルウェーでは、二〇二〇年三月のたった一ヵ月間に、失業率がそれ以前の二・三％から一挙に一〇・四％に上昇した。またスウェーデンでも、二〇二〇年三月一六〜二二日のわずか一週間で一万四〇〇〇人が解雇された。これは、通常時の毎月平均の四倍以上を示す。

他方でドイツでは、産業構造の面で製造業に重みが置かれているため、コロナ流行の経済に与える影響を比較的受けずに済んだ。しかし、それは最初の内だけであった。その後に進行するコロナパンデミックはやはり、ドイツの労働市場に深い傷跡を残すことになる。[14]それは、産業構造そのものの転換を促したからである。特定のセクターで、コロナ危機を受けたことは間違いなかった。例えばドイツを代表する航空会社のルフトハンザドイツ航空（Deutsche Lufthansa）は、かなり多くの便を削減したため二万二〇〇〇のポストを廃止した。またドイツ銀行（Deutsche Bank）も、五一一の代理店を閉鎖する。こうしてドイツの失業者は、二〇二〇年に二七〇万人にも達すると予測された。これは、就業人口の五・五％に相当し、コロナ流行以前のそれよりも高いレベルを示している。ドイツでは確かに、当初の外出制限がそれほど厳しくなかったことから雇用が持ち堪えられると判断された。しかし、ドイツの非常に開放された経済は、コロナパンデミックによる世界貿易の減少による影響を免れられない。それに伴う失業問題が、新たに浮上するのは明らかである。

以上を振り返って見ると、コロナ禍での失業問題が、南欧と北欧を含めた欧州全体で深まることは疑いない。とりわけ南欧諸国で、同問題が激しさを増すに違いない。失業問題は、最終的に社会問題を引き起こす。失業が人々の生活不安を煽るからである。そうだとすれば、この失業の高まりを抑えて社会的保護をいかに充実させるかという課題が、ＥＵの各国のみならずＥＵ全体に対して重くのしかかってくると言ってよい。

三．フランスの失業問題

次いでフランスの失業問題にとくに注目したい。というのも、フランスはドイツと並ぶＥＵの二大大国であるにもかかわらず、失業率はドイツよりもはるかに高く、長年にわたって失業問題に悩まされてきたからである[15]。とくに二〇〇八年の金融危機を経て二〇一〇年代前半に、失業者はすでに一〇〇万人を超えた。失業率も一〇％を上回るほどに高まった。中でも若者の失業率が突出して高い。まず、これらの点に留意する必要がある。前大統領のオランドは、「競争力と雇用のための課税の減免（crédit d'impôt pour la compétitivité et l'emploi, CICE）」策、すなわち企業に対する課税を減免することで雇用の促進を図る政策を打ち出したものの、それは全く失敗に終ってしまった。その後のマクロン政権においても、失業を個人の責任とするマクロンの考えの下に、失業を改善する道筋は辿られないままである[16]。その結果は、表４‐２（一〇七ページ参照）を振り返ればよくわかる。

では、フランスの失業はコロナ禍でどのように展開されたか。まず、外出制限の始まった二〇二〇年三月について見ると、求職者（失業者）が激増した。同年四月末の労働省統計局の発表によれば、何も仕事をしておらずに職を求める人の数は二四万人を超え、著しく増加した[17]。これは、一九九六年に統計が開始されて以来最大の増加率（プラス七・一％）であった。しかも、こうした失業の激しい上昇は、年齢を問わずに現れた。二五歳未満の若者と二五〜四九歳の人との間で、失業の増加率は八％弱で変わらない。職業で見れば、建設業、個人向けサービス、ホテル、旅行、並びに興行などのセクターで失業者が多い。このように、コロナ流行による経済ショックはまずもって失業ショックとして出現したのである。失業は外出制限で仕事を失ったことによるものであり、これは第二次世界大戦以降例がないものであった。

さらに、ここでぜひとも注視すべき点が二つある。一つは、一体いかなる人々が失業に追いやられたのかという点である。かれらの多くは結局、将来に不安（précarité）を抱えるパートタイマーや短期契約労働者であった。パートタイマーの継続は打ち切られ、満期に達した短期契約は更新されなかったのである。実際に、外出制限期間中の雇用破壊の大部分は、期限付き雇用契約（contrat à durée déterminée, CDD）と称される短期契約の労働者の間で現れた[18]。このことはまた、数年来続いて起こった労働市場の弾力化を反映するものであった。短期契約労働者は、雇用調整の格好の対象とされたのである。しかも、そうした労働者を最も特徴づけるのが、二五歳未満の若者の就業者であった。また、これらの若者の半分以上（五五％）が、大学入学資格（バカロレア）を持っていない低学歴の地位にある。このように、コロナ危機による経済活動の崩落によって職を失ったのは、職能の低い非エリートの短期契約労働者、とりわけ若者のそれであった。この点を忘れてはならない。

一方パートタイマーも、経済不況によるネガティブ効果を一層激しく受けた[19]。二〇二〇年の第一・四半期で、このタイプの労働者雇用は激減する。それはまさに大殺戮の様相を呈した。国立統計経済研究所の調査によれば、それは一九九〇年に統計を開始して以来最大の下落を示した。パートタイマーこそが、経済活動の停止によって最初に打撃を受けた労働者であった。しかも銘記すべき点は、一時的失業による解決を選択した企業が、生産を減少ないし停止したことによって、真っ先にパートタイマーの雇用を削減したことである。そもそも解雇を回避すべく導入された一時的失業策は、皮肉なことにパートタイマーの解雇を逆に増進させてしまった。コロナ流行による経済ショックはこうして、パートタイマーに最大の悲劇をもたらしたのである。

もう一つの気をつけるべき点は、そうした失業の激増が、実は一時的失業の対策が講じられた中で現れたという点である。当時、民間の賃金労働者の半分以上に当たる約一一〇〇万人の労働者が一時的失業の対象とされた。それは、雇用破壊を制限するためである。確かに、一時的失業策が講じられなければ失業がさらに増えたことは疑いない。ところが、それにもかかわらず失業者は前代未聞の如く増大した。このことが、フランスの失業問題を一層深刻なものとしたことは言うまでもない。事実、外出制限が遂行される中で国立統計経済研究所は驚くべき数値を発表した。二〇二〇年四月半ばに、民間セクターにおける雇用喪失は四五万人を上回るほどの規模に達したのである。[20] また二〇二〇年五月末の雇用局の発表によれば、同年四月における、何も活動をしておらずに職を求める人の数は前月に比べて八四万人以上増大した。[21] この値も、かつて見られないほどのものであった。

このようにフランスの労働市場は、外出制限が行われる中で非常に悪化した。しかもそれは、以上に見たように特定の層の人々を対象として現れたのである。パートタイマーや期限付き雇用契約の労働者、とりわけ短期契約労働者が失業の最初の、かつまた最大の犠牲者であった。中でも、若者に与えた影響はことの他大きかった。不安な短期契約の地位にある若者は解雇されるか、あるいはかれらの労働時間の一層の減少を余儀なくされた。他方でかれらは、一時的失業の恩恵を受けることがない。期限付き雇用契約の人々や、労働市場への新規参入者、さらには小さな規模の独立事業従事者は、一時的失業による保護の対象から外されてしまう。一時的失業策は、最も脆弱な労働者を救済するものでは決してないのである。

こうした中で、外出制限が延長された二〇二〇年の第二・四半期で、パラドックスを示す数値が国立統計経済研究所により発表された。それは、経済活動の低下にもかかわらず、失業率は上昇せずに逆に下がるというものであった[22]。ところが実際には、企業の人員整理（plan social）は当時倍増していたのである。そうだとすれば、同研究所の指標は労働市場の状況を正しく伝えるものではない。では、なぜそうしたミスリーディングの数値が示されたのか。それは、同研究所が国際労働機関（ＩＬＯ）による失業者の規定にしたがったからである。そこでの失業者は、一五歳以上の人で次の三つの基準、すなわち第一に、アンケート時に雇用がない、第二に、二週間のうちに労働が可能か四週間のうちに雇用先を求める、そして第三に、三ヵ月の間に雇用を見つけ始めるという基準を満たす人と定められる。そこで問題とされるべきは、外出制限期間中に職を失った人々がこれらの基準を果して満たせるかという点であろう。現実に多くの人々は、外出制限下で求職活動が思うようにできない。したがってかれらは、失業者として統計に現れない。このことが、失業率の低下に反映されたのである。その意味で、企業側の雇用に対するアンケートの方が、失業ショックをよく表している。このようにして見ると、失業者の減少はまやかしである一方、そのことは逆に失業ショックの大きさを如実に物語っている。

実際に企業による人員整理は、外出制限下で急速に進められていた。その結果、フランスの雇用崩壊が現れることは間違いない。失業者は、大群となってフランス社会に津波の如く押し寄せる。この事態にフランス人は当然ながら、雇用と失業の問題に最大の関心を寄せた[23]。世論調査によれば、回答者の半分近くが失業の解消を問題解決のトップに上げる。それは、健康や環境の問題解決を上回っていた。

さらに、もう一つの困難な問題が登場する。それは、労働市場の歪みの問題すなわち二極分解の問題である。この点は、企業側と労働者側の双方で現れた。企業側では、コロナ流行により経営を悪化させた企業とそうでない企業で、雇用の仕方が当然異なる。他方で労働者側でも、コロナ流行による影響を大きく受けた労働者とそうでない労働者で、失業の現れ方が全く違う。事実、先に見たように、低い学歴で職能のない若者が失業のリスクに最も晒される一方、高学歴のエリートは職を失うことがない。しかもフランスでは職業教育システムが不備なため、コロナ流行により永続的に影響を受ける経済セクターで働く労働者を再教育し、かれらをそうでないセクターに転向させることが容易でない。ここに、構造的失業の姿を見ることができる。今回のコロナ危機はまさに、こうした失業の構造を一層深めたのである。

以上に見られるように、フランスの労働市場はコロナ危機によって改善されるどころかますます悪化した。そこでの雇用に対する需給のミスマッチは依然として強く現れた。企業は人員整理を進める一方、求職者の数は、何も活動していない人々の間で上昇したままである[24]。それゆえ労働市場は、永続的に落ち込んだ状態を示していた。フランスの企業は、新たな雇用に対して非常に慎重な姿勢を崩していない。かれらは仮に雇用を増やしたとしても、それは期限付き雇用契約によるものである[25]。実際に職を求める人々の多くは、そうした契約が終了しても更新されないケースの労働者である。これに応じるかのように、公共職業安定所での応募の中で、期限付き雇用契約が一定の割合（一五〜三〇％）を占めていた。

ところで、こうしたコロナ禍のフランスの雇用状況は、とりわけホテル業に鮮明に現れた[26]。そこでは、歴史的に最大の人員整理が示された。国立統計経済研究所の調査によれば、二〇二〇年の第一・四半期ですでに四六万人以上の雇用が削減され、同年中に全体の四分の一のポストがなくなるのは確実であるとみなされた。ホテルの大部分は、一時的失業の負担を拒絶することで解雇を増加したのである。これはもはや雇用調整どころではない。経営者は、労働者を解雇することによって困難を乗り越えようとした。それはまさしく雇用破壊を意味する。そしてこの傾向は、一時的失業策の見直しによって拍車をかけられた。労働組合の心配していたことが、現実のものになったと言わねばならない。

　フランス経済景気研究所は、二〇二〇年の半ばでも失業は非常に高いレベルで維持されると推定した[27]。一方、フランス銀行も失業率は二〇二一年に入っても高止まりであり、雇用不安が続くと予想する。フランスにおける失業の高まりは、コロナ禍でまさに定着したのである。

四．若者の雇用問題

　表4－2（一〇七ページ参照）を振り返ればわかるように、コロナ流行以前からすでに、二五歳未満の若者の失業率は、それ以上の年齢層の失業率をはるかに上回っていた。前者は後者の倍以上に上る。この点は、フランスを含めた南欧諸国でも、またドイツを含めた北欧諸国でも同じように現れた。そしてこの若者の失業が、先に見たように、コロナ禍で一段と増大したのである。かれらこそがまさしく、コロナ危機による最大の犠牲者であった。こうした中で、若者の雇用をいかにして守るか。この点が欧州の各国にとって喫緊の課題となるのは間違いない。それはまた、欧州とりわけフランスにとって積年の懸案事項であった。事実、フランスではオランド政権からマクロン政権に至るまで、若者の雇用問題は政府を揺がす一大問題となってきた。そこで以下では、フランスに即してこの問題を検討することにしたい。

若者は確かに、コロナ流行による健康上の被害を当初それほど受けなかった。しかしかれらは、それによる経済的被害の最前線に立たされた。なぜなら若者は、とくに外出制限によって経済活動を停止せざるをえない企業、すなわちレストラン、商店、娯楽センターなどの企業に雇われているからである。[28] この現象はフランスに限らない。例えばイギリスでも、二五歳未満の被雇用者のうち三〇%がそうしたセクターで働いている。この割合は、二五歳以上の労働者ではたった一三%にすぎない。

コロナ流行に伴う雇用危機はこうして、若者、中でも職能の低い若者に集中して現れた。企業は経済ショックに直面して、職能の高い労働者の確保に努めたからである。それゆえかれらはまず、主として職能の低い労働者から成る期限付き雇用契約者とパートタイマーの雇用を断ち切る。その結果、これらのポストで働く大量の若者の間で、失業率は異常なほどに高まった。この現象は、二〇〇八年の金融危機のときに見られたものと同じであった。

大事なことは、このようにして失業した若者が、かれらの職業上の地位向上を妨げられるという点であろう。かれらの期限付き雇用契約から無期雇用契約（contrat à durée indéterminée, CDI）への発展が断たれてしまう。雇用契約の方向は、失業によって規定されてしまうのである。もちろんこうした雇用危機は、すべての若者に一様に現れるのではない。そこには、学歴による大きな格差が存在する。大学入学資格を持っているかどうかは、職をえる上で決定的に重要となる。この資格のない若者は、労働市場から長期にわたって排除されてしまう。それだからこそ、かれらの再教育（職業教育）が極めて重要になる。

以上のような事態に、一八～二五歳の若者は欧州全体で怒りとフラストレーションを募らせている。[29] 不十分な教育と雇用先確保の困難が、かれらの不安を駆り立てているのである。欧州の政治の統治者は、若者を見捨てたのではないか。かれらはこうした思いを抱いている。この点はとくに、ドイツ、フランス、オランダ、並びにイギリスの主要国の間で強く現れた。それだからかれらは、EUに懐疑的になる。『見捨てられた人々（*Les Délaissés*）』と題した書物を著し、そうした人々を無視する現行の政治・経済体制を鋭く批判したT・ポルシェ（Porcher）は、アンケートによれば若者が欧州を民主主義の象徴と考えるのは回答者の三〇％にも満たないことを指摘する。(30) 若者の欧州（EU）離れが深まったのである。

一方、こうした若者の雇用状況の中で、フランス政府は何もしてこなかった訳ではない。歴代の政権は、若者の雇用を促進する策をそれなりに講じてきた。四〇年間にわたって若者に対する雇用の支援が考えられてきたのである。(31) それが最初に示されたのは一九七七年であった。そのとき、二五歳未満の若者の失業率はすでに、全体の就業者のそれの倍を超えていた（一一％強）。そして一九八四年に「若者雇用のための緊急プラン」が打ち出される。その後も続々対策が現れた。例えばオランド政権のときには、失業中の若者に対し、最大で五年間を期限とする雇用の創出が図られた。(32)

他方でこうした直接的対策と並行して、若者を雇用する企業への支援も盛んに行われた。それは、社会的負担金の軽減や研修の促進となって現れた。そこで、このような企業支援策が果して有効であったかという点が問われるであろう。それには賛否両論がある。否定的な考えによれば、雇用契約の支援は第一に、国家にとって非常に高くつく、第二に、それは失業に対する闘いの面で有効ではない、そして第三に、それは職業的編入の踏み台にはならない。これに対して賛同派は、雇用契約の支援が若者の雇用への復帰を高めると考える。ここでぜひとも念頭に入れる必要があるのは、若者の雇用保障ではないか。それは、諸々の手当てと資金面でのフォロー・サポートから成るため、国家にとってお金のかかる対策となるに違いない。しかし、コロナ禍で若者が大量に失業した今こそ、そうした対策が強く求められる。

さて、マクロン大統領はこのような状況の中で、二〇二〇年七月半ばのTV演説において「我々の若い世代こそが今回の復興のプライオリティにならなければならない」とし、若者雇用を有利とする諸々の対策を発表した[33]。その第一の軸は、労働コストの減少である。これにより企業は、若者を呼び込めると考えられる。この観点から、とくに職能の低い人々の雇用に対する社会的負担金が免除された。この措置は二年間続く。また、こうした課税の軽減は、二五歳未満の賃金労働者に適用される。しかし、オランド政権下での「競争力と雇用のための課税の減免（CICE）」策が大失敗したように、マクロン政権によるこの対策が功を奏するかは定かでない。企業に対するそうした課税対策が、雇用に直接反映される保証は全くない。雇用は最終的に、企業の経営方針に従う以外にない。この点は、とりわけ中小企業についてあてはまる。重要となるのは、企業経営者に対して、若者雇用の明白なパースペクティブを与えることである。

若者雇用対策のもう一つの軸は、若者の社会編入プロジェクトである。これは、雇用から最も遠ざかっている若者を探し出し、かれらの社会編入を後押しする。そのための手段が、資金面でのフォロー・サポートと諸々の手当ての支払いをつうじた若者保障である。マクロンはそこで、市民サービスのセクターで数多くのポストをつくると共に職業教育を充実させることを約束した。実際に二五歳未満の若者は、コロナ禍で職を見つけるのが困難であるため、依然として諸々の社会的給付を受けられないでいる。

このマクロン声明を受けて政府は直ちに具体案を打ち出した[34]。労働コストの軽減については、若者を雇用する企業に社会的負担金の補償として年に四〇〇〇ユーロまで与えられる。その対象となる賃金は、最低賃金の二倍までとされた。この支援は四五万件の労働契約に該当し、それは若者雇用を加速すると想定された。また、職業教育に関しては一五億ユーロの支援が用意され、同教育の進展が図られた。これは職能の度合にかかわらず、若者の将来の職業に対する方向付けを手助けするとみなされた。

一方、こうした政府の対応について、労働組合側では強い反発も見られた。政府の若者雇用プランは、永続的な労働契約に力点を置くものではないし、またこの対策は失業保険の権利を何も生まない。さらには、そうした雇用対策はたんなる雇用者への贈り物にすぎない。かれらはこのように批判した。確かに、コロナ危機で一層深まった若者雇用問題を一挙に解消するような特効薬はない。企業の雇用決定は、くり返しになるが景況判断に強く依存する。この原則が貫かれる限り、それは当然若者雇用にも適用される。そうであれば、雇用促進の前提として全般的な復興プランが示されねばならない。

五．労働者の不平等問題

コロナ禍で将来に不安を抱く労働者は、もちろん若者に限らない。かれらは一様に強い不安を募らせている。その背後に、労働者の間における不平等問題がある。この点はすでに指摘したように、失業についてはっきりと現れた。しかし、それだけでなく、就業中の労働者に対する労働条件に関しても不平等が引き起こされている。コロナ危機は、こうした労働問題を生み出したのである。最後にこの点を、フランスを事例としながら見ることにしたい。

まず、コロナ感染のリスクをめぐる不平等の問題がある。先に見たように、外出制限の中でテレワークが可能な労働者とそうでない労働者の二極分解が明らかにされた。そこで、テレワークのできない労働者は当然コロナ感染リスクを一層受ける[35]。かれらが健康面で不利な立場に置かれるのは間違いない。コロナ流行が始まって以来、一定のセクターで必然的に動員される労働者がいる。かれらは医療従事者、長距離トラックや公共輸送機関の運転手、並びに食料品販売店の従業員などで代表される。そうした労働者は、毎日現場で働かなければならない。

このような事態に、フランス政府はどう対応したか。かれらは企業に責任を押し付けたのである。そこでは、労働者の健康面での安全な管理は、企業が保障しなければならないとされた。しかし実際には、次章で詳しく見るように、マスクや消毒剤などの資財は極端に不足していたため、企業がそうした安全保障に十分対応することができなかった[36]。これでもって企業が政府の指令に従えるであろうか。この問題は、労働者の健康だけでなく、企業の存続にも大きく係る。フランス企業運動（Medef）のルー・ド・ベジュー総裁は、すべての企業が活動を再開する条件として、賃金労働者の健康に対する安全保障を第一に挙げる。この保障がない限り、企業活動は始められないと判断されたのである。

一方、労働者の不平等問題は健康面のみに現れたのではない。それは実は、男女の間ではっきりと見られた[37]。コロナ危機は、欧州のエコノミストが一致して認めるように、男性よりも女性に対して一層大きなネガティブ効果を与えたのである。では、どうして女性がより不利な立場を強いられたのか。

第一に、コロナ患者の世話に関する問題がある。フランスでは、看護師の大半（全体の七〇％）は女性である。この傾向は、他の欧州諸国でも、また世界全体でも変わらないのではないか。かれらはしたがって、コロナウイルスに感染するリスクに一層晒されることになる。第二に、女性が働く経済セクターの問題がある。外出制限は先に見たように（第三章）、諸々のサービス業、すなわち旅行、ホテル、レストラン、並びに小さな商業などを直撃した。そこで忘れてならないのは、そうした経済セクターにおける労働者の多くが女性であるという点であろう。フランスでは、例えばホテル従業員の八四％、商店の販売員の六四％、さらには給仕の五七％が女性である。この点で、今回のコロナ危機は、二〇〇八年の金融危機と決定的に異なる。後者のときには男性の仕事がより多くのダメージを受けたからである。

このように、コロナ禍で女性労働者が最も被害を受けたことは、フランスのみに見られるものでは全くない。それは全世界について言える。ＯＥＣＤが示したように、コロナ危機による所得の損失に対して女性が一層脆弱であった。この点は女性の貧困率にはっきりと表された。それは今回一層上昇し、フランスでは一四・五％に達する。これに対して男性の貧困率は一三・七％に止まった。さらに留意すべき点は、女性が解雇後に新たな雇用を見出すのは男性の場合よりも一層難しいという点である。フランスに限らず欧州全体とりわけ南欧諸国では二〇〇八年の金融危機以降、極めて厳しい財政緊縮政策を強いられたため公共サービスの予算が大幅に削減された。これにコロナパンデミックによるリセッションが加わり、そうしたサービスに大いに従事してきた女性の雇用はますます悪化したのである。

他方で、欧州委員会と関連する「男女平等に関する欧州機構（Institut européen pour l'égalité des genres, EIGE）」は、そもそも労働市場に関する男女間の不平等は、家庭内の仕事に対する男女の間の不平等な分担の結果であることを示している。[38] 実際にＥＵでは、一〇人に一人の女性がパートタイマーか、あるいは家庭に対する責任から仕事を持っていない。これに対して男性の場合にそうしたケースは、一〇〇人にたった一人の割合である。さらに、コロナ危機でもう一つの負担が女性に加わった。それは、老人介護施設から老人を家庭に取り戻すことにより、女性がその世話をする羽目に陥ったことである。今日、欧州では五〇～六四歳の女性の三三%が、家庭内老人の面倒を見ている。その比率は、同年齢の男性の場合は二〇%にすぎない。

こうした中で、フランス独自の不平等問題が現れる。それは、失業保険改革によるものであった[39]。政府のねらいは、この改革で人々をより長期の仕事に向かわせることにある。しかし、そこには様々な問題が潜む。まず、失業保険手当ての月額が、同改革によって以前よりも減少してしまう。したがって、コレージュ・ド・フランスのアギオン教授が正しく指摘するように、政府の失業保険改革は高額所得者の失業者に有利なものとなる。まさに失業保険手当ての逆進性が生じる。また、パリ・シアンス・ポリティークのピザニ‐フェリー教授も、このプロジェクトにより企業は政府の思惑とは逆に、短期雇用契約を悪用することになると警告する。もしそうであれば、同改革をコロナ禍で施行することは、雇用に不安を抱える人々に一層の不利益を与えるに違いない。こうしてフランスの多くのエコノミストは二〇二〇年三月末に、失業保険改革に反対する声明を発表した[40]。これを受けて労働相のペニコーは、同年四月半ばに同改革の停止を決定したのである。

マクロンは大統領就任早々から、失業をコントロールする手段として失業手当ての改革を国民に訴えた。彼は、失業手当てを受け取るために失業者は仕事を積極的に求めなければならないと唱える[41]。しかし、今回のコロナパンデミックの中で、多くの失業者は仕事を探したくても探せない状態にある。そうだとすれば、マクロンの主張する失業保険改革は現状ではありえない。

では、このような事態に対して労働者側はいかなる感情を抱いたか。かれらの不安と不満は増すばかりであった。フランス最大の労働組合であるフランス民主主義労働同盟（ＣＦＤＴ）は、二〇二〇年四月に二回にわたって労働者に対するアンケートを行った[42]。それによれば、回答者の七割がコロナ危機によって職業が大きな影響を受けたことから不安を抱いている。これに対してカードルと呼ばれる企業の幹部や高官などのエリートの労働者は、基本的にテレワークを行っており、かれらの大多数は非常に満足していることがわかる。またカードルとは正反対に、圧倒的に多数（八七％）の労働者は現場で働くためコロナ感染のリスクに晒されやすい。そしてかれらの大半（七五％）は、労働者の保護に向けた情報と資財が不足していると感じる。このように、コロナパンデミックの下で労働の世界におけるヒエラルキー構造はますます定着したと言わねばならない。

一方、フランス政府はこの事態にいかに対応したか。かれらはまず、労働コードを二〇二〇年三月末に修正した[43]。これにより労働時間の上限が引き上げられた。それは例外的な対策として重視されたのである。ところが、この修正は労働組合との合意なしに一方的に決定された。これに対して労働組合と中小企業連合は、そうした緊急の労働コードの修正に難色を示し、政府との社会的対話を強く求めた[44]。しかし政府は、基本的姿勢を変えるつもりがなかった。

マクロンは果して、国民に対して社会的対話を積極的に行うであろうか。この点は大統領就任の当初から疑問視された[45]。彼はむしろ統制主義を前面に押し出すのではないか。そう思われたのである。そして案の定、今回のコロナ危機下で社会的パートナーを含めた国民的統一を訴えるものの、彼はやはり社会的統制の方針を崩すことがなかった。それは、社会的な相互性よりも良いと判断されたからに他ならない。そうしたマクロンの政策決定の仕方に、人々とりわけ低所得の庶民は満足するであろうか。

数多くの人々が職を失い、商店は閉鎖され、若者の失業は高まる中で、「社会的な激しいいら立ち」が生み出されたことは間違いない[46]。コロナ危機で最も影響を受けた人々は、最も所得が低く、最も不安を抱えている人々である。かれらがそのような強い怒りの気持ちを表すのは当然ではないか。政府がここで何もしなければ、かつて勃発したあの黄色いベスト運動のような社会的爆発が起こるに違いない。それを回避するにはどうすればよいか。今ほど、国家による労働市場を含めた社会に対する積極的介入が一層求められているときはない。それは、この間のグローバリゼーションが進む中で行き届かなかったものであり、マクロンも自由主義を掲げながら避けてきたものである。

以上、我々はコロナパンデミックによって引き起こされた経済ショックが、雇用と失業の面にいかに現れたかを、欧州とフランスをめぐって検討した。これにより様々な点が明らかにされた。第一に、賃金労働者の雇用喪失を防いで失業の増大を回避するには、政府の財政資金が絶対的に必要とされる。一時的失業策という妙案も、それを支える財政資金が枯渇すれば終ってしまう。また若者を含めた労働者の雇用支援にも多くの資金が用意されねばならない。こうした財源の目処が立たない限り、雇用・失業問題を完全に解決することはできない。第二に、雇用回復の問題は短期間で片付くものではない。今回のコロナ危機によって大きな打撃を受けた経済セクターの企業にとって、仮に全般的な経済復興が果せたとしても、依然として雇用調整をせざるをえない。雇用の復活は、危機脱出の最後の決め手になる。そして第三に、コロナ禍の雇用・失業危機は、労働市場の二極分解に基づく格差が労働者の間で広まったことを浮き彫りにした。何度も強調したように、結局最も失業のリスクに晒された労働者は最も脆弱な人々であり、かれらがコロナ危機の最大の犠牲者であった。このことが他方で、社会問題を一層深めると共に、社会運動の火種になることは疑いない。

注

（1）Ducourdré, B., et Madec, P., "Impact économique de la pandémie de Covid-19 sur le marché du travail et l'emploi en France", in OFCE, *L'économie française 2021*, La Découverte, 2020, p.95.
（2）Albert, É., "Europe un filet de sécurité sans précédent", *Le Monde*, 20, mai, 2020.
（3）Desmoulières, R.B., et Tonnelier, A., "La facture du chômage partiel encore largement sous-éstimée", *Le Monde*, 24, avril, 2020.
（4）Madeline, B., et Roder, A., "Les multiples questions du chômage partiel", *Le Monde*, 20, mai, 2020.
（5）Lemothe, J., "《Tout le travail que j'ai fait, c'est l'État qui l'a payé》", *Le Monde*, 27, mai, 2020.
（6）Desmoulières, R.B., et Bissuel, B.,"Polémique autour d'une réduction progressive du dispositif", *Le Monde*, 20, mai, 2020.
（7）Desmoulière, R.B., et Bissuel, B., "L'État baisse la prise en charge du chômage partiel", *Le Monde*, 27, mai, 2020.
（8）Charrel, M., "En Europe, les pays du sud plus affectés par les destructions d'emplois", *Le Monde*, 15, mai, 2020.
（9）拙著『ギリシャ危機と揺らぐ欧州民主主義』明石書店、二〇一七年、五七～六二ページ。
（10）Albert,É., Charrel, M., Morel, S., et Rafenberg, M., "En Europe du Sud, des économies déjà fragiles fauchées par le Covid", *Le Monde*, 11, décembre, 2020.
（11）Mathieu, L., "Derrière la quarantaine, le spectre de la crise de 2008", *L'Express*, 19, mars, 2020, p.42.
（12）Albert, É., Charrel, M., Morel, S., et Rafenberg, M., *op.cit.*
（13）Albert, É., Desmoulières, R.B., Boutelet, C., Chastand, J.-B., Gautheret, J., Hivert, A.-F., Morel, S., et Stroobants, J.-

P., "En Europe, le cauchemar du chômage de mass", *Le Monde*, 28, mars, 2020.

（14）Boutelet, C., "Pourquoi l'économie allemande limite la classe", *Le Monde*, 24, septembre, 2020.

（15）拙著『「社会分裂」に向かうフランス』明石書店、二〇一八年、三三～三八ページ。

（16）同上書、二九一～二九五ページ。

（17）Bissuel, B., "Hausse historique du chômage en mars", *Le Monde*, 29, avril, 2020.

（18）Decoudré, B., et Madec, P., *op.cit.*, p.98.

（19）Aizicovici, F., et Bissuel, B., "Intérim《Le marché s'est effondré en quarante-huit heures》", *Le Monde*, 15, mai, 2020.

（20）Bissuel, B., " Une baisse du chômage《en trompe-l'oeil》", *Le Monde*, 15, mai, 2020.

（21）Bissuel, B., "La crise du Covid fait bondir le chômage en avril", *Le Monde*, 30, mai, 2020.

（22）Madeline, B., "Chômage : des indicateurs en trompe-l'oeil", *Le Monde*, 14, août, 2020.

（23）Madeline, B., "La France face à l'augmentation inexorable du chômage", *Le Monde*, 28, août, 2020.

（24）Bissuel, B., "Chônge: une baisse en août qui ne corrige pas la violence de la crise", *Le Monde*, 27-28, septembre, 2020.

（25）Madeline, B., "Avec le confinement, le marché de l'emploi a changé de visage", *Le Monde*, 30, mai, 2020.

（26）Guillon, C., "Casse sociale dans l'hôtellier française", *Le Monde*, 28, septembre, 2020.

（27）Demoulière, R.B., et Bissuel, B., "Plus de 6 millions de demandeurs d'emploi", *Le Monde*, 29, juillet, 2020.

（28）Albert, É., et Madeline, B., "Les jeunes sont les premiers et les plus touchées par les effets de la récession", *Le Monde*, 22, avril, 2020.

（29）Gourdon, J., Iribarnegaray, L., Nunès,E., et Raybaud, A., "Les 18-25 ans, une génération meurtrie", *Le Monde*, 3, juin, 2021.

（30）Porcher, T., *Les Délaissés*, Fayard, 2020, p.154.

（31）Madeline, B., “Comment favoliser l'emploi des jeunes : les leçons du passé”, *Le Monde*, 14-15, juin, 2020.

（32）前掲拙著『「社会分裂」に向かうフランス』三五ページ。

（33）Bissuel, B., et Morin, V., “Contrats d'insertion, service civique…des mesures pour l'emploi des jeunes”, *Le Monde*, 16, juillet, 2020.

（34）Demoulières, R. B., et Bissuel, B., “Six milliards d'euros pour l'emploi des jeunes”, *Le Monde*, 25, juillet, 2020.

（35）Desmoulières, R. B., et Bissuel, B., “Les salariés de Pôle emploi dénoncent leurs conditions de travail”, *Le Monde*, 2, avril, 2020.

（36）Barroux, R., et Garric, A., “Défaut de protection pour les《salariés mobilisés》”, *Le Monde*, 15, avril, 2020.

（37）Charrel, M., “Les femmes plus exposées à la perte d'emploi qu'en 2008”, *Le Monde*, 12, mai, 2020.

（38）*ibid.*

（39）Bissuel, B., “Assurance-chômage: la réforme sous le feu de critiques”, *Le Monde*, 2, avril, 2021.

（40）Bissuel, B., “La dégressivité des allocations chômage suspendue”, *Le Monde*, 21, avril, 2020.

（41）前掲拙著『「社会分裂」に向かうフランス』二九二〜二九三ページ。

（42）Desmoulières, R. B., et Bissuel, B., “Les travailleurs inégaux face aux conséquences de la crise”, *Le Monde*, 2, mai, 2020.

（43）Bissuel, B., “Le droit du travail bousculé par ordonnances”, *Le Monde*, 26, mars, 2020.

（44）Desmoulières, R. B., et Bissuel, B., “Les syndicats reviennent en première ligne”, *Le Monde*, 28, mars, 2020.

（45）前掲拙著『「社会分裂」に向かうフランス』三一七〜三一八ページ。

（46）Lemarié, A., "Plans sociaux: l'exécutif sous pression", *Le Monde*, 24, septembre, 2020.

第五章　医療体制の崩壊――フランスをめぐって

以上に検討したように、コロナパンデミックの経済と社会に与えた影響は極めて大きなものであった。それは、明白なネガティブ効果をもたらした。他言すれば、コロナ感染の大流行が起こらなければ、これほどのショックもなかった。そこで問われるのは、そうした危機的な感染をどうして防げなかったのかという点であろう。そこにはもちろん、すでに論じたように執行部の意識の低さから生じた対応の拙さがあった。しかし、それればかりでない。そもそも世界の各国が、コロナに限らず様々なウイルスの感染に対する医療上の防衛体制を普段から十分に整えていれば、これほどの感染拡大とそれに伴う被害は起こらなかったはずである。冒頭で述べたように、世界中でそうした医療の万全な体制がコロナ流行以前につくられることはなかった。とくにこの点は、患者と医療従事者を守るための体制を示す保健システムの面で顕著であった。今回のコロナパンデミックは、この医療体制を根本から突き崩してしまったのである。では、なぜそうなったのか。問われる点は、この点にこそある。

コロナ危機は、世界中の医療体制の脆弱さを露呈した。一つの震源地となった欧州においても、この点は明らかであった。とくに大流行の出発点となったイタリアや南欧諸国で、それは顕著であった。また、欧州の中では比較的よい医療体制を備えていたはずのフランスでも、同様のことが現れた。しかも、そこでの医療体制の崩壊する姿はまさに劇的とさえ言えるものであった。フランスでコロナ感染が急拡大すると同時に、ＥＵで最大の感染国と化した要因として、そうした医療体制の崩壊があることは疑いない。ここでとくにフランスに焦点を当てて論じるのはこのためである。そこで以下では、フランスを事例としながらコロナパンデミックによる医療危機について、そのプロセスと背景を探ることにしたい。

一．コロナ流行と政府の対応

最初に、フランスにおいてコロナ感染が拡大した経緯と、それに対する政府の対応を見ることにしたい。すでにこの点に関しては先にも論じたが（第二章）、ここではコロナ流行の実態をより詳しく把握することで、それに対する政府の策を一層明確にすることに努めた。そうすることで、当時のフランスの医療体制をよりよく知ることができるからである。

二〇一八年に保健局長に就任したサロモンは、二〇二〇年二月に入ると感染病学者としての顔をのぞかせ、コロナ感染の波がフランスに押し寄せるとする警告を政府と大統領に発した(1)。同時に彼は、医療従事者と国民に対して感染防止のためのマスク着用を勧めた。しかし、こうした専門家としての姿勢がその後も貫かれることはなかった。サロモンは、フランスではマスクは病人のみが着用するという習慣を鑑みて、人々の精神を変えるのは難しいとみなす。これはまた、政府の意向に沿うものであった。実際に政府スポークスマンは、マスクは医療従事者には役立たないと発表したのである。このようなサロモンの姿勢の変更は他方で、後に見るように当時のマスクを含めた医療用資財のストック状況をそのまま反映するものであった。

一方、純粋に専門的な立場からは、二〇二〇年二月末の段階でコロナ流行が真剣に不安視された。この点についてパストゥール研究所の疫病局長であるA・フォンタネ（Fontanet）はル・モンド紙のインタビューで次のように答える[2]。コロナ流行は、この段階ですでに次元を超えるほどのレベルに達した。その感染は倍増し、もはやコントロールが難しい状態である。それにもかかわらず、世界保健機関（WHO）はコロナパンデミックを依然として語らない。かれらは、中国以外の発生は限られているとみなす。しかし、こうした立場を維持することはできない。フォンタネはこのように語って、事態は憂慮すべきであると主張した。

このように同じ専門家でも、政府筋の人とそうでない人との間で発言内容は全く異なる。前者のサロモンの意見が日々変わったのは言うまでもなく、政府の意向に応えるためであった。これに対して政府は、フォンタネのような純粋な科学者の意見に耳を傾けようとはしなかった。さらに由々しきことは、世界保健機関（WHO）の対応である。それは専門家集団から成っているにもかかわらず、コロナパンデミックを正しく伝えることができなかった。このことが意図的であったかどうかは問わないにしても、フランスを含めた各国政府がその見解にしたがって行動したことを考えると、WHOの責任は極めて大きいと言わねばならない。

こうした中で、フランスのコロナ感染者は二〇二〇年の二月に入って急増した。これに対し、新たに保健相に就任したヴェランは、フランスでコロナ流行は起こっていないとし、仮に流行したとし

ても フランスにはその準備があると語る。(3) 一方、保健局長のサロモンは、フランスですでにコロナ感染の連鎖によるクラスターが発生したことを認めた。しかし、この情報はフランス全土に伝わっていなかった。各地の市長が怒りの声を上げたのもそのためであった。

実際に、フランスにおけるコロナ感染者は二〇二〇年の三月に入ってまたたく間に増大した。表5－1は、コロナ感染による入院者数の推移を示したものである。見られるように、フランスで外出制限が開始されてからわずか二週間の内に、入院者は八倍以上に激増した。中でも人工呼吸器などによる蘇生を必要とする患者が、同じ割合で増えた点を注視する必要がある。そうした重症者は、各地の病院で飽和状態に達した。そこでサロモンは、病院を守るためにコロナ流行を最大限に抑えなければならないと訴える。医療崩壊がさらなるコロナ流行を生むという悪循環を断つことが最重要とみなされたのである。

表5-1　フランスのコロナ感染者

（人）

年月日	入院者	蘇生該当者
2020年3月18日	2,972	771
2020年4月1日	24,543	5,940

出所：Service planète et société, "Le《système D》face à la pénurie de matériel", *Le Monde*, 3, avril, 2020 より作成。

とりわけフランスで最大の人口を誇るパリを含めたイル・ド・フランス（Ile-de-France）地方のコロナ流行が急上昇したことは、フランスの医療に大きな不安材料を与えた。そこでは、コロナ感染による死者数も、また人工呼吸器の必要な重症者数もやはり二〇二〇年三月に入って激増した。(4) 一方、マルセイユなどの南フランスでは当時、まだ不安な状況ではなかった。しかしコロナ流行がフランス全土にわたり、パンデミックになるのは時間の問題と見られたのである。

このようにして見ると、二〇二〇年二月の段階でヴェラン保健相を中心とする執行部は、フランスのコロナ流行に対して完全に誤った判断を下したと言わねばならない。こうした政府の対応の遅れが、その後に非常に厳しい外出制限を発動しても、コロナ感染拡大の阻止を不可能としたのである。さらに、そのような政府の対応の誤り以外に、フランにおけるコロナ流行を促進させたもう一つの要因があった。それは、医療体制の不備という問題である。次にこの点を見ることにしよう。

二．医療体制における不足問題

先に見たようにヴェラン保健相は、外出制限の行われる前に、フランスの医療体制はコロナ流行に対して準備ができていると豪語した。しかし、それは全くの虚偽であった。現実には、マスク、陽性反応テスト器具、さらには人工呼吸器もフランスではすでに不足していた。とくに医療従事者向けのマスクでさえ十分でなかったことは致命的であった。それだから医師でつくる労働組合は、マスクの不足を訴えると共に、ヴェランの対応が遅すぎることを非難したのである[5]。ヴェランがそうした批判を受け、大量のマスク生産を指令したのは、外出制限が開始されてからであった。

実際にフランスの病院では、コロナ流行以前からすでに医療用資財が不足していた。それにもかかわらず、保健相を含めた政治家と医療専門家は、そうした不足を十分に認識していなかったのである。例えばフィリップ首相は、フランス国民を唖然とさせるような事実を明らかにした[6]。それは、かなりの数のマスクが国家に保存されていたものの、その一部は廃棄されたと同時に、そのストックは二〇〇九年以来はっきりしないという内容であった。この首相の発言はまさしく、フランスの「保健に対する無防備（désarmement sanitaire）」を如実に物語っている。その重い代償は、今回のコロナ流行で払わされたのである。

この点について前保健相のブジンは、外出制限の実施に合わせてル・モンド紙で次のように告発した[7]。それは、フランス政府が二〇一八年以降一八ヵ月間にわたって保健のガードを明確に引き下げたとするものである。さらに、オランド政権下の保健相であったM・トゥレーヌ（Touraine）も、フランスが大きな健康危機に直面してもそれに対する用意がないと批判する。彼の時代にマスクの大量のストックがあったにもかかわらず、それはコロナ感染を抑える上で必要なときに激減していた。そうしたマスクは、フィリップ首相が語ったように廃棄されたのである。どうしてマスクは棄てられたのか。この点についてブジンも、サロモンも、そしてヴェランも言及することはなかった。ただヴェラン保健相は、二〇二〇年三月末の段階でマスクのストックが極めて少ないことを明らかにしただけであった。マスクの追加が戦略的に必要であったのに、政府はそれを怠った。否、それどころかマクロン政権は二〇一八年に、フランスで最初にマスクを生産した工場を何と閉鎖してしまったのである。

フランス政府は緊急事態に備えて、一〇億枚のマスクを戦略的ストックとして保存する必要がある。事実、二〇〇九年にはその倍以上のストックが存在した。ところが二〇一九年の段階で、それは一億枚を少し上回るほどに著しく減少した。これは必要とされるストックの十分の一にすぎない。残りの十分の九は一体どう確保するのか。先に示したように政府スポークスマンが、マスクはコロナ感染防止に有効でないとして国民を騙したのは、そうしたマスクの極端に少ないストックの事情を隠すためであった。政府は明らかに、マスクのストック増大を怠るという重大な誤りを犯したのである。

一方、フランスで不足していたのは、マスクなどの医療用資財だけではなかった。そこでは病床とりわけ重症者用の病床も、さらには医師や看護師などの医療従事者でさえ不足していた。実際に例えば、コロナ患者が急増したイル・ド・フランスでは、かれらに対する蘇生サービスが二〇二〇年三月末の段階でもはや限界に達していた。(8) 全体の蘇生用病床のうち、そのほとんどがコロナ感染者で埋められており、蘇生サービスは非常に逼迫していたのである。

他方で、薬品も同様であった。例えば蘇生サービスに使われる薬品需要が急増したため、そのストックが著しく低下した。(9) 実は、そうした薬品のストック不足は二〇一九年から高まっていた。薬品工場は、もはやすべての需要に応じられる状態ではなかつた。コロナ流行以前の段階から、薬品の生産はすべてのラインで減少した。(10) 例えば最も必要とされる抗生物質も、この五年間に七分の一ていどに激減した。さらに驚くべきことに、抗ウイルス剤のストックの九五%は、二〇一八年にすでに有効期限を切らしていた。政府は、その補充を怠ったのである。

以上に見たように、フランスにおける医療用資財や薬品の不足は深刻であった。なぜこうした事態を迎えたのであろうか。前保健相のブジンがいみじくも語ったように、政府はそうしたストックの状態を全く把握していなかった。保健相も、医療用資財のレベルさえ知らなかった。これは恐ろしい事実である。政治家は、高級官僚（テクノクラート）にすべてを任せてしまった。マスクの不足問題は、まさしく政治体制の破綻を示す以外の何物でもない。しかも忘れてならない点は、こうした政治家とテクノクラートの一体化した構造において、リスクと責任をとる人間は誰もいないという点であろう。これほど危険なことはない。今回のコロナパンデミックはそのことを露呈させたのである。

他方で、フランスの医療専門家の間でも、医療体制についてきちんと把握できていなかった点を指摘する必要がある。二〇二〇年三月に設けられた科学審議会の会長で免疫学者のJ・F・デルフレシー（Delfraissy）はル・モンド紙のインタビューで、その点について誠実に答えている[11]。まず、外出制限を行う前に、なぜ陽性反応テストを全面的に行わなかったのかという質問に対し、彼は実に単純明快に次のように答える。当時のフランスで、そうしたことを行えるだけのテスト器具はなかった。また、フランスの医療体制が悪いのを認識したのはいつかという問いに、彼は、イタリアの健康危機が明らかとなった二〇二〇年の二月末から三月初めと答える。つまり、それまで医療専門家も同体制の欠陥に気づいていなかったのである。

　このようにフランスの医療体制は、コロナ流行の始まる以前からマスクを中心とする医療用資財、病床、さらには人員も含めて総合的な不足の問題に直面していた。それにもかかわらず、そのことに気づいていたのはほんのわずかな人だけであった。このような保健に対する潜在的な無防備体制が、コロナ危機によって暴露された。同時に、医療体制の崩壊が開始されたのである。世界を震感させた、コロナ禍の米国ニューヨークにおける医療崩壊の一大惨事とほぼ同時期に、実は欧州でも同様のことが起こっていた[12]。フランスの事例はまさにこの点をよく物語っている。では、どうしてそのような不足問題がフランスの医療体制の中で生じたのか。その要因はどこにあるのか。当然ながら、これらのことが問われるであろう。以下で、この点について検討することにしたい。

三．財政緊縮と医療体制

　フランスにおける医療体制の保健に対する防備を怠ったことの第一の要因が、同体制を強化するための資金が不足していた点にあることは間違いない。冒頭で示したジョンズ・ホプキンズ大学のグローバル健康安全保障に関する報告書を見ても、それはよくわかる。フランスは、総合的には保健に留意している国として評価（一一位）されたものの、そのための資金面での改善という点では、はるかに低い評価（四四位）をえた[13]。これは、フランスがEUの財政規律の制約により、財政を継続的に緊縮してきたからに他ならない。

フランスで最も高名な医療経済学者のC・ル・ペン（Le Pen）は、過去十年間にフランスがウイルスの感染リスクに対する防衛を資金の制約からいかに低めてきたかを、亡くなる直前にル・モンド紙上で告発した[14]。その内容を少し長くなるが、今日の状況の背景を知る上で極めて重要であることから詳しくフォローすると次のとおりである。二〇〇九年のインフルエンザ危機のとき、一つの大きな出来事が起こった。それは、当時の保健相R・バシュロ（Bachelot）の解任であった。これにより、彼女と共にフランスの保健政策はすべて終了したのである。バシュロは、財政の巨大な赤字を省みることなくフランスの医療体制を整備した。二〇〇九年四月に世界保健機関（WHO）が、メキシコから生まれたウイルスに関して国際的に警告を発したとき、彼女はいち早くそれを深刻に捉え、すべての必要なイニシアティブをとった。それらは国境のコントロール、人工呼吸器の設置、並びに病人の外出制限に及んだ。また緊急に優先されるべきものとして、真っ先にマスクの用意が考えられた。危機管理の面で国民にマスクの着用が推奨されたのである。実はバシュロ以前の保健相も、マスクのストックを増やし続けていた。その結果二〇〇九年五月に、医療用マスクは十億枚を数えた。バシュロがマスクにこだわったのも、そのストックの大きさを根拠としていたのである。

一方、フランス政府もマスクの必要からその大量購入を発表する。N・サルコジ（Sarkozy）大統領も当初は、財政的制約を語らずにこの方針を支持した。他方で民間サイドも、インフルエンザの大流行における労働条件を考慮した。それは事前の準備で抑えられるとみなされた。その第一の要件がマスクのストックであった。こうしてバシュロは、マスクの購入を新たに図り、そのストックは実に二二億枚にも及んだ。

ところが、二〇〇九年夏の終りにウイルスは消え、インフルエンザの大流行の脅威はなくなった。それでもバシュロ保健相は、引き続いて医療用資財の注文を増やし、二〇〇九年末にはフランス人全体に行き渡るだけのマスクを用意した。また彼女は、流行を抑えるためのワクチンを注文するために、政府に対して財政問題の解決を求めた。しかしバシュロは、過剰な医療用資財を抱えたことで非難され、それによって解任されたのである。

他方で、フランスの社会保障費は巨額に膨らんだ。そこで健康危機の問題は、インフルエンザの流行が去ってからは第二次的なものとして片付けられた。サルコジ大統領は、医薬品製造会社においてマスクの生産中止を指令し、その分の生産を中国に移したのである。結局フランスにおける国民の健康管理に関する政策は、保健相ではなく大統領によって決定された。バシュロの行ったことの反動として、フランスで医療準備の縮小が図られる。医療用資財の過剰なストックの後に、政府は保健の防衛レベルを秘かに下げた。国民の健康管理に関する用心深さの原則は、これによって取り除かれることになる。

以上がル・ペンの告発した内容である。これは、今日のフランスの健康危機がどうして生じたかをものの見事に言い当てている。バシュロ保健相が断行したことは全く正しかったのである。健康管理のために医療用資財を国家がストックすることは、大前提として必要とされる。それは、財政的制約の理由でおろそかにされては絶対にならない。そうしたストックが十分すぎることはないのである。

表 5-2　フランスの保健に関する経常支出

（10 億ユーロ）

費目	2006 年	2018 年	2018/2017（対前年増減比、%）
長期治療	153.9	203.5	1.5
病気のためのその他の支出	0.3	0.8	10.1
病気の予防	5.2	6.1	-0.1
治療システムに対する補助金	2.1	1.0	-26.5
研究費	7.5	8.8	-0.3
職業教育	1.3	2.3	2.1
保健のシステム管理	12.2	15.7	0.9
支出合計	206	275.9	1.4

出所：Insee, *Tableaux de l'économie française*, Insee, 2020, p.91 より作成。

では、サルコジ政権だけが医療準備を縮小したのかと言えば決してそうではない。その後のオランド政権の下でも、医療支出が増えることはなかった[15]。そしてマクロン政権も、保健に関する経常支出を大きく増やした訳では全くない。表５－２は、コロナ流行以前のそうした支出の推移を示したものである。見られるように、二〇〇六年から一〇年以上にわたって、保健に関する支出は大きな増加を全然示していない。とくに病気の予防、研究費、職業教育、並びに保健のシステム管理費は、ほんのわずかしか増えていない。それどころか逆に治療システムに対する補助金は、何と半分ほどに減少している。全体の支出額も、三〇％ほどしか増大していないことがわかる。さらに二〇一八年の支出を前年と比べると驚くべき事実が判明する。治療システムに対する補助金が、実に二六％以上も減らされた。また研究費も若干減少した。そして保健のシステム管理費の増加はほんのわずかであった。全体としても二〇一八年の支出の前年に対する増加率は、たった一・四％にすぎない。

このようにマクロン政権の下で、医療支出はコロナ流行以前から厳しく抑えられてきた。このことは、マクロンが

表 5-3　フランスの医療に従事する就業者数（各年度初めの数）

	2016年	2017年	2018年	2019年
看護師	660,611	681,459	700,988	722,572
医師	223,571	224,875	226,219	226,859
薬剤師	74,489	74,399	73,818	73,782

出所：Insee, *Tableaux de l'économie française*, Insee, 2020, p.89 より作成。

表 5-4　フランスの入院用病床数（各年度末）

	1998年	2003年	2016年	2017年	2018年[1]
公営病院	313,315	308,013	250,104	246,395	243,326
民営病院	175,395	160,405	154,144	153,470	152,367
合　計	488,710	468,418	404,248	399,865	395,693

注　1）予想値

出所：Insee, *Tableaux de l'économie française*, Insee, 2020, p.89 より作成。

大統領就任後に財政緊縮政策を続けたことと深く関連する[16]。サルコジと同じくマクロンも、国民の健康に関する危機管理を全く重視しなかった。二〇一八年に保健省の局長に就任したサロモンは、コストが高くつく決定を下すことが極めて困難なことに直ちに気づいたと言われる[17]。それは、マクロンの指令に基づく財政的制約のためであった。この点は、ヴェロン保健相に対してもあてはまる。このようなフランスにおける医療支出の抑制は、実際の医療現場の面に様々な形で影響を及ぼした。表5-3は、フランスの医療に従事する就業者数の変化を表したものである。見られるように、看護師や医師は二〇一六年から二〇一九年にかけてほんのわずかしか増えていないし、薬剤師にいたっては逆に減少している。また入院用病床数の変化を表5-4より見ると、公営病院と民営病院のいずれにおいても、病床数は一九九八年をピークに以降は減少していることがわかる。とくに二〇〇三年から二〇一六年にかけて、病床数は大きく削減された。先に見たC・ル・ペンが正しく断言したように、フランス人の保健に対する国家の準備体制は、まさにバシュロ保健相の時代で終ってしまったことを、ここで改めて確認することができるのである。

では、コロナ流行以前から医療支出を増大して人々の健康を守ることに徹底しなかったのは、フランスだけであったかと言えば全くそうではない。先に示したジョンズ・ホプキンズ大学のグローバルな健康安全保障に関する調査結果によれば、健康のための資金拠出などの点で欧州の主要国はイギリスを除いて低い評価を与えられていたことがわかる。[18] 例えばドイツとイタリアのランクは共に二九位、またスペインのそれは三二位であり、かれらに対する評価は決して高くない。そしてEUの中でも極めて低い評価をえたのがギリシャであった。ギリシャのランクは九二位であり、サウジアラビアやフィリピン、さらにはパキスタンのランク以下である。またギリシャは総合評価も低く（五〇位）、この点はイタリアと同じ（五四位）であった。

ギリシャを初めとして南欧諸国が、金融危機以降に財政緊縮をEUにより強いられた結果、医療支出が減少したことはすでに述べたので（第一章）、ここでくり返す必要はないであろう。その典型的な例として現れたギリシャにおいて、医療体制が非常に悪化したことは、コロナ危機ではっきりとした。今日、ギリシャは、蘇生用病床数がEUで最も少ない国の一つに数えられる。[19] また病院での医師は五千人不足し、ギリシャの人々の保健システムを正常に機能させることができない。緊急事態に、無報酬のボランティアが対処しているのが現状である。

一方、ジョンズ・ホプキンズ大学の調査では、欧州の中でイギリスはギリシャと対照的に、保健システムの維持に関して資金面で米国に次ぐ高い評価をえた国である。[20] それは、イギリス特有の国民保健サービス（ＮＨＳ）のおかげであった。しかし、今回のコロナ危機でその医療体制の欠陥が露呈された[21]。振り返って見れば、イギリスはＥＵ離脱（Ｂｒｅｘｉｔ）以前から、キャメロン政権の下で財政緊縮を徹底し、国民保健サービへの支出も削減した[22]。それによって、すでに深刻な医療サービスの危機が現れていたのである[23]。この間の財政緊縮政策により、イギリスの保健に関する公共サービスは非常に悪化した。実際に同サービスは、蘇生用病床をわずかしか提供できない。それは、一〇〇〇人の住民に対して二病床ほどである。これでもってコロナパンデミックに立ち向かえる訳がない。保健相も、イギリスでは人工呼吸器が不足していることを認める。こうした事態にイギリスは、医療用資財の生産にようやく着手したのである。

以上に見られるように、フランスの医療体制の悪化は、サルコジ政権からマクロン政権に至るまでの厳しい財政緊縮政策による医療支出の削減をその第一要因としたと言ってよい。それはまた、ＥＵの財政規律を遵守する姿勢から生まれたことも間違いない。政府は、国民の健康を守ることを最重要課題とすべきはずなのに、どうして財政規律を優先する政策を続けてきたのか。その正当性が問われるのは当然であろう。しかもこうした傾向が、ＥＵの中でも経済の脆弱なギリシャを筆頭とする南欧諸国で鮮明に現れたことの意味を考える必要がある。かれらは、国民の健康を犠牲にしてまでして財政緊縮を進めなければならなかったのである。

四．資本の自由化と医療体制

フランスにおける医療用資財の不足には、財政的制約に加えて実はもう一つの要因がある。それは議論を先取りすれば、そうした資財の生産拠点が本国から海外に移転されたことである。以下でこの点を検討することにしたい。

フランスではオランド政権のときに、「不足管理プラン（plans de gestion des pénuries, PGP）」が二〇一六年に保健法により設けられた[24]。それは、感染症の大流行時に生じる医療用資財の不足を改善するためであった。ところが、このプランはマクロン政権になってきちんと守られていなかった。例えば二〇一八年に、先に見たようにかれらはフランスで最初のマスク生産が行われた工場を閉鎖し、フランスよりもはるかに低いコストで生産できる中国にその生産拠点を移転したのである[25]。

しかも、こうした医療用資財の海外生産は、マスクや人工呼吸器などの資財に関してだけではなかった。最も重要な資財である薬品の生産が、本国を離れて海外とりわけ中国とインドで行われたのである。すべての薬品に対して不足管理プランが適用されねばならないはずなのに、マクロン政権はそれを怠った。実は、すでにコロナ流行以前から国内における薬品ストックの不足が起こっていた。コロナ流行は、当然それに拍車をかけた。国内の薬品工場は、もはやすべての需要に応じられない。その解決は、輸入に頼らざるをえない。では、輸入が困難になったときはどうなるか。薬品の不足は即座に、患者の生命を危機的状態にさせるに違いない。実際にインドは、二〇二〇年三月のコロナ流行が始まった早々の段階で、戦略的と判断される二六の有効な薬品の輸出をすでに禁じた[26]。その中には、軽症のコロナ感染者用の抗生物質も含まれていた。こうしてコロナ流行が急拡大したイル・ド・フランスで、蘇生に必要な薬品へのアクセスが大きな課題となる。そこでは、薬品供給がもはや限界に達していたのである。

コロナ流行が進む中で、マスク、医療用作業服、酸素ボンベ、人工呼吸器などに加え、薬品までもが不足の状態に追いやられた。しかもこのことは、フランスに限られた訳ではない。欧州全体が、薬品を含めた医療用資財の不足という大問題に直面したのである。とりわけ抗生物質のような、基本的な薬品へのアクセスが不安視された。欧州の主要病院が二〇二〇年三月に、薬品のストックが途絶えるのを防ぐための緊急対策を呼びかけたのもそのためであった(27)。

さらにそうした薬品不足問題は、欧州のみならずグローバルな問題にも発展した。世界保健機関（WHO）は、コロナ流行により世界全体で薬品需要が巨大になることを恐れた。WHOのスポークスマンは、麻酔薬や抗生物質などのコロナ医療に必要な基本的薬品が不足していることを認めると共に、パニックによる購入増が事態を一層悪化させると宣言した。そうした中で、薬品の輸出を禁ずる国が欧州でも現れる。フランスやドイツだけでなく、イギリスもそうであった。イギリスでは二〇二〇年三月二五日に、八〇以上の薬品を戦略的に保存する必要からそれらの輸出を禁止した。薬品は本来、国際的な公共財となるべきものであり、輸出を禁ずることがあってはならない。今回のコロナパンデミックは、この大原則を打ち壊したのである。この点はまた、各国が薬品へのアクセスにそれだけ支障を来たしていたことを如実に物語っている。

他方で、薬品供給に関して一つの非常に厄介な問題が生じた。それは、薬品産業の不透明性という問題である(28)。世界の薬品会社は、一体どこでどれほど薬品を製造しているのか。この問いに正確に答えることができない。この点は例えば、ファイザー（Pfizer）のような巨大薬品会社を抱える米国でも同じであった。二〇二〇年一月末の段階で、米国ではすでに二〇の薬品供給が途絶えるリスクに見舞われた。なぜなら、それらは外出制限中の中国で生産されていたからである。そうした薬品の中には、数多くの抗生物質が含まれていた。さらに問題となるのは、それらの薬品を製造する構成分子に関する情報をえることができないという点である。このように、薬品の製造場所や製造方法に関して透明性を欠くことが、薬品不足の極めて深刻な事態をもたらした一つの要因であると言っても過言ではない。

このような事態に、欧州では薬品会社に対して強硬手段をとる国も現れた。イタリアと並んでコロナ流行による影響を激しく受けたスペインは、二〇二〇年三月一四日に緊急事態宣言を発してから薬品工場に対して薬品の徴用を行った。そしてドイツも同年三月二三日に同様の手段をとった。かれらは薬品産業に対し、コロナ医療と結びついた基本的な薬品に関する情報を当局に与えること、またそれらを本国で生産することを義務づけたのである。これに対してフランスでは、これらの方法は全くとられなかった。二〇二〇年四月早々に国家審議会は、薬品の原材料と生産手段の政府による徴用を拒絶した。これにより、規制的もしくは強制的な手段が薬品産業に適用されることはなかった。マクロンの掲げる企業優先の自由主義がここでも貫かれたのである。しかし、くり返しになるが、薬品のような人々の生命に直結する財は本来的に公共財として扱われるべきであり、その製造に必要な情報は世界で共有されねばならない。これは、薬品不足問題を解消する上で決定的に重要になる。

ところで、欧州の薬品不足に関するもう一つの非常に大きな問題は、薬品の海外生産化である(29)。実は一九七〇年代まで、欧州における薬品の大部分は欧州内で製造されていた。ところがそれ以降、薬品セクターは、その生産拠点をインドに移した。そしてインドは、生産チェーンの一部を中国に移したのである。今日、主たる薬品成分の六〇～八〇％はＥＵ以外で製造されている。しかも、そうした成分の生産には極めて強い集中が見られる。その供給先は世界でわずかである。

このように薬品会社は、外国直接投資によって薬品の海外生産を促進した。このことは、一九八〇

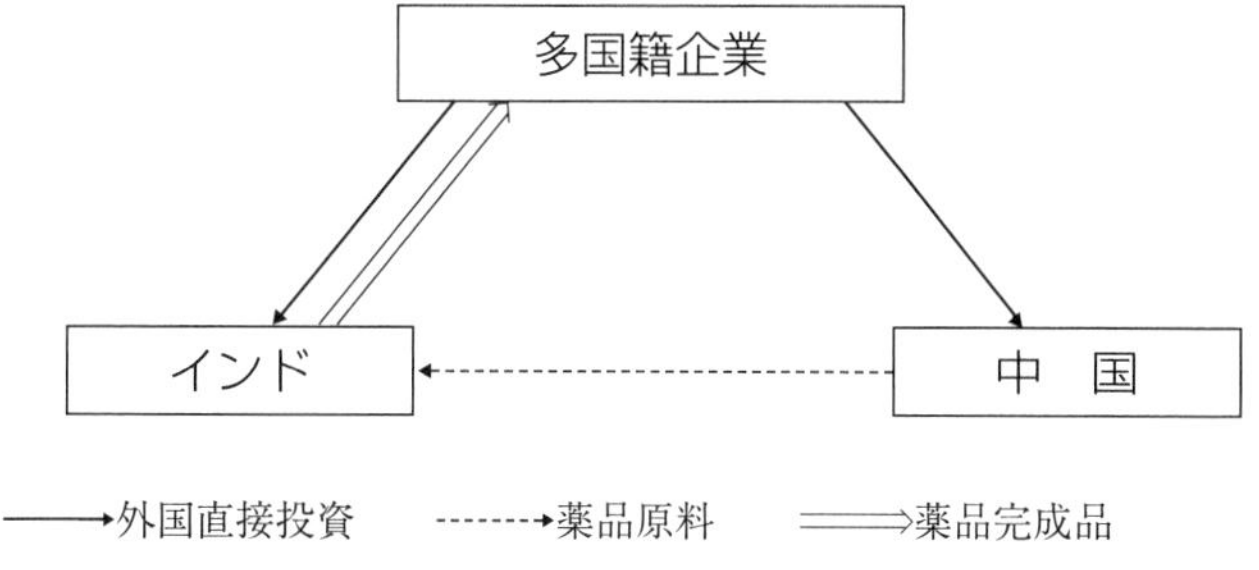

出所：筆者作成

図 5-1　薬品製造をめぐる国際的サプライチェーン

年代から始まった資本の自由化に即して行われたものである。イギリスを始めとする欧州の諸国は率先してこの自由化を進めた。これにより、薬品製造における国際的なサプライチェーンが出来上がったことに留意しなければならない。薬品の開発はそもそも複雑なプロセスをとり、それには異なるタイプの製品が必要とされる。そして大事なことは、それらの製品が同一の場所でつくられることはめったにないという点であろう。例えば、原料となる成分は中国で製造され、それがインドやその他の国に輸出されて薬品の製造が完了する。こうしてインドは、後発（ジェネリック）薬品の世界最大の供給先となった。欧州やその他の先進諸国における薬品会社は、まさに国際的サプライチェーンを伴う巨大な多国籍企業と化した。図５－１は、その一例をごく簡単に図示したものである。

　そこで、もしもそうしたサプライチェーンが途切れることになれば、薬品供給は直ちにストップしてしまう。インドが薬品の輸出を禁止したように、それはコロナ流行の進展する中で現実のものとなったのである。そうだとすれば、薬品会社が多国籍企業と化して、このような商品連鎖をグローバルな規模でつくり上げたことこそが問題とされねばならない。この点は、コロナ感染防止の切り札とみなされるワクチンに関してもあてはまる。健康の危機管理に対する薬品会社の責任が問われるのは言うまでもない。同時に、資本の自由化原則の下に、そうした薬品の海外生産を行う企業に規制をかけてこなかった政府に対しても、その責任が追求されるのは当然であろう。この点は、とくに欧州に求められる。

五．医療体制の転換

以上我々は、コロナ危機に直面した医療体制の崩壊する姿を、とりわけ医療用資財の不足問題に焦点を当てながら確認した。そこでさらに、この点と密接に関連した他の問題が出現したことを指摘しなければならない。その一つは、医療従事者の労働困難という問題である。

まず、医療従事者こそがコロナ感染のリスクに最も晒されることは言うまでもない。かれらはそれゆえ、感染を完全に防ぐために非常に厳しい規則を尊重する。ところが、そのために絶対に必要な資財であるマスクが、すでに見たように大幅に不足していた。他方で、蘇生サービスを受けざるをえない患者が増大したため、看護師のリクルートが必至とされた[30]。しかし、かれらも不足していたため、看護師一人当りの負担が倍加する。こうして医療従事者は、資財不足、疲労、恐怖などから強いストレスを受け、次第に仕事に対する情熱を失った。それは、最終的に怒りに転化したのである[31]。

一方、医師から成る労働組合も、コロナ患者のための医療組織が再編されたことにより、医療サービスの転換が生じて混乱を来していると訴えた。これに加えて、コロナ患者の容体が前代未聞と言えるほど急速に悪化したことも、医師のストレスをやはり強めた。こうした緊急事態にフランス政府はまず、医療従事者の怒りを引き起こした資財不足の改善を約束した[32]。マクロンは、二〇二〇年四月末までに週当り一五〇万枚のマスク提供をかれらに伝えたのである。

コロナ流行を抑えるためには当然ながら、真っ先に医療従事者のことを考慮しなければならない。それゆえ世界保健機関（ＷＨＯ）も、医療従事者に防衛手段を与えることの必要を強調した[33]。実際に、医療従事者の間でコロナ感染が急拡大していたのである。フランスで、国民的レベルでの保健セクターに従事する人々の約四分の一を対象としたアンケートの結果、そうした感染の急速な広がりが判明した。二〇二〇年四月六日に二七四六人であった感染者は、四月一六日に六六七六人、そして四月二七日には一万一九〇〇人というように、たった三週間の間にその数を急増させた。それはまさに倍々ゲームの様相を呈した。これを受けて医療従事者の労働組合は、かれらがコロナに感染する割合は、一般の人々よりも信じられないほどに高いことを指摘した。それにもかかわらずフランスの保健省は、病気の秘密を保護する観点から、何名の医療従事者がコロナに感染しているかを公表しない。同労働組合はそれゆえ、このような政府による秘密の保持を理解できないとして、政府を強く非難した。

このような状況の中で、フランスの看護師はついに全土でデモを展開した。二〇二〇年六月半ばに、何万人もの看護師が労働条件の改善を求めて政府に抗議したのである[34]。外出制限にもかかわらず、そうした運動が展開されたことは、かれらがそれだけ追いつめられていたことを物語っている。そこでは、「白い作業服」と「黒い怒り」という表現が用いられた。この抗議運動は、看護体制の再建をねらったものであり、それは政府に対して強い圧力となった。

実はマクロンは二〇二〇年五月末に、看護師を「白い作業服のヒーロー」として称賛し、公営病院の改善プランを約束した。一方、病院側もこのプランに対して一五〇億ユーロを要求した。また病院相互連合も、低所得者の報酬引上げと看護師雇用の増加を強く訴えた。ところが、これらの要求は満たされなかった。マクロンに対して有言実行が叫ばれ、フランス全土にわたる看護師の抗議運動が起こったのもそのためであった。かれらは、「ヒーローに値する報酬を」というスローガンを掲げたのである。

さらに、ここでぜひとも忘れてならない点は、そうした医療従事者の不満がコロナ流行で突如爆発したのでは決してないという点であろう。先に指摘したように、医療予算の縮小による病院の経営困難から、看護の質が何年もの間悪化してきた。かれらは、その質を維持するためにこれまで闘ってきた。それが、今回のコロナパンデミックで限界に達した。かれらは、もう「うんざり（ras-le-bol）」したのである。人々とりわけ脆弱な人々のこうしたうんざり感は、あの黄色いベスト運動でも強く表された[35]。そこで黄色いベスト運動支持者も、この看護師の抗議運動に参加した。また、フランス国有鉄道の労働者や教員、並びに消防士なども同運動に加わった。そうした抗議運動は、労働条件の劣悪な底辺の労働者を巻き込んだ一つの社会運動として展開されたのである。

これに対して政府は、フィリップ首相の下に積極的に対応することを約束した。しかしそれは、マクロンの約束と同じであった。政府は、航空産業や旅行業などのビジネスセクターに対して支援策を明らかにする一方、医療体制の再建に対しては何ら具体策を示さなかったのである。怒りを露にした抗議者が、運動を一部で過激化したのもそれが由であった。フランス政府は、コロナ感染の防止に努めることを第一の目標とし、そのために医療体制の充実を図るべきなのにそれを怠った。かれらはあくまで、ビジネス重視の姿勢を崩さなかった。これでもって医療従事者が満足するはずはない。さらに、それによってコロナ流行が一層拡大すれば、今度は一般の人々も政府に対する批判を強めることは疑いない。

ところで、コロナ危機と結びついた医療体制問題に、さらにもう一つの厄介な問題が加わった。それは、医療支出増→社会保障勘定赤字増→財政赤字増という一連の流れで生じる問題である。財政担当相のダルマナンは、二〇二〇年四月の段階ですでに社会保障勘定の例外的とも言える大きな赤字を予測した[36]。それは言うまでもなく、マクロンの抱いた財政均衡の期待を裏切るものであった。そして、そうした赤字の中でとくに目立ったのが医療部門の赤字である。それは、医療保険の支出や医療用資財の購入などによって示された。

このようなダルマナン財政担当相の予想した社会保障勘定の赤字は、その後一層拡大する。彼は、二〇二〇年のその赤字は歴史的な記録を示すことになるとし、極めて強い不安を表したのである[37]。とくに、医療保険支出の増大がその大きな要因であったことは間違いない。この増大分は、フランスの財政に一大ショックを与えた[38]。社会保障勘定委員会は、医療保険勘定は二〇一九年に一四億六〇〇〇万ユーロの赤字を示したが、それは二〇二〇年に、その二〇倍以上の三一一億ユーロにも達すると報告した。この巨大な医療保険勘定の赤字に加え、さらに老齢保険や職業病保険の勘定も赤字となる。その結果、社会保障勘定の収支ギャップは五二〇億ユーロの巨額に上ると推計された。事実、フランスの社会保障勘定はコロナ流行に直面して大きな赤字に転落した[39]。これは前代未聞の悪化であった。その中でやはり医療部門が、コロナ危機によって例外的な支出に見舞われた。それは、医療用資財の購入のみならず医療関係者への手当ても含んでいた。

このような社会保障勘定の悪化から、フランスの財政収支は巨額の赤字に達すると予想された。それは、二〇二〇年の社会保障予算案で示された予測の一〇倍にも上るとみなされた。フランスの財政赤字が、これほど急速に拡大したことはかつてなかった。そこには支出の著しい増大がある。中でも目立つのが医療保険支出であった。そのため、医療保険支出の国民的目標は予想よりも高く設定された。それは、二〇〇〇年以来最大のレベルを示した。このように、コロナ感染で引き起こされた医療保険金の支払いやその他の支出の増大によって、フランスの財政赤字はこれまで以上に膨らむ結果となったのである。では、この巨大な赤字をいかにして埋めたらよいか。その代償を払うのは一体誰か。この点が、フランス政府にとって当面の最大の課題となることは疑いない。

以上我々は、コロナ流行が進む中で医療体制が崩壊する姿を、フランスをめぐって検証した。これによって、一つの重要な点が明らかになった。それは、そうした崩壊が、実は欧州（EU）の定めたルールに則って政府と企業が行動したことの結果であったという点である。その一つが、財政規律に基づいた財政緊縮政策による医療支出の削減であり、もう一つは、資本の自由化原則による医療用資財の海外生産の増大である。これらによって、欧州の医療体制はコロナ流行以前からすでに悪化する様相を示していた。この点は、フランスとイタリアやスペインなどの南欧諸国ではっきりと見ることができた。先に論じたように（第一章）、欧州のウイルス感染対策は、一部の北欧諸国を除けば決して行き届いたものではない。コロナ危機は、それをまさしく露呈した。そうだとすれば、医療体制をウイルス感染阻止のために今後いかに立て直すかという点が、フランスのみならず欧州全体にとって喫緊の最重要課題にならなければならない。

注

（1）Bacqué, R., “La mission impossible de Jérôme Salomon”, *Le Monde*, 22-23, mars, 2020.

（2）Béguin, F., “《La multiplication des foyers est préoccupante》”, entretien avec Arnaud Fontanet, *Le Monde*, 26, février, 2020.

（3）Guibert, N., Jolly, P., Mandas, S., et Zappi, S., “ Coronavirus: les cas se multiplient en France”, *Le Monde*, 27, février, 2020.

（4）Service société et service planète, “Covid-19 : les hôpitaux de France face à《la vague》qui arrive”, *Le Monde*, 23, mars, 2020.

（5）Béguin, F., et De Royer, S., “Oliver Véran, ministre de l'urgence”, *Le Monde*, 24, mars, 2020.

（6）Lhomme, F., et Davet, G., “L'heure des comptes”, *Le Monde*, 8-9, mai, 2020.

（7）*ibid.*

（8）Béguin, F., Heckestweiler, C., Horel, S., et Pineau, E., “Les hôpitaux d'Ile-de-France en état d'alerte”, *Le Monde*, 27, mars, 2020.

（9）Hecketsweler, C., “Des stock de médicament sous tention”, *Le Monde*, 27, mars, 2020.

（10）De Royer, S., et Hecketsweiler, “Médicaments: des stocks stratégiques au plus bas”, *Le Monde*, 26, septembre, 2020.

（11）Hechetsweiler, C., et Benkimoun, P., “《Nous avons une vision à 4 semaines》”, entretien avec J.-F., Delfraissy, *Le Monde*, 23, mars, 2020.

（12）ニューヨークでの医療崩壊について詳しくは瀬能繁『コロナ危機とニューヨーク』日本経済新聞出版、二〇二〇年、五六～五七ページを参照されたい。

(13) Johns Hopkins, Center for Health Security, *Global Health Security Index*, Johns Hopkins, October, 2019, pp.20-23.

(14) Davet, G., et Lhomme, F., “L’apogée du principe de précaution”, *Le Monde*, 6, mais, 2020.

(15) 拙著『「社会分裂」に向かうフランス』明石書店、二〇一六年、七五ページ。

(16) 同上書、二九二ページ。

(17) Bacqué, R., *op.cit.*

(18) Johns Hopkins, *op.cit.*, pp.21-25.

(19) Rafenberg, M., “Face à l’épidémie, une fierté nationale retrouvée”, *L’Express*, 30, avril, 2020, p.38.

(20) Johons Hopkins, *op.cit.*, p.21.

(21) Poirier, A., “Le pari fou de Boris Johnson”, *L’Express*, 19, mars, 2020, p.40.

(22) 拙著『ＢＲＥＸＩＴ　「民衆の反逆」から見る英国のＥＵ離脱』明石書店、二〇一八年、二九～三三ページ。

(23) 同上書、二五九～二六〇ページ。

(24) Horel, S., “Les pénuries de médicament, problème mondial, au-delà du traitement du Covid-19”, *Le Monde*, 4, avril, 2020.

(25) Lhomme, F., et Davet, G., *op.cit.*

(26) Hecktsweiler, C., *op.cit.*

(27) Horel, S., *op.cit.*

(28) *ibid.*

(29) *ibid.*

(30) Béguin, F., et Hecketsweiler, C., “《On se prépare à monter au front avec angoisse et détermination》, *Le Monde*, 23, mars, 2020.

（31）Service planète et société, "Dans les hopitaux, la fatigue et la peur", *Le Monde*, 3, avril, 2020.
（32）Service planète et société, "Le《système D》face à la pénurie de matériel", *Le Monde*, 3, avril, 2020.
（33）Barroux, R., "Les personnels de santé très exposés", *Le Monde*, 5, mai, 2020.
（34）Chapuis, N., Pineau, É., et Stromboni, C., "Dans la rue, des soignants《fatigués et écoeurés》", *Le Monde*, 18, juin, 2020.
（35）拙著『「黄色いベスト」と底辺からの社会運動』明石書店、二〇一九年、二六ページ。
（36）Béguin, F., et Desmoulières, R.B., "La crise sanitaire fait exploser le déficit de la Sécu", *Le Monde*, 24, avril, 2020.
（37）Béguin, F., et Desmoulières, R.B., "Les comptes de la《Sécu》s'en foncent un peuplus dans le rouge", *Le Monde*, 4, juin, 2020.
（38）Desmoulières, R.B., et Bissuel, B., "Le déficit de l'assurance-maladie pourrait atteindre 31 milliards euros", *Le Monde*, 17, juin, 2020.
（39）Béguin, F., Desmoulières R.B., "Chute abyssale des comptes de la sécurité sociale", *Le Monde*, 30, septembre, 2020.

第六章　社会的不平等の深化

我々はすでに、コロナ危機による雇用破壊と失業の増大、並びに医療体制の崩壊という現象を確認した。それらは、コロナ禍の社会危機を表すものであった。そして、そうした社会危機はまた、社会的不平等となって現れたのである。そこでは様々な格差が生まれた。それは貧困、教育、さらには地域の問題として噴出した。もちろん、そのような不平等問題はコロナ危機以前から存在した。注視すべき点は、社会的不平等がコロナ禍で一層拡大・深化したという点であろう。コロナ危機によりK字型の不平等はまさに、経済面のみならず社会面でも促進されたと言ってよい。本章では、それらの社会的不平等現象を様々な面から検証すると共に、その解消に向けてどのような対策が講じられたか、そこにはまたいかなる問題が潜んでいるかを論じることにしたい。

一．貧困層の拡大

コロナ流行による健康危機が、貧困者の増大を引き起こす一大要因となることは間違いない。この点は、先進諸国でも免れることができない。実際に欧米諸国がコロナ危機に見舞われる中で、数多くの人々が生活面で困窮に陥った。そこでは貧困者数のレベルが一段と上昇したのである。

こうした中で、フードバンクの欧州連合（Fédération européenne des banques alimentaires, FEBA）やグローバルフードバンキング・ネットワーク（The global foodbanking network, GFN）などの国際組織は、貧困に対する大きな闘いを宣言する。[1] ＦＥＢＡ総裁のＪ・ヴァンデンシュリク（Vandenschrik）は、社会危機は目前に迫っており、それはより長期にわたって続くとみなした。事実、イタリア、スペイン、フランス、並びにベルギーで貧困者に対する食料支援の要求が二〇～二五％増大した。またイギリスでも、一層厳しい事態を迎えていると言われる。欧州で貧困者は、二〇二〇年に二〇〇〇万人にも上ると推計されたのである。

フランスに即して見ると、例えばパリ近郊で最も貧しい人々が集まっている地区のセーヌ・サン・ドニ（Seine-Saint Denis）では、六〇〇人以上の人が食料支援を受けている。イギリスでは五〇〇万人もの人が食料の供給で不安を抱いていると言われる。これは二〇一八年の二倍に相当する。オランダでも、食料支援を受ける人々の数が急増している。さらに、コロナ流行で最初に大きな被害を受けたイタリアで、二〇二〇年五月に貧困者は約百万人増加した。これにより、絶対的な貧困状態にいるイタリア人は全体で約四〇〇万人を数える。

　このように、コロナパンデミックによって欧州の経済活動が二〇二〇年の三月から五月にかけて停止されたことは、社会に対して一層の貧困をもたらした。この点についてフランスを例に見てみよう。国立統計経済研究所のアンケート（二〇二一年四月八日に施行）によれば、全世帯の四分の一が外出制限による所得損失の影響を受けた[2]。ただし、これは平均であり、低い所得層に注目するとその影響の度合はより高くなる。全体の一〇％に当る最も低い所得層では、世帯の三五％が所得の損失を受けたことがわかる。つまり、コロナ禍の人々の困窮は、より貧しい人々の間で一層鮮明に現れたのである。貧しき者はますます貧しくなった。こう言っても過言ではない。フランスにおけるそうした貧困者の中で、積極的連帯所得手当てと称される支援を受ける人の数は、二〇二〇年に入って激増した。この点は図6－1に見られるとおりである。同時に、食料供給の恩恵者も著しく増大した。このように、外出制限が始まってからほんのわ

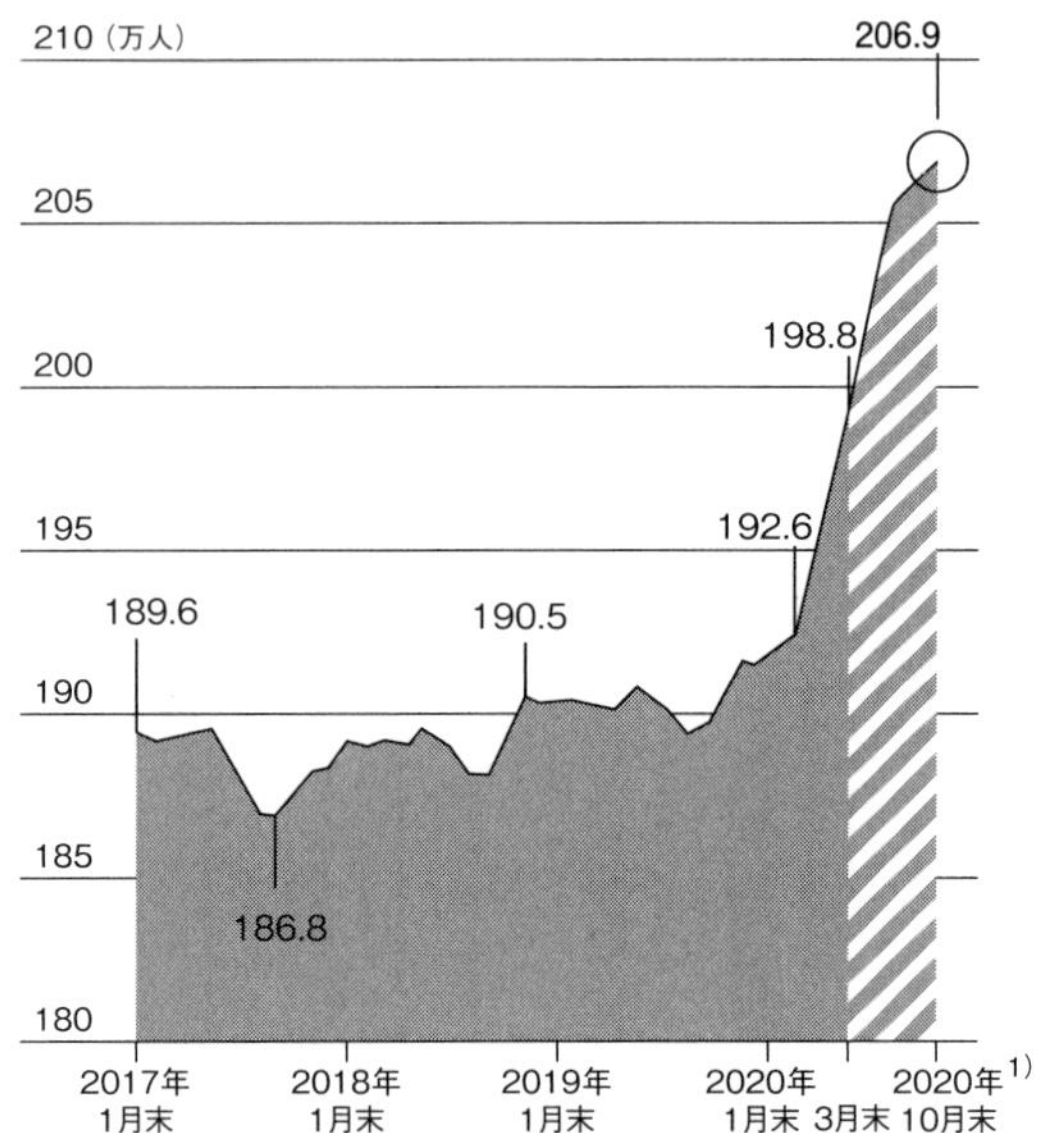

注　1）2020年3月末と10月末は予測値。

出所：Rey-Lefevbre, I., “Avec la crise, la pauvereté s'enracine”, *Le Monde*, 5, mai, 2021 より作成。

図6-1　フランスにおける積極的連帯所得手当ての受給者

表 6-1　EU 諸国の貧困率[1)]（2017 年）

（%）

国　名	貧困率
スペイン	21.5
イタリア	20.3
ギリシャ	18.5
ポルトガル	17.3
イギリス	17.0
EU 平均	16.9
スウェーデン	16.4
ドイツ	16.0
フランス	13.4
オランダ	13.3
デンマーク	12.7

注　1）国民的可処分所得のメディアン（中央値）の 60% に相当する所得層の割合。

出所：Insee, *Tableaux de l'économie française*, Insee, 2020, p.63 より作成。

ずかな間に、フランスの世帯間の格差はすでに驚くほど広がったのである。

では、そうした貧困の状態を、欧州の地域別で見るとどうであろうか。表6－1は、二〇一七年におけるEU諸国の貧困率を示している。見られるように、コロナ流行以前からとりわけ南欧諸国で貧困率がこぞって高い。それはEU平均を大きく上回っている。この点は、とくにスペインとイタリアで顕著である。これに対して、北欧諸国の貧困率は総じて低い。コロナ流行で大被害を受けた南欧諸国における貧困は、こうして一層悪化したのである。ただし、フランスはその部類に入らない。その貧困率はコロナ流行以前にドイツのそれより低く、北欧並みであった。それだけにコロナ禍でフランスにおける貧困者が急増した姿は、鮮明にかつまた劇的に映し出されたと言わねばならない。

今回のコロナ危機が与えた社会的影響の際立った特徴は、食料支援が急増した点にある。人々の困窮のレベルは、生きていくのに最低限必要な食料でさえ不足するところにまで及んだ。この点は、フランスでもはっきりと見ることができる[3]。フードバンクのフランス連盟は外出制限以来、食料の配給を二五％増大した。しかし同連盟は、二〇二〇年八～九月になっても食料需要が減少していないことを明らかにした。食料支援は継続したのである。実際に保健相のヴェランは、食料支援を必要とする人々が二〇一九年に五五〇〇万人であったのに対し、それは今日八〇〇〇万人にも膨れたことを表明した。

このような食料支援を必要とする人々の増大は、もちろんフランスに限って見られるものではない。それは欧州全体ひいては世界全体に及んでいる。国連の食料安全保障機関の年次報告書によれば、コロナパンデミックにより一億一八〇〇万人の飢餓に苦しむ人々が二〇二〇年に追加された[4]。全体で七億人から八億人の人々が食料不足に陥っている。世界の人口の一〇%弱が慢性的な飢餓の状態にあり、コロナ危機はそれをさらに悪化させた。また、十分な食料に定期的にアクセスできないという食料不安を抱える人々も、二〇二〇年に急増した。そうした人々は世界人口の三〇%を占めると言われる。そこに欧州大陸の人々も初めて加わったのである。コロナ危機はまさしく食料危機をも引き起こしたと言ってよい。

一方、フランスにおける貧困化のもう一つのサインは、先に見た積極的連帯所得手当ての需要者の増大である。フランス全体でその数は一〇%増大した。例えば、最貧地区として有名なセーヌ・サン・ドニにおけるそうした所得手当ての受給者は、二〇一九年六月から二〇二〇年六月の一年間に五%弱増大し、これは二〇一四年以来最大の値を示した。その結果、積極的連帯所得手当てに向けられた政府支出が著しく増えたことは言うまでもない。

他方で、コロナ危機によってフランスの貧困者が増大したことのもう一つの大きな特徴は、かれらの層がかつてないほどの広がりを表した点にある。一時的失業者を含む失業者やパートタイマー、並びに短期労働契約者の間で貧困者が一挙に増えた。まず、この現象に留意しなければならない。しかし問題とすべき点は、そうした点に限らない。ここで指摘する必要があるのは、フランスで若者の貧

表6－2　フランスの貧困率[1]（2017年12月末）

（年齢別構成）

年齢別構成	貧困率（%）	該当者（千人）
18歳未満	20.1	2,798
18-29歳	20.1	1,664
30-39歳	12.9	1,017
40-49歳	13.4	1,118
50-64歳	11.1	1,364

注　1）国民的可処分所得のメディアン（中央値）の60%に相当する所得層の割合。

出所：Insee, *Tableaux de l'économie française*, Insee, 2020, p.63より作成。

困が一層深刻になったことである。表6－2に見られるように、若者の貧困率はすでにコロナ危機以前から、他の年齢層のそれよりはるかに高かった。それは二〇%を超えていたのである。オランド政権のときに、若者に対する支援が強く謳われたのもそのためであった。[5]そしてコロナ禍で、若者は貧しさの由に飢えの恐怖にさえ怯える羽目に陥ったのである。

こうした中で、今ほど若者の生活保障が必要とされるときはない。コロナ危機による貧困化の最初の犠牲者は、まさに若者であったからである。[6]外出制限の若者（一八～二五歳）に与えた影響は、確かに極めて大きなものであった。かれらは学校教育、職業教育、卒業資格、並びに雇用に対する中断などを余儀なくされた。これにより、若者の将来不安が一層高まったことは疑いない。

実際に、フランスの若者の生活困難はコロナ禍で非常に深まった。かれらは、雇用と所得に関する被害を激しく受けた。フランスの不平等監視機関は、二〇二〇年一一月に貧困に関する報告を発表し、そこで若者世代の状況に対し警告を発している。[7]とくに、この状況は大学生の間で生じていることに留意する必要がある。かれらは通常、奨学金だけでは生活が困難なためアルバイトをしなければならない。ところがそれは、外出制限によって消え去ってしまった。ホテルやレストランでは、若者によるパートタイマーでの雇用が一般化している。今回、それは外出制限で廃止された。若者の失業はコロナ禍で、ますます高いレベルに達したのである。

二〇二〇年一〇月の調査によれば、健康危機により若者の四一％は、その保有する資金を減少させた。かれらはそれゆえ、生活水準の低下を余儀なくされると同時に、家族や国家の支援を受けざるをえない。表6－2を振り返ればわかるように、すでに貧困化した若者は、コロナ禍でさらに打ちのめされたのである。こうした深刻な事態に政府は何をなすべきか。社会学者でパリ・シアンス・ポリティーク教授のJ・ダモン（Damon）は、ル・モンド紙のインタビューで次のように答える(8)。若者を有利とする政策は正当性を持つ。積極的連帯所得手当ては二五歳未満の若者にも適用されるべきであるし、またかれらに対する国家保証付き貸付も行われる必要がある。これらの対策はもちろんのこと、さらに学生奨学金の引上げ、職業教育資金の提供、若者雇用の促進、並びに住宅個人援助の引上げなども考えられる。そして、食料配給の対象者に数多くの若者が含まれていることも忘れてはならない。このようなダモンの提言は全く正当なものである。

ところがフランス政府は、コロナ危機に対してまず高齢者の保護を優先した。それ自身は当然であるとしても、同時に若者に対する支援をぜひとも図る必要がある。コロナ危機は、それこそ世代間の共闘を促す契機とならなければならない。それが経済的連帯の精神に基づくことは言うまでもない。そもそも若者はこれまで、フランス政府による連帯対策から排除されてきたのである。若者の貧困による社会危機を避けるためには、世代間の連合による力を発揮する以外にない。

以上より我々は、欧州においてコロナパンデミックの下で貧困者が急増したことを確認できる。また、この事態に各国の政府や欧州が、かれらに対して諸々の支援策を打ち出したことも確かである。

例えばフランスのマクロン大統領は二〇二〇年四月の演説で、最も貧しい人々を忘れてはならないとし、フィリップ首相もかれらに対して連帯による例外的支援を発表した[9]。それは、各世帯に対する積極的連帯所得手当てもしくは特別連帯手当て、子供の養育手当て、さらには住宅個人援助などを含んでいた。外出制限と経済不況に直面した最も脆弱な世帯は、所得の損失と補足的な金融債務の増大に陥った。それは学校閉鎖、電気消費の増大、食料支援の不足などの結果であった。したがって以上の支援対策は、貧困に対する連帯的な闘いを示すものである。これらの対策は、その点で称賛されねばならない。しかし、それは遅すぎた感がある一方、支援額もたった九億ユーロで決して十分なものではなかった。

ところで、このような貧困者に対する支援額の不十分さという点は、フランスに限らず欧州全体でも同じであった。欧州ではコロナ流行以前の段階で、「より貧窮した人々を支援する欧州ファンド（Fonds européen d'aide aux plus démunis, FEAD）」が創設された。しかし、そのファンドの規模は、コロナ危機による貧困者の急増に対応するには全く十分でないと考えられる[10]。

一方、フランス政府の貧困対策に対する批判が強まる中で、連帯アクター同盟は二〇二〇年一〇月一七日の貧困撲滅国際記念日に会合を開き、百万人以上の追加的な貧困者を政府は過小評価しているとする警告を発した[11]。政府はコロナ危機の中で、緊急支援、食料支援、並びに宿泊支援などを行うべきであるのに、それを十分に果していない。さらには、低家賃住宅（habitation à loyer modéré, HLM）に住む貧困者の間で、家賃未納の問題もある。それは、とくに最貧者が居住する地区で生じている。

マクロンはこうした批判を受けながら、二〇二〇年一〇月半ばの演説で次のように語った[12]。コロナウイルスは非常に不公正な仕方で最も不安な、かつまた最も貧困な人々の生活を打ち砕いた。この大統領の認識の下に、新首相のJ・カステックス（Castex）は様々な緊急対策を打ち出す。そこには、貧困世帯に対する積極的連帯所得手当てやその他の諸々の手当てが示された。しかし、この一〇月の支援額は五月のそれと同じであった。最低社会保障所得も引き上げられることはなかった。それは、労働コストを上昇させて経済活動を低下させるとみなされたのである。このことはまた、マクロン政権が基本的に企業支援をより重視した供給政策に根ざしていることを如実に物語る。こうした対策でもって、果して貧困の増大を食い止めることができるであろうか。疑わざるをえない。

他方で、このような貧困者に対する不十分な政府支援を補足するのがボランティア活動である。ところがそうしたボランティア活動も、もはや限界に達していたことがわかる[13]。そこでは、人手も資財ストックも、さらには資金も不足していた。フランスのフードバンク総裁L・シャンピエ（Champier）は、貧困者に対する食料支援は二〇二〇年一一月末の段階で困難になることを警告したのである。

しかし、このような危機的状況の中で、一つの希望の光がフランス社会に注がれたことに留意しなければならない。それは、人民の連帯による支援の動きである[14]。そこでは反ファシズムが掲げられ、身分証明書のない人々を組み入れた「人民の連帯集団」がつくられた。かれらは、自立的に組織された相互支援グループのネットワークを持つ。コロナ流行の中で、人民による人民のための自衛が始まったのである。こうした社会活動は、不安な人々やリスクに晒された人々に対してマスクを配布し、消毒液を製造し、さらに毎日の食料を貧困者に配給した。人民の連帯集団は、とくにパリの最貧地区で多くのメンバーを集めながら移民労働者の世帯に入り込んだ。

実は、このような連帯集団はコロナ流行が現れる以前から在在した。最近では労働法改正に対する抗議運動（二〇一六年）、黄色いベスト運動（二〇一八～二〇一九年）、並びに反年金改革運動（二〇一九年）の中で、かれらの共同行動が深まりを見せた。同集団は確かに、政党以外の左派活動家である。しかしかれらは、温情主義者ではあっても決して革命主義者ではない。その目的はあくまで、健康の自衛である。そうした連帯集団は、コロナ危機によって最も影響を受けた人々のために、共同で直ちに連帯することをその心情とした。また、この運動がイタリアのミラノから生まれたことも注視すべきであろう。イタリアの活動家は保健委員会をつくると共に、子供の教育が困難な家庭に支援を行ったのである。

人民の連帯集団は確かに、欧州ではフランスとイタリアで集中的に見られるにすぎない。しかし、こうした貧困者のための自衛集団が両国でつくられたことの意義は非常に大きい。それは、従来のボランティア活動とは一線を画す。そこでは、社会の底辺に生活する脆弱な人民が、政府の力に頼らずに連帯の集団をつくり上げた。このことは同時に、政府が、そうした人民の間で象徴的に現れる貧困者の実態に関心を寄せていないことを浮き彫りにしている。ここで再び、政府の責任が問われるのである。

二．社会分裂の進展

（一）コロナ危機と社会分裂

今回のコロナ危機は、医療という公共サービスへのアクセスの困難という社会危機を生んだ点で、二〇〇八年の金融危機とは決定的に異なる。この困難が、とりわけ最底辺の人々すなわち社会的に排除された人々に最も強く現れたことは間違いない。それはまた、社会分裂の様相を色濃く映し出していた。実はこの現象を、フランスではっきりと見ることができる。筆者は先に、上層部と下層部の二つのフランスで示される社会分裂をいかに解消するかが、一九八〇年代以降の歴代政権にとって最重要な課題になったことを指摘した[15]。マクロン政権も当然にそれに取り組む姿勢を示したものの、フランス社会はますます分裂する傾向を表した。黄色いベスト運動の勃発は、それを端的に物語るものであった[16]。そしてコロナパンデミックはまさしく、そうした社会分裂に一層の拍車をかけたのである。

パリ・シアンス・ポリティークの研究センターは、外出制限が開始されると直ちに世論調査を行った[17]。それによると、フランスの人々が社会分裂の現象を真っ先に感じていたことがよくわかる。職を失った人々、一人住まいの人々、健康がすでに脆弱な人々、あるいは田舎に住む人々は、将来に対して非常に悲観的であった。そうした人々は、健康危機によって不安感を一層強めた。かれらはまさに、「社会的脱落者（déclassement social）」であり「見捨てられた人々（délaissés）」と化したのである。

このような事態に、社会から排除された人々は政府に対する怒りの感情を露にした。かれらは、人々の健康に対する政府の危機管理が不十分であることに強い不満を抱く。この思いが社会の両極分解をさらに強めたことは否定できない。外出制限は結局、最も脆弱な人々に対して不安を煽ることにより社会的不平等を明確に表すことになった。この点は、所得層別の世論調査を見るとはっきりする[18]。全体の二五％に相当する低所得者は、外出制限に対してより批判的であった。かれらの生活は、それによって高所得者よりも一層厳しくなるからである。低所得者は外出制限を、個人の自由をあまりに制限した過剰な規制とみなした。実際に回答した低所得者のうち、テレワークに従事している人々の割合はたった一四％にすぎない。これに対して高所得者の半分近く（四七％）はテレワークを行っている。現場で働かざるをえない大半の低所得労働者が、外出制限に反対する姿勢を示したのはそれゆえ当然であろう。

こうしてフランスでは、コロナ流行による健康危機が社会分裂を悪化させた。それは、イギリスやドイツよりも鮮明に現れた。そしてこの社会分裂が、フランスにおける政治的緊張を高めたのである。このことはとくに、テレワークと移民の問題に明白に表された[19]。それらの問題は、人々の政党に対する選好に直接反映された。世論調査によれば、フランスの大統領の候補者として、極右派ポピュリストのM・ル・ペンに投票すると答えた人々のうち、テレワークを行っている人の割合は一四％にすぎない。これに対してマクロンに投票すると答えた人々の四四％がテレワークを行っている。テレワークを行えるかそうでないかの違いは、大統領の選択に係わると言ってよい。また、コロナ感染の一大要因となる移民の流れを断ち切る要求は、回答した労働者のかなりの割合（七〇％以上）で支持される。同時にかれらの多くが、ル・ペンに投票することも知られている。これに対して上級エリートのカードルと称される人々の間で、そうした要求に賛同する人の割合は五〇％強にすぎない。

このように、ル・ペンを支持する人々とりわけ底辺の低所得労働者は、マクロン政権に対して強い不満を抱いている。かれらの中で、政府を信頼する人の割合は実に二〇％にも満たない。さらに、今回のコロナ流行をたんなる自然現象として捉える人々の割合は、ル・ペン支持者の間で三〇％にすぎない。かれらの大半は、この流行が紛れもなく社会現象であると考える。コロナ禍で社会分裂が非常に進む一方、それに伴って政治的緊張も一層高まるとみなされる。コロナ流行による健康危機は、こうして社会危機と政治危機を包み込む。

(二) 家庭をめぐる分裂

他方でコロナ危機は、家庭環境の相違で異なる結果をもたらした。これは家庭内感染の問題である[20]。簡単に言ってしまえば、非常に狭い住宅で生活する貧困者の間でコロナ感染のリスクが高まるのに対し、広大な邸宅に住む富裕者が受ける感染リスクはより低い。しかもこの傾向は、外出制限によって強まったのである。住宅内での過密度の相違がコロナ感染の確率を規定する。職能のない労働者や清掃者、あるいは建設労働者などの所得が低い人々は、一般に非常に過密な住宅に住んでいるため、かれらの感染する確率は高い。また、かれらの間で第一世代の非欧州移民が多いことも注視すべきであろう。さらに、そうした低所得の労働者は現場で働くことから、家庭外でもより感染しやすい。要するに、コロナウイルスに最も感染されやすいのは、最下層の社会グループに属する人々である。

一方、コロナ感染を防ぐ手段に関しても、貧困者の家庭は問題を抱える。かれらは外出制限の中ですでに生活困難に陥ったため、その資金繰りの状況を急激に悪化させた。その中で、例えば最も重要な防衛手段としてのマスクのコストが問題となる[21]。フランスでは二〇二〇年の七月に入って、公共の場でのマスク着用が義務づけられ、違反者には罰金が課せられた。これは言うまでもなく、コロナ流行に対する不安から考えられた。ところがそれは、貧困家庭に対して新たな資金問題を引き起こした。かれらにとって、毎日必要とされるマスクの費用はかなりの負担となる。実際に、一ユーロのマスクさえ購入できない貧しい人々も存在する。こうした中で、不服従のフランスと共産党の左派政党は、無料のマスク配布を強く求めた。これにより、ヴェラン保健相は、四〇〇〇万枚の無料のマスクを七〇〇万人の貧しい人々に供与すると発表したのである。このようにして見ると、コロナ感染のリスクは、より貧困な家庭で一層高まる。それはまた、これまでの社会的不平等の累積的な姿を反映していると言ってよい。

ところで、そうしたコロナ禍の家庭間における不平等問題は、子供の教育の場面でも明確に現れる。コロナ危機は、学校教育の不平等を引き起こした[22]。実際に、最も脆弱な家庭の子供はいかなる教育環境に置かれているか、またかれらは家庭で再学習できるか、などの数多くの問題がある。外出制限は、通常の学校教育課程を中断させてしまった。その間に、実は教育の不平等が深まったのである。中・上流の恵まれた家庭の子供は、学校教育を家庭での教育をつうじて受けることができる。これに対して下流の家庭の生徒は、一般に学校でしか教育を受けられない。ここに、家庭での教育における不平等を確実に見ることができる。

このようにして、コロナ危機はフランスの学校教育を危機に陥らせる一方、それによって貧困家庭の子供達は多大の被害を受けた。こうしたコロナ世代が、その後に被る影響はことの他大きいと言わねばならない。この点はフランスに限らず、外出制限に伴って学校を閉鎖したすべての国にあてはまる。そもそも学校教育システムは、子供達の社会・経済的な出生と結びついた格差を解消できない。二〇一八年の調査によれば、フランスはそうした格差の最も激しい国とみなされる。そこでは、最上流の家庭の子供と、それほど所得が高くない中・下流の家庭の子供の間で教育格差が極めて大きい。コロナ危機は、この格差を一段と広げたのである。

では、こうしたコロナ禍の教育格差問題が、フランスにだけ生じたのかと言えば決してそうではない。それはＩＭＦが正しく指摘したように、全世界に共通した現象であった[23]。例えばオランダでは、両親がそれほど教育を受けていない家庭の生徒の間で教育機会の喪失がより大きい。外出制限下のリモート（遠隔）学習において、両親の果す役割が非常に大きいからである。またイギリスでは、より貧しい家庭の子供達は学習時間を失っている。それにもかかわらず、ロックダウンの間に学校のサポートはない。そしてドイツでは、学校閉鎖によって日々の学習時間が半減した。しかも学力の低い生徒ほど、学習時間を一層減らしている。さらに米国でも、同様のことが人種と所得の違いに応じて生じている。他方で、より低い所得の国の子供達は、より高い所得の国の子供達よりも学校閉鎖の間に教育活動に携わっていない。低所得国では、リモート学習ができる子供達とそうでない子供達とが、高所得国の場合よりも一層はっきりと峻別されてしまう。学校閉鎖という教育の供給の減少は同時に、教育の需要の減少を引き起こした。この点はとくに、発展途上国や所得の崩落した家庭で明らかであった。こうして貧困家庭の子供達は、学校教育から一定期間ドロップした。これにより、前代未聞のグローバルな教育分裂が生じた。ＩＭＦが主張するように、教育の機会均等はまさに失われたのである。このことが、将来の社会的不平等を世界的規模で一層拡大することは目に見えている。

さらに、家庭間の不平等を引き起こすもう一つの極めて今日的な問題がある。それは、デジタル技術に根ざした情報サービスへのアクセスの問題である。フランスではオランド政権以来、確かにデジタル関連の投資を積極的に行ってきた。しかし、そのプランは依然として達成されていない。マクロン政権の下でも、二〇二〇年末までにすべての人に情報サービスをネットワークで提供する計画が打ち出された。ところが実際にフランスでネットワークに登録した人は全体の六〇％に留まっている。[24]

国立統計経済研究所の研究によれば、知識不足のためにデジタル手段を使うのが困難か不可能なフランス人は、二〇一九年に全体の一六・五％に及ぶ。[25] そうした人々は非電子化の生活を送らざるをえない。このデジタル技術に関連した排除は、オンラインサービスが日常生活に入り込むことによってますます明らかとなった。そしてコロナ流行による外出制限は、この点を残酷な形で露にした。デジタル分断が先鋭化したのである。しかもこの分断は、同じ地域の家庭間だけで生じているのではない。地域によってネットワークが使えないところもある。デジタル手段の分断は、地域の分断を引き起こす。それは当然に、フランスの社会分裂につながる。

このようなデジタル分断の一般的現象が見られる中で、コロナ危機はとくに教育の場面でそうした分断を鮮明に映し出した。学校閉鎖による遠隔教育（オンライン教育）の実施が、深刻な教育格差を生み出したのである。すべての家庭が、子供の学習にコンピュータを十分に使える訳ではない。遠隔教育は、すべての子供に保証されたものにはならない。そこでは教育の機会均等が欠如している。そうだとすれば、デジタルサービスの排除は教育の排除に直結してしまう。それは教育の孤立を招く。そコンピュータのない家庭の子供達は、オンライン授業の実行によって直ちに教育から引き離されてしまうのである。そうした子供達はそれゆえ、まさに外出制限による差別の犠牲者と化す。この点を絶対に忘れてはならない。

このような事態にフランス政府はいかに対処したか。政府のオンライン授業に対する支援は明らかに不足していた。デジタルサービスの教育による差別はもちろんフランスに限らない。それは全世界で劇的に現れた。ユネネコの調査によれば、四億六〇〇〇万人の子供と若者が、初等・中等教育でインターネットを家庭で使えない状態にある。貧富の格差が教育の格差を引き起こす。このことが、これほど明瞭に示されたことはない。コロナ禍の学校閉鎖は、前代未聞のグローバル教育危機を生み出したのである。

他方で家庭間の格差は、若者の間の格差とも密接に結びつく。若者を支援できる家庭とそうでない家庭が、はっきりと分けられるからである。[26] コロナ流行が始まって以来、フランスの半分以上の家庭が子供達を支援したと言われる。しかし一〇％以上の家庭は、資金不足のためにそうすることができない。パリ・シアンス・ポリティーク社会学教授のダモンが指摘するように、若者世代の間の不平等はコロナ禍で悪化した。多くの資金援助を受けられる若者が社会で活躍できるとあれば、社会の世襲化が加速するに違いない。コロナ危機は、資産保有が社会的地位の中心的要素となることを改めて明らかにした。しかも由々しきことに、この状況はますます進んでいる。中央銀行による市場への資金注入は資産価格を引上げ、それは、大きな資産を保有する家庭に一層の利益をもたらすからである。

以上のように、コロナ流行は様々な形で家庭間の分裂を引き起こした。そして実は、コロナ禍で家庭内でも分裂が生まれた。それは、男女間の不平等となって現れた[27]。もちろんコロナ危機は、すべての夫婦に同じような影響を与えているのではない。しかし一般的に言えば、母親はより多くの仕事、より多くのストレス、並びにより多くの疲労を被っている。外出制限によるテレワークは当初、夫が家事に参加する機会を与えると期待された。ところが、事実は全く逆であった。夫はますます家事から遠ざかったのである。これにより、家庭内での男女不平等は一層悪化したと言わねばならない。

フランスについて見ると、コロナ流行以前において、夫婦で子供を持つ家庭の中で料理と家事は、男性よりも女性が主として担っている。コロナ危機は、この男女間の差をさらに広げる恐れがある。フランス経済景気研究所の調査は、テレワーク中の学校閉鎖が男女間の不平等を悪化させたことを示している。テレワークは、夫婦間の古典的な分業を一層強めてしまう。なぜなら、男性はそうした労働のフレキシビリティ（柔軟性）を利用しながら仕事をさらに家庭内で進めるからである。これは、家庭の財務が男性で支えられているからに他ならない。フランスでは、国立統計経済研究所の調査によれば、四分の三の夫婦の中で男性の所得は女性のそれを上回っている。その結果、女性が子供の世話と家事に一層従事することになる。

さらにここで注視すべき問題は、シングルマザーの被るリスクであろう。かれらは、離婚した親の大半を占めている。そうしたひとり親家庭の多くは外出制限で仕事を止めざるをえない羽目に陥る。シングルマザーは学校閉鎖によって、子供の世話を迫られるからである。そもそもかれらは、コロナ流行以前から生活の困窮を強いられていた。燃料税引上げに反対して引き起こされた黄色いベスト運動の主役の一人が、そうしたシングルマザーであったのはそのためである。[28] そしてかれらの生活は、コロナ禍でさらに苦しめられた。政府の支援は、シングルマザーに一層向けられる必要がある。

（三）地域をめぐる分裂

他方でコロナ危機は、地域をめぐる不平等問題を引き起こした。フランスの著名な地理学者C・ギリュイ（Guilluy）は名著『フランスの周辺部』の中で、今日、フランスに限らず欧州の至る所で社会分裂が生じており、それはまた根本的に地域分裂を伴うことを指摘した。[29] それ以来、彼の議論は欧州社会を論じる際の、一つの極めて有力な分析視点となる。「フランスの周辺部」は分析概念として定着したのである。

この地域間の不平等は例えば、先に示したようなデジタルサービスへのアクセスの点で鮮明に現れる。フランスは、地域住民が情報ネットワークにアクセスすることに関して欧州随一と位置付けられる。しかしそこでは、地域格差が非常に大きいことも確かである。[30] 人口密度の高い地域ほど、そうしたアクセスがより可能となる。同地域での投資の収益がより高いからである。こうしてフランスでは、パリとその周辺から成るイル・ド・フランスの地方が情報ネットワークへのアクセスから恩恵を最も受ける。

では、イル・ド・フランスのすべての人が満足しているかと言えば全くそうではない。そこには、地域間の不平等が存在する。イル・ド・フランスの中のセーヌ・サン・ドニ地区は、フランスで最も貧しい地区の一つであり、その貧困率はコロナ流行以前（二〇一六年）ですでに二八・六％にも達していた[31]。これは、イル・ド・フランス全体の平均（一五・七％）の約二倍に相当する。しかも同地区の貧困状態は何十年間も変わっていない。そこでの人口は、イル・ド・フランスの中でパリに次ぐほど多く、一六〇万人を数える。中でも若者が非常に多い。人口の三〇％は二〇歳以下の若者や子供達である。一方、同地区には不思議なことに、銀行を中心として大企業が集結している。公共投資もこれまで大規模に行われてきた。ところが、同地区は貧困状態から全く脱け出せない。ここに、発展のパラドックスを見ることができる。セーヌ・サン・ドニは、フランスの社会・経済不安を表す象徴的な地区となっているのである。

実際に、セーヌ・サン・ドニにおけるビッグビジネスの発展は、地域住民の利益には全然ならなかった。同地区の失業率は一〇％を超え、とくに若者の間でそれは一層高い。一八～二四歳の若者の失業率は二八％にも達している。それは、他地区でのものよりもはるかに高い。かれらには雇用も職業教育も提供されない。そしてコロナ危機は、この状況をさらに悪化させる結果を生み出した。同地区の住民の多くは移民者である。かれらは、コロナ危機による雇用減少の最大の犠牲者であった。移民者はまさに、健康危機と失業の二つのリスクに一層晒されたのである。事実、コロナ流行が始まってから、同地区の住民の死亡率はイル・ド・フランスの中で最も高い[32]。それは、より劣悪な住環境と生活不安から生まれる。貧困とコロナ感染による死亡は、こうして密接に結びつく。

しかも銘記すべき点は、このような傾向がフランスに限って現われているのではないという点であろう。IMFが示したように、この現象を世界中で見ることができる。[33]より貧しい人々は、過密な地区や住宅で暮している。かれらが、消毒やベーシックな公共サービス（水や衛生）へのアクセスで劣ることは間違いない。また、かれらの公共輸送への依存もより強い。したがってコロナ感染のリスクが、そうした人々の間で一層高まるのは疑いない。米国とイギリスの事例研究は、黒人とアジア人の被る感染リスクが白人のそれよりも高いことを示している。ブラジルでも、黒人のコロナ感染による死亡が白人のそれより六二％も高い。このように、貧困、移民、コロナ感染死は三位一体と化す。かれらは、出生による不平等な扱いを雇用と健康の両面で受ける。コロナパンデミックはこの点を露呈した。コロナの病はまさしく、社会の病を映し出したのである。

三．「社会的怒り」の発生

以上に見たようにコロナ危機は、それ以前から存在した様々な社会的不平等を一層深めた。それは「社会的津波」となって、とりわけ貧困者を中心とする底辺の人々に押し寄せた。かれらは、健康と仕事に対する不安が高まる中で、怒りの気持を抑えることができなかった。ここに「社会的怒り」が現れたのである。最後に、この点を検討することにしたい。

コロナパンデミックは直ちに、そうした底辺の労働者に怒りの感情を沸き上がらせた。かれらは、地位の維持、テレワークの不能、並びに生活にとって必要な仕事での感染リスクなどに対して、激しい不安の念にかられた。[34]その根底にある思いは不公正感であった。すでに論じたように（第四章）、フランスの労働者は、現場で働くグループとそうでないグループの二つに分裂した。前者にとって、感染阻止の資財は必要不可欠であるにもかかわらず、それは当初大いに不足した。フランス民主主義労働同盟総裁のベルジェが指摘したように、「活動する労働者の保護は全く闇の中」であった。

くり返しになるが、コロナ禍で、上級のフランスと下級のフランスという二つのフランスの存在が一層鮮明となった。健康危機に晒される人とそうでない人との差は同時に、ブルーカラーとホワイトカラーの差となって現れた。この差に不公正を感じる労働者の所得が、上級の労働者（カードル）のそれよりも低いことは明らかである。こうした不平等感が、人々とりわけ低所得の庶民の間で広がればどうなるか。再びあの黄色いベスト運動が起こるのではないか。今やフランスでは、社会の「黄色いベスト化（giletjaunisation）」という言葉さえ使われ始めた。それはまた、社会階層間の闘いという現象を意味した。このような来るべき社会危機に対し、政府の執行部も与党の共和国前進も警戒感を強めたのは当然であった。

事実、外出制限から数週間経った二〇二〇年五月における世論調査によれば、マクロン政権の健康危機管理に対して人々の怒りが社会的に定着していることがわかる[35]。もちろん、このような怒りはフランス社会の中で目新しいものでは全くない。それはすでに黄色いベスト運動の中で、庶民階級の不満として爆発した[36]。また、直近の年金改革に対する強い抗議の意思は、すべての賃金労働者の間で共有された。そして今回のコロナ危機に伴う社会的怒りが再び発現する。黄色いベスト運動を展開した底辺の人々の心の傷は、癒されることがない。貧困者の居住地区における、コロナ感染による死者の増加や人々の栄養失調状態は、かれらに不公正感を強く抱かせた。それはまた激しい恨み（ルサンチマン）に転化する。

こうした事態に、底辺の低所得層による黄色いベスト運動のような大抗議運動が再び起こることは十分に想定された。ところが、ここに大きな制約が待ち受けていた。それは外出制限である。フランス政府はこれを盾にして、二〇二〇年五月末に、公共の場における一〇人以上のすべての集会、会議あるいは活動を一切禁ずる指令を発した(37)。外出制限は、抗議運動を阻止するための武器と化した。果して、このようなコロナパンデミックと結びついたデモの禁止は正当であろうか。健康の保護を理由に、政治的、労働組合的、職業的あるいは庶民的な性格を持つあらゆる集会を規制することが、正しい対策とみなされるであろうか。

フランスの人権同盟は、この政府の指令に対して直ちに非難声明を発表した。表現の自由、デモの自由、並びに労働組合運動の自由などの権利は、憲法における根本的規律を成す。とりわけ表現とデモの自由は、より基本的な民主主義を保障する。考えや意見の集団的表現の権利は、民主主義的要求そのものを表す。それは、コロナ流行に対抗して人々の健康を保護することと合致する。かれらはこのように主張した。これは全く正当な意見表明である。一方、一般の人々も抗議運動を控えるつもりはなかった。政府の指令からわずか数日後に、様々なデモが繰り広げられたのである。

こうした状況の中で、政府側の姿勢にも変化の兆しが見られた。与党の中のマクロン支持者も、この事態は危険であると判断した。かれらは、先に見た二つのフランスを放置する訳にはいかないとみなしたのである。そこでは、フランスの底辺の人々が抱く不公正感にいかに対応するかが検討され始める。そうした人々は、果して不平等の犠牲者か。この点が問われた。与党の中で、復興プランに向けた社会的対策や富の最良の再分配策を打ち出す議員も現れた(38)。与党の共和国前進と民主運動の連合は、大統領府に対して大きな社会会議の創設を要求した。それは、かれらが現在の問題の深い部分に社会不安があると考えたからである。具体的には、大企業の納税、企業に対する課税減免の見直し、あるいはまた非常に高い所得に対する追加的課税などが検討された。しかし、こうした社会的対策の要求はフランス政府に全然届かなかった。政府はあくまで、コロナ危機で生まれた社会的不平等と労働条件の不平等は、緊急予算の中ですでに正されたと考える。さらに、富に対する課税の見直しは論外とされた。それは、投資家の資本を国外に流出させるだけと判断される。この点は、マクロンが大統領就任当初から、連帯富裕税の廃止の際に強く訴えたものである。[39] ここには、社会的資金移転に基づく富の再分配という考えは全くない。この点は後に詳しく論じることにしたい（第八章）。

他方でマクロンは、雇用を守るために労働組合と雇用者との密接な関係をつくることを、二〇二〇年六月早々に表明した。[40] 彼はそこで「信頼の協定（pacte de confiance）」を呼びかける。これは、前大統領のオランドが、企業に対して減税する代わりに雇用を増大させるために「責任のある協定（pacte de responabilité）」を打ち出したことに対応する。[41] マクロンは同協定で、企業に対して雇用とりわけ若者の雇用の促進を訴えたのである。

では、そうした協定の下に、有権者である民衆は政府を真に信頼するであろうか。そもそもマクロンは、大統領就任当初から経済的自由主義を前面に打ち出した。[42] 彼は、経済的保護主義や再分配主義を否定する。ところが今回、マクロンはそうした考えから脱却し、国家が経済に積極的に介入する姿勢を示した。[43] そこで問われるのは、その際の国家はいかなるものであり、それは社会的国家を目指すものなのかという点であろう。実は、フランスの社会分裂に関する世論調査によれば、有権者は経済的自由主義における一定の原則を否定すると同時に、社会的国家の建設を望んでいる。しかしマクロン政権は、富の再分配を拒絶する姿勢を依然として崩していない。そうだとすれば、人々はマクロンのメッセージを額面通りに受け入れることができない。マクロン派の有権者でさえ、介入主義的国家の出現を社会的公正の観点から支持する。かれらは、富裕者が貧困者に富を分与しなければならないことに賛同しているのである。この割合は、コロナ流行以降に着実に高まっている。

一方、こうしたマクロン政権の方針に対して野党はいかなる反応を示したか。かれらは、以前にも増して怒りの気持ちを募らせながら反発を強めた。その代表がル・ペンの率いる国民連合であり、J-L・メランション（Mélenchon）の率いる不服従のフランスであった。両者は健康危機の中で、人々の怒りを正当化する戦線を見出したのである。[44]しかし、極右派のル・ペンと極左派のメランションの戦略が根本的に異なることは言をまたない。

メランションは、黄色いベスト運動を人民の怒りを象徴するものとして支持した。[45]彼は当初、同運動が過激化してもそれをつうじて真の民主主義が実現されるのを望んだ。しかし、メランションの政治体制に対する姿勢はコロナ流行以降に大きく変化した。彼は今日、もはや過激な抗議運動に賛同しない。もちろん、人々の怒りを代弁するものの、メランションはより穏やかな方法を選択したのである。これに対して、ル・ペンはより過激な道を示す。彼女は、マクロン政権を徹底的に攻撃した。極右派ポピュリストの国民連合は、コロナ流行の阻止に対する政府の無能力と失敗を指弾する。かれらは、健康の危機管理をシステムの問題、すなわちエリート対人民というヒエラルキーの問題とみなした。国民連合の目的は、政府をできる限り非難することによって人々の怒りを鎮めることにある。

いずれにせよ、このような極右派と極左派の両者が、コロナ禍で生まれた人々の怒りを社会的怒りとして捉えることで、それを解消するための政治戦略を図ったことは疑いない。そこでマクロン政権が、そうした社会的怒りを引き起こした問題に真摯に取り組む姿勢を示さない限り、ポピュリストとりわけ極右派のそれの軍門に降る恐れがある。同政権がたとえ健康危機を理由に掲げたとしても、抗議運動を禁じたことは、そうした傾向に拍車をかけることになりかねない。

実際に、コロナ流行により影響を受けた人々の苦痛は計り知れないほどに大きい。この苦痛は、怒りと同じく社会的苦痛となって現れた。これを放置すれば、黄色いベスト運動が再現されることは否定できない。事実、かれらは二〇二〇年九月に入ってデモを呼びかけ、それに労働組合も参加する意思を表明した[46]。こうして左派の労働組合である労働総同盟（Confédération générale du travail, CGT）は、働く現場で労働者の強い不満と怒りがあることを踏まえ、やはり同時期にストライキとデモを訴えた[47]。ただし、それは労働組合全体で賛同をえるものではなかった。確かに、労働組合運動の力は今日低下している。しかし、雇用者による人員整理がコロナ禍でまかり通る中、ポストの喪失が増加すれば、状況は一転して社会的闘争が再び燃え上がるに違いない。政府は決して安心できる状態にはないのである。

以上我々は、コロナ危機の下で貧困者がますます窮地に追い詰められたこと、それによって貧困者と富裕者との間の不平等が深まると共に、社会の両極分解が一層進んだこと、そうした中で低所得者である底辺の人々の間で怒りが高まり、それらは社会的怒りとなって現れたことを、フランスの事例に即して検証した。この現象はもちろん、フランスに限らない。それは、先進国と発展途上国を含めた世界全体に共通して見ることができる。コロナパンデミックは結局、かつての世界的大不況の場合と同じく最弱者に最大の被害を及ぼした。コロナ危機はまさしく、社会的不平等に基づく社会危機を引き起こした。この事態に、政府は一体何をなすべきか。それは、そうした犠牲者の救済をつうじて公正な社会を目指す以外にない。しかもこのことは、緊急を要する。それは、決して長期プランで済ます訳にはいかないのである。

注

（1）Mandraud, I., "L'Europe face à ses nouveaux pauvres", *Le Monde*, 14, mai, 2020.

（2）Rey-Lefevbre, I., "Avec la crise , la pauvreté s'enracine", *Le Monde*, 5, mai, 2021.

（3）*ibid.*

（4）Gérard, M., "L'insécurité alimentaire en forte hausse", *Le Monde*, 14-15, juillet, 2021.

（5）拙著『「社会分裂」に向かうフランス』明石書店、二〇一八年、三五ページ。

（6）Carriat, J., Lemarié, A., Pietralunga, C., et Zappi, S., "《Il faut des mesures d'urgence》: les élus au défi de la jeunesse", *Le Monde*, 14-15, juin, 2020.

（7）Madeline, B., "Les jeunes de plus en plus menacés par la pauvereté", *Le Monde*, 28, novembre, 2020.

（8）Madeline, B., "《Un effort substentiel en faveur de la jeunesse est légitime》", entretien avec Julien Damon, *Le Monde*, 28, novembre, 2020.

（9）Desmoulières, R.B., et Bissuel, B., "Une aide exceptionnelle pour les《plus démunis》mise en place", *Le Monde*, 17, avril, 2020.

（10）Mandraud, I., *op.cit.*

（11）Rey-Lefebvre, I., "Un million de nouveaux pauvres d'ici à fin 2020", *Le Monde*, 7, octobre, 2020.

（12）Carriat, J., et Faye, O., "Face aux critiques, l'exécutif tente de revoir sa copie", *Le Monde*, 25-26, octobre, 2020. Rey-Lefebvre, I., "Pauvreté: les annonces du premier ministre", *Le Monde*, 25-26, octobre, 2020.

（13）Rey-Lefebvre, I., "Les association au bord de l'épuisement humain et financier", *Le Monde*, 7, octobre, 2020.

（14）Mestre, A., "Quand《antifas》et sans-papiers constituent des brigades de solidarité", *Le Monde*, 5, mai, 2020.

（15）前掲拙著『「社会分裂」に向かうフランス』一三～一五ページ。

（16）拙著『「黄色いベスト」と底辺からの社会運動』明石書店、二〇一九年、第五章参照。

（17）Becher, M., Brourd, S., Foucault, M., et Vasilopoulos, P., "Confinement: le pessimisme et la défiance en nette progression", *Le Monde*, 29-30, mars, 2020.

（18）Barroux, R., "Au sein de la population française, le confinement fait consensus", *Le Monde*, 8, avril, 2020.

（19）Algan,Y., Cautrès, B., Cohen, D., et Rouban, L., "La crise sanitaire exacerbe la fracture sociale et politique", *Le Monde*, 19-20, avril, 2020.

（20）Herzberg, N., "Le Covid-19 est socialement inégalitaire", *Le Monde*, 10, octobre, 2020.

（21）Lasjaunias, A., "Les ménages confrontés au《budget masques》", *Le Monde*, 26-27, juillet, 2020.

（22）Morin, V., "L'école face au risque d'explosion des inégalités", *Le Monde*, 1, septembre, 2020.

（23）IMF, *Fiscal Monitor – A Fair shot*, IMF, April, 2021, p.32.

（24）De Laubier, C., "La fracture numérique au révélateur du Covid-19", *Le Monde*, 1, septembre, 2020.

（25）*ibid.*

（26）Mathieu, B., "Chômage, salaires, inégalités: le triple peine de la génération Covid", *L'Express*, 10, décembre, 2020. P.18.

（27）Charrel, M., "La crise amplifie les inégalités de genre", *Le Monde*, 12, mai, 2020.

（28）前掲拙著『「黄色いベスト」と底辺からの社会運動』一〇四ページ。

（29）Guilluy, C., *La France périphérique*, Flammarion, 2014, pp.59-60. ギリュイの議論について詳しくは前掲拙著『「社会分裂」に向かうフランス』三三一ページを参照。

（30）Roger, P., “La fracture numérique se réduit mais persiste”, *Le Monde*, 17, avril, 2021.

（31）Couvelaire, L., “L'échec des politiques en Seine-Saint-Denis”, *Le Monde*, 28, mais, 2020.

（32）Charrel, M., “Emploi, logement, education…France malade de ses discriminations”, *Le Monde*, 23, avril, 2021.

（33）IMF, *op.cit.*, p.30.

（34）Bissuel, B., Chocron, V., Prudhomme, C., Tonnelier, A., Béziat, É., Pouille, J., Mouterde, P., et Garnier, J., “La colère gagne les salariés contraints d'aller travailler”, *Le Monde*, 20, mars, 2020.

（35）Desmoulières, R.B., et Zappi, S., “La colère sociale couvre sous le virus”, *Le Monde*, 13, mai, 2020.

（36）前掲拙著『「黄色いベスト」と底辺からの社会運動』第一部参照。

（37）Desmoulières, R.B., et Jacquin, J.-B., “L'interdiction des manifestations est–elle tenable?”, *Le Monde*, 10, juin, 2020.

（38）Lemarié, A., et Tonnelier, A., “Une partie de la majorité se tourne ver les《premiers de corvée》”, *Le Monde*, 13, mai, 2020.

（39）前掲拙著『「社会分裂」に向かうフランス』二五四～二五六ページ。

（40）Desmoulières, R.B., et Bissuel, B., “L'exécutif mise sur les partnaires sociaux”, *Le Monde*, 6, juin, 2020.

（41）前掲拙著『「社会分裂」に向かうフランス』二八～二九ページ。

（42）同上書、二四二ページ。

（43）Foucault, M., “Le macronisme devient moins libéral sur le plan économique”, *Le Monde*, 15, septembre, 2020.

（44）Mestre, A., et Soullier, L., “LFI et le RN veulent profiter du mécontentement”, *Le Monde*, 13, mai, 2020.

（45）前掲拙著『「黄色いベスト」と底辺からの社会運動』三六～三七ページ。

（46）Pietralunga, C., “Pour l'exécutif, les licenciements《commencent maintenant》”, *Le Monde*, 28, août, 2020.

（47）Desmoulières, R.B., et Bissuel, B., “La CGT veut être à l'avant-garde de la《colère sociale》”, *Le Monde*, 18, septembre, 2020.

第三部

ポストコロナの課題

第七章　欧州の復興プランと統合問題

コロナ危機からの脱出は二つの側面を持つ。一つは言うまでもなく、コロナ感染の阻止による健康危機からの脱出であり、もう一つは、コロナパンデミックで大被害を受けた経済と社会の危機からの脱出である。したがって、仮に外出制限やワクチンによる集団免疫の獲得で前者の脱出を成し遂げても、後者の脱出問題は依然として残る。それはまさに、ポストコロナの課題となる。とくに後者の脱出に関して、それが社会的不平等に根ざした社会危機からの脱出も含んでいる点を忘れてはならない。経済復興を果して終る訳では決してないのである。

こうした課題に対し、欧州は全体としていかなる対策を講じたか。それはまず、復興プランの形で提示された。同プランは、ユーロ共同債の発行を含めた欧州統合史上画期的なものであった。そこで、そのようなプランは一体いかにして生まれたか、その意義はどこに見出せるか、またそこにはどのような問題点と課題が潜んでいるかなどの問いが発せられるであろう。本章では、それらの問題の検討をつうじてポストコロナの欧州統合の課題を探ることにしたい。

一．独仏協調関係と復興プラン

　欧州のポストコロナをにらんだ復興プランは、ドイツとフランスの協調によるものであった。この点を第一に留意しておく必要がある。このプランが後に詳しく見るように、ユーロ共同債の発行を含めた欧州全体の金融支援であることを踏まえると、そうした独仏協調関係の成立はまさしく画期的であった。というのも、欧州全体の経済・社会プロジェクトに関して、ドイツとフランスは長い間、少なくともこの十年間に激しく対立し続けてきたからである。この点は、とりわけ欧州財政の方向性をめぐってはっきりと現れた。フランスが財政資金移転に基づく財政同盟構想を提示したのに対し、ドイツはこれを頑として受け入れなかった。ドイツのこうした姿勢は、二〇一〇年代初めのギリシャ危機に関する金融支援の際にも見られた[1]。とくにユーロ共同債の発行による債務の相互化に対し、ドイツは頑強に反対した。またオランド政権のときに、ドイツとフランスの関係は著しく悪化した。先に見たように（第一章）、オランドの財政協定見直しの要求をメルケルは一蹴したのである[2]。

　ところが、こうした独仏関係の悪化は、マクロン政権の下で次第に改善されることになる。マクロンは大統領就任早々に、ドイツとの協調の必要を強く訴えた[3]。彼は、この協調関係に基づいた欧州の共通政策とりわけ共通の財政政策の遂行を目指したのである。そしてドイツも、それを受け入れる姿勢を示した。その一つの成果は、すでに論じたように（第一章）、コロナ危機下の財政規律の一時的停止であった。しかし二〇二〇年三月の段階で、欧州の共通財政方針をめぐる両者の協調関係はそこまでに留まった。コロナ流行による最初の被害国であったイタリアが主張し、フランスが支持した共同債としてのコロナ債の発行を、ドイツは断固拒否したのである。ここでも、ドイツの「隣国に知らんぷり」という姿勢が明白に現れた。[4]コロナ債案はこうして、ドイツの反対で取り上げられなかった。一方フランスも、ドイツに真っ向から対立することを避けた。

ところが、それからわずか二ヵ月も経たない内に、今度はドイツが態度を豹変させた。どうしてであろうか。それは先に見たような、財政拡大と欧州の財政協調を唱えるドイツのケインジアンの進言に基づくものであったか。そうではない。なぜなら、もしそうであればメルケルは、三月のコロナ債案が出された時点ですでにそれを認めてよかったからである。したがってドイツが、五月に入って急遽フランスと協調して共同債の発行を認めたのは、決して理論的根拠に基づくものではない。同時にそれは、将来の欧州統合のあるべき姿を想定したパースペクティブを持ったものでもない。メルケルはそもそも、欧州統合に関する哲学を持っておらず、基本的にプラグマティストであったからである。

このようにして見ると、ドイツがフランスとの協調で共同債発行に同意したのは、何か他の事情を考えてのことではないか。それは紛れもなく、ドイツ自身の事情であった。コロナ流行による資金需要の急増がその背後にあることは否定できない。実は、フランスについても全く同様のことが言える。もしもマクロンが、真に債務の相互化を伴う財政同盟に根本から賛同するのであれば、やはり三月の時点でイタリアの共同債案をドイツと対立しても強く支持すべきであったからである。これらの疑いについては、後に再び論じることにしたい。

二〇二〇年五月一八日に発表された、マクロンとメルケルの欧州復興プランに関する共同声明は、以上から判断すれば極めて現実的な観点からなされたものと言わねばならない。[5]それはまた、両国政府にとってコロナ危機脱出のために必要な金融支援が、想定した以上に重い負担となったことを物語っている。しかし仮にそうだとしても、ドイツとフランスが協調して緊急事態に対処する姿を欧州全体に示したことは、くり返しになるが実に意義深い。両国はこれにより、欧州政策の面で統一的なプランを表明した。それは、コロナパンデミックとそれによる大被害の脅威に対して、単一市場とユーロ圏の保障を目的とする。ドイツとフランスはこうして、五〇〇〇億ユーロまでの債務を欧州委員会に提案した。この資金は、コロナ危機によって永続的な影響を受けた国や地域に支払われる。ドイツはここで初めて、これまで頑なに阻んできた債務の相互化と財政資金移転、すなわちEU加盟国への資金の再分配を公に認めたのである。

このように独仏協調の欧州復興プランは、欧州の連帯を確実に一歩進めるものである。メルケルとマクロンのイニシアティブの下に、コロナ禍で苦しんでいる国に補助金を与える案は、まさに「ハミルトン・モーメント（Hamilton Moment）」の再現とも言われた[6]。米国の財務相であったA・ハミルトンは一七九〇年に連邦債を創出し、米国を連邦制に転換した立役者として知られる。メルケルとマクロンもハミルトンに準じて、欧州の連邦制への進展を担ったと評されたのである[7]。

確かに、今回の独仏協調に基づく欧州復興プランが後に論じるように、欧州の財政連邦制を進める第一歩になることは疑いない。しかし、それがすべての欧州諸国にすんなりと受け入れられるかと言えば決してそうではない。イタリアやスペインを筆頭に、ポルトガルとギリシャを含めた南欧諸国は、コロナ流行で非常に大きな被害を受けた。かれらがそれゆえ、財政支出の拡大を強いられるのは当然であり、同プランを歓迎するのは疑いない。しかし他方で、オランダ、オーストリア、スウェーデン、並びにデンマークの「緊縮（frugal）四ヵ国」と呼ばれる国々は、これまでも欧州の財政規律に従ってきたのであり、かれらが独仏案に強いためらいを表したのは言うまでもなかった[8]。例えばオーストリア政府は、欧州の金融支援は貸付であって補助金ではない点を強調する。また複数の国の間で、恩恵を受ける国に対して資金返済を求める声も上がる。そこでも、支援はあくまで貸付であるとみなされた。あるいはオランダのように、無条件で南欧諸国に資金を供与するのではなく、それには経済・社会改革などの条件（コンディショナリティ）を付けるべきであるとする国も現れた。

このように、もしもオランダ、オーストリア、並びにスカンジナビア諸国が統一して共同債による債務の相互化に反対すればどうなるか。欧州が大きく分裂することは間違いない。欧州における一層の連帯をパートナーに求める南部と、債務の相互化に強硬に反対する北部との間でいかにバランスを図るか。それは不可能ではないか。ドイツとフランスによる復興のための共同プランに対し、当初このような疑いが発せられたのはそれゆえ当然であった。これに対して、欧州はどのように解決したか。次にこの点を見ることにしよう。

二．復興プランと財政連邦制

欧州委員会のフォン・デア・ライエン委員長は、以上に見た独仏共同案を受けて二〇二〇年五月二七日に、正式に復興プランを提示した(9)。それは、コロナパンデミックの大津波が欧州を襲う中で被害を受けた諸国を救うものであった。彼女はそこで、七五〇〇億ユーロの債務による支援を発表する。二〇二一〜二〇二七年に予定された欧州予算が一兆一〇〇〇億ユーロほどであることを考えると、この債務は欧州にとって極めて大きいものである。それだけ欧州は、経済的苦境に追い込まれていたと言ってよい。それは決して南欧諸国に限られたものではなかった。

七五〇〇億ユーロの当初の内訳を見ると、二五〇〇億ユーロが貸付で五〇〇〇億ユーロが資金移転である。後者は、欧州予算をつうじてコロナ流行により最も影響を受けた国々に移転するものとされた。五〇〇〇億ユーロの資金移転のうち、四三三〇億ユーロが補助金であり、残りの六七〇億ユーロは銀行保証付き貸付となっている。また国別の割当てを見ると、補助金ではイタリアが八二〇億ユーロで最大、次いでスペインが七七〇億ユーロ、フランスが三九〇億ユーロ、ポーランドが三八〇億ユーロ、並びにドイツが二九〇億ユーロである。このように、フランスへの補助金がスペインに次ぐ高さを示すと共に、ドイツへのそれもポーランドに順じるほど大きいことがわかる。こうした当初の補助金の分配を見ても、筆者が先に、フランスとドイツが資金需要の急増を背景に共同の復興プランを提案したのではないかと疑った点を理解できるのではないか。一方貸付では、イタリアが九一〇億ユーロ、スペインが六三〇億ユーロ、並びにポーランドが二六〇億ユーロであり、この三国への貸付が全体（二五〇〇億ユーロ）の七割以上を占める。

他方で欧州委員会は、この巨大な債務を二〇二八年から二〇五八年までに返済することを表明した。フォン・デア・ライエン委員長は、そのための方法として次の三つを示す。それらは第一に、加盟国の国民的拠出金の増大、第二に、欧州の支出の減少、そして第三に、欧州固有の財源の獲得である。この最後の方法は、デジタル関連の課税あるいは炭酸ガスの発生に対する炭素税から成る。ここで留意すべき点は、第二の方法であろう。それは財政緊縮を表すものであり、復興プランで提案された財政拡大の方向を打ち消してしまうからである。ここに同委員会の、先に見た緊縮四ヵ国に対する配慮を見ることができる。

一方、こうした欧州委員会の復興プランに対し、欧州各国は様々に異なる要求を突き付けた。例えば北欧諸国は、拠出金や農業向け支出、さらには貧困地域への支援を減少させたい。ただし、かれらの思惑が一致している訳ではない。オーストリアは復興プランに賛同する。オランダも他の緊縮国と同じ考えではないことを認めた上で、一致しているのは拠出金の減少だけであると語る。これに対して南欧諸国は、リセッションに対して一層の支援をこぞって求めた。この復興プランの成立には、EU二七ヵ国の全会一致が必要とされる。それはさらに、全会一致の承認後に各国の国民議会で批准されねばならない。そこで問題となるのは、こうしたスケジュールで果して最も苦しんでいる国を直ちに救えるかという点であろう。この問題点は後に再び取り上げることにしたい。

こうした中で復興プランの発案国であるフランスは、同プランの成立をめぐる手続きについていかに見ていたか。経済・財務相のル・メールは、ル・モンド紙のインタビューで次のように語る(10)。この提案がフランスとドイツの連合を示す点で歴史的であると評価されるものの、その根本的問題は同案の採択の遅れにある。一国の経済危機に対して一層の資金が緊急に必要であり、それを欠くことになれば倒産と失業は加速する。復興プランを早く実行すればするだけ事態はより改善される。彼のこの答弁は全く正当なものである。また、このプランによって資金をえる際のコンディショナリティについてル・メールは、EUは支出に対して厳しい条件を付けることはないとみなす。本当にそうであろうか。この点も後で詳しく見ることにしたい。

さて、欧州委員会の復興プラン案をめぐり、加盟国との交渉は案の定難航した(11)。そこでは、二つのグループ間で激しい対立が現れた。一方で二七ヵ国の大部分は、ドイツとフランスの主導する同プランに賛同する。しかし緊縮四ヵ国と呼ばれるオランダ、オーストリア、スウェーデン、デンマークとフィンランドは、同プランがより連邦的なEUの方向を示したことに対し、理念の点で強く反発した。

これに対してメルケルとマクロンは、政治生命をかけて反対国を説得し、ついに二〇二〇年七月二一日に各国首脳は復興プランに合意した。

欧州大統領のミシェルは、この日を「欧州にとって歴史的な日」とし、これは、コロナパンデミックに伴う大リセッションによく対抗できると自負する。フランスのマクロン大統領も、この合意を「我々欧州の歴史的変化」として称賛した。一方ドイツのメルケル首相は、それほど大げさな声明を表さなかった[12]。このように、ドイツとフランスは大枠で協調したものの、両国の間で復興プランの評価に関して若干の温度差がある点に留意すべきであろう。さらに言うまでもないが、同プランで最大の恩恵を受ける南欧諸国と最後までそれに強く抵抗した北欧諸国の間では、同プランに対する意識の決定的な相違が見られる。例えばスペインのサンチェス首相は、それが「真のマーシャル・プラン」になるとみなしたのに対し、オランダのルッテ首相は、歴史的合意と語るのを拒絶した。

ところで、北欧の緊縮四ヵ国と称される国々が、ドイツとフランスの協調による復興プランにあくまで反対したのは、それがEUの財政原則に反するからというのではない。否、それどころかかれらは、コロナパンデミックに対応するために、コロナ債の発行による欧州の財政拡大を基本的に支持したのである。では、なぜかれらはそこまで抵抗したのか。先に示したように、同プランによる欧州連邦制への移行を恐れたことがその一因であることは疑いない。しかし、そればかりでない。イギリスのEU離脱（Brexit）後にドイツとフランスの両軸が非常に強力になり、かれらによってEUが牛耳られることに脅威を感じたことも、反対の大きな要因であった[13]。そもそも緊縮四ヵ国がまとまりを示したのは、Brexitを契機としたのである。こうして四ヵ国は、復興プランが恩恵国の財政を強固にするものであってはならないとし、そのための資金があくまで欧州共通の財の消費に向かうべきことを強調した。

　こうした中でドイツとフランスは、復興プランの合意を達成させるために緊縮四ヵ国に譲歩する。それはまず、補助金の大幅な減少となって現れた。支援総額は七五〇〇億ユーロのままであるものの、補助金は当初の五〇〇〇億ユーロから三九〇〇億ユーロへと二〇％以上減額され、残りの三六〇〇億ユーロが貸付に回った。[14] また、三九〇〇億ユーロの補助金のうち、三一二〇億ユーロは「復興と回復のファンド（recovery and resilient facility）」によるものとされ、欧州委員会はその加盟国への割当てを二〇二〇年九月一七日に発表した。それは表7－1に見られるとおりである。イタリアが最大の恩恵国であり、スペインがそれに次ぐ。両国で全体

表 7-1　EU による復興のための補助金 [1)]

（10 億ユーロ）

国　名	補助金	シェア（%）
イタリア	65.46	21.0
スペイン	59.17	19.0
フランス	37.39	12.0
ポーランド	23.06	7.4
ドイツ	22.72	7.3
ギリシャ	16.24	5.2
ルーマニア	13.80	4.4
ポルトガル	13.17	4.2
チェコ	6.74	2.2
ハンガリー	6.26	2.0
オランダ	5.57	1.8
ベルギー	5.15	1.7
スウェーデン	3.70	1.2
オーストリア	2.99	1.0
フィンランド	2.33	0.7
合　計	312	100.0

注　1）復興と回復のファンドにより移転される補助金。

出所：Malingre, V., “Les《recommandations》très politiques de Bruxelles”, *Le Monde*, 19, septembre, 2020 より作成。原資料は欧州委員会による。

の四〇％を占め、かれらにギリシャとポルトガルを加えると、南欧四ヵ国への割当ては全体の約半分に達する。このことから、復興プランの当初の目的であった、コロナ流行で最も被害を受けたイタリアとスペインを中心とする南欧諸国への大きな支援を見ることができる。これに対して北欧諸国（オランダ、ベルギー、スウェーデン、オーストリア、フィンランド）に対する補助金は非常に少ない。他方で注視すべき点は、フランスとドイツへの支援である。補助金でフランスは第三位、ドイツは第五位に位置付けられ、両者を合わせると全体の二〇％近くにもなる。これはイタリアとスペインの合計の半分に相当し、かなり多いと言ってよい。ドイツとフランスは、復興プランで大きな補助金をえることができる。かれらが、なぜ急に協調して同プランを提案したのか。その背後に、両国の切迫した資金需要があったと思わざるをえない。

　では、欧州の各国別に見た復興プランはどうであったか。表7－2は、二〇二〇年のユーロ圏主要四ヵ国（ドイツ、フランス、イタリア、スペイン）とイギリス、並びに米国の復興プランを示したものである。同表よりまずドイツについて見ると、プラン総額は約一七〇〇億ユーロで、それはＧＤＰの五％弱を占める。この額は、スペインのプラン総額の三倍以上、フランスとイタリアのそれの倍以上に相当するほど大きなものである。その最大の特徴は、同プランの多く（三〇％以上）が公共投資で占められている点にある。これは第一章で論じたように、ドイツがこれまでおろそかにしていた点を補うものである。この点は、他のユーロ圏諸国とりわけフランスのケースと決定的に異なる。その他、企業支援、世帯支援、並びに一時的失業などの雇用支援にバランスよく復興資金が配分されている。さらに忘れてならないのは、そうした復興プラン以外に、ドイツが追加的な支援措置をとった点であろう[15]。その一つは、租税の支払い猶予である。それは法人税、間接税、並びに社会的負担金に及

表 7-2　ユーロ圏 4 大国と米英の復興プラン（2020 年）

国　名	企業支援	世帯支援	公共投資	雇用[1]	その他	合計
ドイツ[2]	38.0	20.0	63.3	23.5	24.4	169.2
対 GDP 比（%）	1.1	0.6	1.8	0.7	0.7	4.9
フランス[2]	21.0	2.9	1.3	32.1	20.1	77.4
対 GDP 比（%）	0.9	0.1	0.1	1.3	0.8	3.2
イタリア[2]	25.0	7.4	5.0	29.0	8.6	75.0
対 GDP 比（%）	1.4	0.4	0.3	1.6	0.5	4.2
スペイン[2]	3.6	5.9	4.3	19.3	17.1	50.1
対 GDP 比（%）	0.3	0.5	0.3	1.5	1.4	4.0
イギリス[3]	13.8	8.1	31.4	73.6	2.3	130.2
対 GDP 比（%）	0.6	0.4	1.4	3.4	0.1	6.0
米国[4]	953.4	618.0				1960.5
対 GDP 比（%）	4.5	2.9				9.2

注　1）職業教育と一時的失業を含む。
2）10 億ユーロ。
3）10 億スターリング。
4）10 億ドル。

出所：Antonin, C., Blot, C., Dauvin, M., Plane, M., Riffillart, C., et Sampognaro, R., “Les plans d'urgence et de relance dans les quatre plus grands pays de la zone euro, au Royaume-Uni et aux Etats-Unis”, in OFCE, *L'économie européenne 2021*, La Decouverte, 2021, pp.59-67 より作成。

び、約二五〇〇億ユーロ（GDPの七・三%）に達する。もう一つは国家保証付き貸付であり、そのために九二九〇億ユーロの巨大な資金が用意された。これはGDPの実に二七%にも相当する。このようにドイツは、二〇二〇年の復興プランのために極めて大きな財源を必要としたことがわかる。

他方で、フランスにおける復興支援総額は約七七〇億ユーロであり、そのGDPに占める割合も三%ほどでドイツのそれを下回る。中でも一時的失業を含めた雇用支援が総額の四〇%（約三二〇億ユーロ）を占めて最大である点に、フランスのプランの最も大きな特徴を見ることができる。この点は他の国には見られないものである。これに対して世帯支援はたった三億ユーロ弱で、総額の四％弱にすぎない。一方、企業支援には二一〇億ユーロが割当てられる。この両者の差が極めて大きい点も、フランスの復興プランの特徴である。さらにフランスは、こうしたプランに加えて、製品に対する課税の減少（九〇億ユーロ）、中小企業の自己資本強化（七五億ユーロ）、長期の一時的失業や職業教育（六〇億ユーロ）などのための支援金が必要とされる。[16] したがってフランスでも、ドイツと共に多額の復興資金が求められることは間違いない。

一方、最大の補助金を取得する南欧諸国はどうであろうか。まずイタリアについて見ると、プラン総額は七五〇億ユーロほどでフランスのそれに匹敵する。そのGDPに占める割合はフランスにおけるその割合を上回ってドイツのそれに迫るほどである。その中でフランスの場合と同じく、雇用支援が二九〇億ユーロに達して最大であり、それは全体の四〇％近くを占める。そのうち、一時的失業への賃金補償が六〇％以上で一九〇億ユーロを示す。[17] その他、企業支援は世帯支援の三倍以上であるものの、両者の差はフランスほどではない。イタリアもこのプランにより多額の財源を要することは明らかであり、かれらは欧州復興プランからの補助金で財政に余裕を持つことができる。他方でスペインの復興プラン総額は、イタリアのそれを大きく下回るものの、そのGDPに占める割合はフランスのそれを上回ってイタリアにおけるその割合に匹敵している。その中で最大なのはフランスやイタリアの場合と同じく雇用支援であり、それは総額の四〇％弱を占める。さらにスペインは、国民的復興プランとして三年間に七二〇億ユーロを用意した。[18] それは主として二つの領域、すなわち一つはエコロジーとデジタル技術、もう一つはR＆D、教育、職業教育、並びに社会的編入の領域に各々使用される。

以上のようなユーロ圏主要四ヵ国における復興プランは確かに、イギリスや米国と比べて見ると、総額のＧＤＰに占める割合はより小さい。その割合はイギリスで六％、また米国に至っては九％をも超えている。しかし、それでも全体的に低い経済パフォーマンスの中で、復興のための資金需要が、それらの諸国にとって極めて大きな負担になることは疑いない。この点は、ユーロ圏の二大大国であるドイツとフランスについてさえあてはまる。

このような状況の下で、南欧諸国やドイツ、フランスなどは、欧州復興プランによる補助金で財政的余裕をつくることができる。この点は間違いない。しかし、そうした恩恵国はその見返りとして、補助金の割当てが小さい北欧諸国に何らかの補償を与える必要があった。とくにオランダを中心とする緊縮四ヵ国は、補助金と貸付金の使途に非常に注意を払い、それに対して注文を付けた。その結果恩恵国は、改革と投資のプログラムを事前に提示するように求められた。しかもそれは、欧州委員会によって審理される。欧州復興プランによる資金供与は、機械的に行われてはならないとされたのである。さらに緊縮四ヵ国は、かつてイギリスのＭ・サッチャー（Thatcher）首相が提起した徴収地原則（juste retour）、すなわち払い過ぎた分を取り戻すという原則に基づき、ＥＵへの拠出金の大幅な減額（払戻し金）を勝ちとる。[19] かれらはこれによって、少ない補助金をカバーしようとしたのである。

このようにして見ると、ドイツとフランスの協調から生まれた欧州復興プランは、かれらと、同プランからそれほど恩恵を受けない国々とりわけ緊縮四ヵ国との妥協の産物であると言ってよい。しかしそうとは言え、欧州内の財政資金移転に関する共通の方針が加盟国の合意をえたことの意義は極めて大きい。今回の共同債の発行を含めた合意は、将来の財政連邦制に基づく経済連邦制への道を切り開くものである。この点について、やや理論的な側面から検討しておきたい。

筆者は先に、欧州の財政統合問題を論じる中で、フランスの欧州経済研究者による議論に注目した。かれらは、ユーロ導入の時点から欧州における一つの最重要なテーマである連邦制の問題を経済的視点から鋭く論じていたからである。[20] フランスにおける欧州経済研究の第一人者の一人であるM・デヴォリュイ（Dévoluy）は、経済連邦制こそが、異なる権限から成る欧州において政治経済研究の最適なテーマにならなければならないとみなす。[21] 経済連邦制の実現を求めることは、欧州建設の経済的諸問題を明らかにすると共に、その将来のパースペクティブを描くことにつながるからである。そして、この経済連邦制は実は、財政連邦制を抜きにして論じることができない。

欧州の財政統合に関していち早く研究に着手したA・バルビエ‐ゴシャール（Barbier-Gauchard）は、財政連邦制をめぐる基本的な諸問題を検討する。[22] 彼女によれば財政連邦制の理論は、異なる権力のレベル間における財政資金の最適配分を示す一方、それは財政機能の権限移譲とも結びつく。この点を欧州にあてはめてみれば、EUと加盟国との間の財政権力をめぐる共有の問題が浮かび上がる。そしてこの問題を解決する手段として、欧州における共通の大きな予算と資金移転が考えられる。今回の欧州復興プランはまさしく、それらを具現するものとして示されたのではないか。とくに資金移転に関して、補助金の設定はそれを大きく前進させるものである。

デヴォリュイは、財政連邦制を成立させる諸政策を整理する中で、その一つに補助金を取り上げる。[23] 彼はそこで、より劣った地域への補助金は大切な資金になる一方、そのための財源は、欧州の原則である財政均衡の下で考えることができないと断じる。なぜなら、補助金を支給するためのファンドは、恩恵国から直接徴収されないからである。補助金は確実に貧しい地域を助け、かれらの福祉を集団的に向上させる。ところが、ここに一つの大きな問題が立ちはだかる。それは、そうした補助金のシステムを維持するための資金づくりの問題である。補助金を融資するためのファンドがなければ、このシステムは絵に描いた餅にすぎない。今回、欧州がコロナ債と称される共同債の発行に踏み切ったことが、そうしたファンドの形成に大きく寄与することは間違いない。同時に、そのような債券の発行をつうじた債務の相互化が、加盟国間における財政権力の共有に結びつくことも疑いない。

このようにして見ると、くり返して強調することになるが、ＥＵ加盟国が合意した欧州復興プランはまさに、欧州財政連邦制に一歩踏み出したものであると言っても過言ではない。フランス経済景気研究所総裁のラゴも、今回の欧州における財政的コーディネーションによって財政連邦制の性格が、現実のコロナ危機の中で明らかにされたと論じる[24]。これを契機とした財政連邦制の完成と、それに基づく経済連邦制への将来展望を確かに見ることができる。コロナ危機はその意味で、欧州のガヴァナンスを連帯に向けて前進させた。この点は揺るぎない。そしてこの動きは、前回のグローバル金融危機のときには見られなかったものである[25]。筆者は、欧州復興プランの意義をひとまずこのように捉えておきたい。

三．復興プランをめぐる諸問題

以上我々は、欧州の復興プランの成立を財政連邦制への第一歩として評価した。しかし、同プランに問題がないかと言えばそうではない。否、むしろそこには、将来の欧州統合を考えるべき問題が数多く潜んでいる。以下で、それらの問題について各々検討することにしたい。

(一) 理念の問題

今回の復興プランは、果して財政連邦制への移行を真に踏まえた理念に基づいて打ち出されたものか。この点がまず問題とされねばならない。くり返しになるが、先に論じたように(第一章)、二〇二〇年三月の段階でイタリアが提案した共同債としてのコロナ債に対し、ドイツは真っ向から反対した。ところがそれから二ヵ月も経たない内に、ドイツが今度はフランスと協調して共同債の発行を認めたのは、やはりプラグマティズムによるものとしか考えられない。それは、決して財政連邦主義というイデアリズム(理想主義)から発せられたものではない。メルケル首相が、復興プランの合意に対して欧州の歴史的成果というような称賛の声を上げなかったのはその証左であろう。またマクロン大統領も、当初より財政規律の遵守を謳う一方、欧州の共同債や財政資金移転ひいては財政連邦制の問題について言及することは一切なかった。

そうだとすれば、今回の復興プランで示された構想は結局、一時的で例外的なものに終ってしまうのではないかという恐れがある。共同債の発行は一回限りというのであれば、同プランが財政連邦制の引金になることは決してない。欧州委員会の委員で元イタリア首相のP・ジェンティローニ(Gentiloni)は、二〇二一年六月初めのル・モンド紙のインタビューで、復興プランは例外的手段であり、その成功によってそれは一般的手段になると答えている[26]。では、成功しなければどうなるか。そこには、将来の財政連邦制に向けた明解なヴィジョンはない。

実際にドイツもフランスも、復興プランに対する加盟国の合意に向けて、緊縮四ヵ国を中心とする反対国を理念で説得した訳ではない。それはあくまで、利害の調整という極めて実践的な視点で行われたにすぎない。欧州予算の中で、復興プランに基づくバランスが図られたのである[27]。そこで同プランを受け入れることによって、例えば他のファンドの枠が縮小すればどうなるか。これにより被害を受ける国が現れれば、同プランは一体何のための、また誰のためのプランなのかが問われるに違いない。要するに復興プランは、欧州の財政拡大を真に目指すものではないことが明らかにされてしまう。

こうした点は、実は欧州の財政規律の面にもあてはまる。すでに示したように（第一章）、同規律の適用はコロナ禍で一旦停止された。しかし、財政規律が根本的に見直されて改正されるか、あるいは廃止されるかは全く定かでない。欧州委員のジェンティローニは先に見たル・モンド紙のインタビューで、各国の財政担当相はすべて財政緊縮に戻ってはならない点で一致していると語る。[28]彼は、巨大な公共投資の必要も認める。しかし、財政規律の刷新については具体案を何も示さないのである。

さらに、ここでもやはりドイツの姿勢が問われる。確かにかれらは、先に論じたように（第一章）財政均衡の原則を打ち壊した。ところが、この方針が永続するかは甚だ疑わしい。というのもメルケルは、同原則がコロナ危機で中断したものの、その目的まで放棄するつもりがないことを示唆したからである。[29]一方ドイツの与党グループも、大きな借入れはあくまで例外的なものであり、債務の抑制は二〇二二年から改めて行われねばならないことを表明した。そこでは、財政赤字は例外的事情を除いて禁じられたのである。

このようにして見ると、欧州の復興プランの成立にしても、また財政規律の停止にしても、それらはあくまで、コロナ危機という特殊な事情の下で例外的に実現したものではないか。このように疑われても仕方がない。欧州はこうした懸念を払拭するためにも、財政連邦制に向けた理念上の合意を早々に達成させる必要がある。コロナ危機は、そのための絶好の機会を与えたと言わねばならない。

(二) コンディショナリティの問題

欧州の復興プランによる金融支援は、無条件で行われるものでは全然ない。そこには、明確なコンディショナリティがある。それは第一に、各国に割当てられる補助金の使途に対して課された[30]。欧州委員会はそれによって、欧州のエコロジーとデジタルの社会への転換を謳う。具体的には、支出の少なくとも三七％が温暖化に対する闘いに、また二〇％は経済のデジタル化に向けられることが指示されたのである。

ところで、欧州の提供する資金の使途に対してコンディショナリティを課すことはそれ自体、各国の権限移譲に基づく財政権力の共有を意味する点で正当化できる。これは、財政連邦制の基本的要素である。とくにエコロジー社会に向けた支出は、環境という一つのグローバルな公共財の出現をもたらす点で評価できる。

では、このような欧州におけるエコロジー重視の方向が、今回の復興プランで初めて示されたのかと言えば全くそうではない。それはすでに、コロナ流行以前から欧州の一大プロジェクトに組み込まれていた。欧州委員会は二〇一九年にグリーン・ディール（欧州のための緑の協定）を表明し、それを新たな成長戦略として位置付けると共に、それによって欧州のエコロジカルな社会への移行を目指した[31]。しかしここで問われるのは、炭酸ガス発生の規制とGDP増大との関係であろう。両者は、果して一致するものなのか。同時に、その際の成長は何を意味するか。また、それはGDPの指標のみで測られるべきものなのか。欧州委員会は、これらの問いに答えなければならない。

GDPの指標のみで、経済的・社会的不平等や環境の悪化を測ることは到底できない。欧州はそこで、エコロジカルな社会への移行を公正な移行として捉え、環境の持続可能性と社会的公正の二つの本質的使命を合致させるというシナリオを描く[32]。欧州委員会はこのような問題意識の下に、二〇二〇年一月一四日に「公正な移行のためのメカニズム（mécanisme pour une transition juste, MTJ）」を発表した。しかし、そこでの「公正な移行」とは一体何か。同委員会はそれに確かな規定を与えていない。社会の真に公正な移行はもちろん、人々の福祉を向上させるものでなければならない。それゆえ、社会的公正とエコロジーをいかに両立させるかが問われる。欧州委員会は、復興プランに関するコンディショナリティを示す中で、この点に言及していないのである。そうだとすれば、折角三七％以上もの支出を環境に割当てたとしても、その中味次第で公正な社会の到達が困難になりかねない。

財政連邦制の政策を吟味したデヴォリュイも、確かにその一つとして公共財の創出を掲げる[33]。ただし、その際の公共財は環境のようなグローバルなものだけではない。市民の集団的なアイデンティティの確立と密接に結びついた公共財が存在する。それらは、保健や安全保障、さらには輸送などの面に現れる。コロナ危機は、病院や医療用資財を中心とした保健面での公共財を充実させる必要があることを、紛れもなく示したのではないか。そうであれば、資金の第一の使途はそうした公共財に向けられて然るべきであろう。今回、コンディショナリティとしてこの点が指示されなかったことは、極めて不可解であると共に到底納得することができない。環境はそもそも長期で達成される公共財であり、欧州委員会が、今回の復興プランを「次世代のEU（Next generation EU）」と称したのも、エコロジカルな社会への移行を念頭に置いた長期戦略を示したいがためである。しかし、コロナ危機からの脱出で今最も求められているのはむしろ、健康危機を支援によって早期に脱出するための短期戦略ではないか。この点については最後に再び論じることにしたい。

一方、経済のデジタル化の推進は欧州の競争力強化と結びつく。しかし、デジタル化はビジネスの論理によってのみ考えられてはならない。それはまた、市民の集団的アイデンティティとしての公共財の創出と結びつけて捉える必要がある。前章で見たように、デジタル化された情報サービスへの市民のアクセスに地域的な偏りがあり、そのためそうしたサービスは市民全体に行き届いていない。そうだとすればデジタル化は、まずは公共投資をつうじた情報サービス取得のためのインフラストラクチャー整備に向けられねばならない。ここでも、競争の原理よりも公正の原理が優先されるべきである。この点について、欧州委員会からの強い発信は見られない。

表 7-3 欧州主要国の補助金の使途

(%)

国名	環境	デジタル化	その他
フランス	51.2	24.4	24.4
スペイン	45.0	23.0	32.0
イタリア	42.0	20.5	37.5
ドイツ	39.0	54.0	7.0

出所：Mathieu, B., “Plan de relance européen: ou va l’argent ?”, *L’Express*, 20, mai, 2021, p.35 より作成。

このようにして欧州委員会は、復興プランによる補助金の使途に対して、その六〇％近くに注文（コンディショナリティ）を付けた。しかも、そうした資金配分の割合は最小限のものであり、それ以上については各恩恵国の政府判断に委ねられた。その結果、復興資金の使途の内訳は各国で大いに異なる。表７－３は、主要な恩恵国の補助金の使途を表している。見られるように、フランスとドイツは資金配分の点で対照的である。フランスは、環境面に五一％以上の大きな資金を割当てているのに対し、デジタル化には二四％ほどの割当てで、それは欧州委員会の注文付けた比率にほぼ等しい。これと全く逆なのがドイツである。ドイツは、環境面に三九％、デジタル化に五四％の割合で資金を配分した。いずれにせよ、フランスでは七五％以上、またドイツに至っては九〇％以上の復興資金（補助金）が、環境とデジタル化のために用いられる。残りのわずかな部分で、一体どれほど一般市民の健康と雇用を守るために、またとりわけコロナ危機で大きな影響を受けた人々のために資金を供与できるであろうか。この点が両国に関して問われるに違いない。そうした意味で、最大の恩恵国であるイタリアとスペインが、欧州の注文以外の部分に大きな資金を配分したことが注目されよう。かれらは、長期戦略や競争戦略に加えて、コロナ危機で多大な被害を受けた部分への資金供与を、ドイツやフランスよりも一層重視したのである。ここに、市民の集団的アイデンティティの強化に果す補助金の役割を見ることができる。

（三）　構造改革の問題

以上のように、欧州委員会は復興プランの中で、資金の使途に関するコンディショナリティを明示した一方、恩恵国に対して構造改革のプログラムの提示をさらに求めた[34]。これは緊縮四ヵ国の要求に応じたものであり、同プランの死角になると言ってよい。そこで次に、大枠としてコンディショナリティに含まれるべき構造改革の問題について検討することにしたい。

実際に欧州委員会は、恩恵国に対して様々な構造改革を推奨した。例えば最大の恩恵国であるイタリアに対しては、法制と行政のシステムの効率化が求められた。またフランスに対しては、一層厳しい要求がなされた[35]。同委員会はかれらに対し、年金改革を復興プランに組み込むべきであることを主張したのである。しかしフランスにとって、この年金改革は非常に深刻な問題を引き起こしかねない。それは、すでにコロナ流行以前の段階から国民の猛反発を受け、抗議運動が長期にわたって続けられたからである。したがってマクロンは、少なくとも次期大統領選までそれに従事するつもりはない。

これを受けてル・メール経済・財務相も、年金改革の必要を認める一方で、それは補助金と引換えのものではない点を強調した。

このようにして見ると、コンディショナリティとみなされる構造改革が各国に対してどのていどの強制力を持つかは定かでない。しかし、それが欧州委員会における支援の申請に対する一つの重要な審議事項になることは間違いない。果して、そうした改革の要求は正当化できるであろうか。

ＥＵはすでに二〇〇八年の金融危機の際に、支援の条件として恩恵国に構造改革の施行を迫ったことがある。[36]ギリシャ、ポルトガル、アイルランド、並びにキプロスに対し、トロイカ（ＩＭＦ、欧州委員会、欧州中央銀行）と呼ばれる支援体制は、貸付の代わりに重い改革プログラムをそれらの借入れ国に強要した。またスペインとイタリアも、欧州安定メカニズム（ＥＳＭ）による支援を受ける一方で年金改革を求められた。そして二〇一〇年のギリシャ危機の際に、トロイカによる支援のコンディショナリティは、恐ろしいほどの改革を伴うものであった。[37]それは、極めて厳しい財政緊縮政策を意味した。これによって、ギリシャにひどいリセッションが到来したことは記憶に新しい。しかもこの点は、ギリシャに限らず改革を行ったすべての国にあてはまる。構造改革こそが成長を促すとみなされたのとは全く逆に、それは大変な不況をもたらしたのである。構造改革が財政支出の削減を必然的に引き起こす以上、それは当然であった。

このように欧州はすでに、度重なる危機の中で構造改革から経済的大被害が生まれたという教訓を十分にえたはずである。それなのに、なぜそうした改革を今日の復興プランに盛り込まねばならないのか。理解に苦しむと言わざるをえない。それが、緊縮四ヵ国による恩恵国に対するたんなる嫌がらせとすれば言語道断であろう。欧州復興プランは先に論じたように、財政拡大に基づいた将来の財政を支援のコンディショナリティとすることは、二度とあってはならないのである。構造改革る。これによってEUは、市民のEU離れの促進というリスクに晒されるに決まっている。構造改革はないか。こうしたEUの姿勢は結局、欧州市民の生活を困窮させてかれらの期待を裏切ることになりうしたことは思えない。

連邦制に導く礎となる必要がある。構造改革が財政緊縮を否が応でも伴うからには、それはそうした望むべき方向を逆戻りさせるに違いない。欧州委員会が、それでもなお構造改革の要求に固執するならば、復興プランはやはり理念によるものではなく、実践的視点に立った例外的措置にすぎないのではないか。こうしたEUの姿勢は結局、欧州市民の生活を困窮させてかれらの期待を裏切ることになる。これによってEUは、市民のEU離れの促進というリスクに晒されるに決まっている。構造改革を支援のコンディショナリティとすることは、二度とあってはならないのである。

（四）債務の問題

欧州は、共同債の発行によって債務を当然抱えることになる。したがって、この債務をいかに返済するかが一大問題となるのは疑いない。欧州はこれに対して、固有の財源確保を提案した[38]。かれらは、新たに様々な租税を導入する。その一つが環境税であり、もう一つがデジタル関連税である。二〇二一年よりプラスチックに対する税、また二〇二三年より巨大なデジタル関連会社に対する税と炭素調整メカニズムによる税が各々設けられる。さらに二〇二六年からは金融取引税も考えられる。ただし、同税に対してはすべての国の合意がえられていない。

これらの欧州の租税による固有の財源確保は、財政連邦制を進める上で非常に重要な条件となる。欧州全体の方向を考える上で、租税の面で財政権力を集権化しなければならない。環境税、デジタル関連税、あるいは金融取引税にしても、そうした集権化なくしてそれらの税を有効に徴収することはできないからである。ただし、ここで環境税に関しては注意すべき点がある。それは、同税の中に炭素税としての燃料（ガソリン）税が含まれるとすれば、そうした税が逆進的であるがゆえに貧困者に大きな負担を強いてしまうという点である。燃料税の引上げを直接的契機としてフランスで引き起こされた黄色いベスト運動を教訓とすれば、環境税は低所得者である庶民の生活に影響を与えるものであってはならない[39]。

一方、巨大なデジタル関連会社に対する特別課税や金融取引税は全く正当である。デジタル取引にしても、また金融取引にしても、それらはコロナ流行の中で盛んに行われて巨大な利益を生み出した。それゆえ、そうした取引に従事する企業や金融機関に対して特別な租税が課せられるのは正しい政策に違いない。同時に、多国籍企業に対する課税も忘れてはならない。かれらはつねに租税回避を目論んでいるからである。そのためにもEUはまず、域内でのタクスヘイブンを摘発する必要がある。身内に甘いことがあっては絶対にならない。

他方で財政連邦制を考えるとすれば、累進税の問題を避けて通ることはできない。それが財政権力の集権化によって課されることで、富と所得の再分配が図られる。このことが、欧州の連帯と租税の公正を深めるのは間違いない。コロナ危機による債務の巨大化に直面した欧州は、この累進税を全体的規模で課すことによって債務の返済をカバーできると共に、コロナ禍で生じた不平等体制の解消も可能となる。今回の欧州委員会による新たな租税の設定の中に、こうした累進税が取り上げられなかったことは残念でならない。今ほど、コロナ税としての累進税が必要とされるときはない。この問題は後に詳しく論じることにしたい（第八章と終章）。

（五）支援の規模と手続きの問題

欧州復興プランの規模（七五〇〇億ユーロ）は決して大きくない。それどころか先に論じたように、その規模は他国の支援に比べてはっきりと見劣りしている。ＥＵの支援規模（対ＧＤＰ比）は米国のそれの半分以下にすぎない。こうした欧州の支援規模の相対的な低さはまた、かれらの経済的脆弱性を物語っている。欧州は一層の支援をしたくても、その実現が難しいのである[40]。この点は、イタリアやスペインなどに代表される南欧諸国で確実に見ることができる。一方、ＥＵ最大の経済大国であるドイツでも、復興プランは財政均衡の原則を破っていち早く示されたにもかかわらず、その規模はイギリスのそれよりもはるかに小さい。

とくに、米国のＪ・バイデン（Biden）新大統領による徹底した復興プラン（一兆九〇〇〇億ドル）と比べると、欧州のそれの見劣りが際立つ。これは、欧州の経済力のみで説かれるものではない。欧州中央銀行のエコノミストであるＰ・レーン（Lane）は、ル・モンド紙のインタビューの中でその点について次のように答える[41]。米国は自身の政治能力で、財政赤字をその規模がどうであれ融資することができる。もしも欧州が財政同盟をつくり上げていれば、そうした能力を一層発揮できる。レーンのこの回答は、まさに今日のＥＵの抱える最大の課題を端的に表している。それだからこそ、今回の復興プランを起点として、欧州は財政連邦制を築きながらいち早く財政同盟を成立することが強く望まれる。同プランは、例外的かつ一時的な手段として終っては絶対にならないのである。

他方で、欧州復興プランに関する手続きの問題がある。二〇二〇年七月の段階で同プランに対する合意が成立してから、支援が実際に施行されるまでにかなりの時間を要する。支援申請の書類を提出するためには、先に見た資金の使途についての説明と申請国内での合意が必要となる。このことが、すべての申請国で直ちに済まされる訳では全くない[42]。実際に、申請手続きが足並をそろえて行われているのではない。例えばドイツでは、憲法裁判所による審理を経なければならない。しかも各国のそうした申請書は、欧州委員会で審査されねばならない。それは多大な労力を要する。これでもって迅速な対応ができるとは到底考えられない。実は欧州委員会も、申請手続きに時間がかかり過ぎることを認めている。復興プランがコロナ危機に対処するための緊急プランである以上、その実行が遅れてしまえば何の意味もない。それは、できるだけ早く実施されねばならないはずである。うがって見れば、同プランが次世代のEUと称した長期戦略の一環として位置付けられることから、それはそもそも緊急性を配慮していないと言えるかもしれない。そうだとすれば同プランの、コロナ危機を脱出する手段としての意義が再び問われるに違いない。

四．経済・社会復興の課題

では、以上のような復興プランの下で、欧州の経済と社会はいかに復興すると考えられるか、またそこにはどのような問題が潜んでいるか。次にこの点を検討することにしたい。

まず欧州の経済復興は、復興プランの成立後もかなり難しいと判断された[43]。それはV字型ではもちろんないが、U字型にもならないとみなされた。グローバルレベルでのGDPの落込みが見られる中で、とくにユーロ圏の回復が乏しい。そこでは工業セクターの活動が再開されたものの、その生産はコロナ流行以前の一〇％以下である。また、サービスセクターでの不安も一層強い。

こうした中で、欧州にコロナ流行のさらなる波が到来すれば、経済復興のパースペクティブはますます遠のく。欧州委員会は、二〇二〇年一一月にこのように予想した[44]。欧州機関の専門家も、二〇二〇年における欧州とりわけユーロ圏の成長率が著しく低下すると予測した。二〇二〇年末に経済活動が、外出制限の広がりで再び崩落するのは明らかであった。コロナ流行の第二波は、欧州の急速な経済復興の望みを断ってしまった。欧州経済がコロナ流行直前のレベルに戻るのは、二〇二二年まで待たねばならない。このようにみなされた。欧州委員会は、ここでさらにリスクが高まると判断する。コロナ危機による倒産、長期失業、サプライチェーンの中断などが一層進行する一方、金融危機の勃発も排除されない。だからこそ復興プランは素早く実行されねばならない。それは、二〇二一年の第一・四半期から適用される必要がある。欧州委員会のこのような声明は全く正当なものである。コロナ危機が長びけば長びくほど、経済組織に与える傷跡はさらに大きくなるに違いない。ところが先に示したように、EU本部が望むような日程は考えられない。復興プランが絶対的な緊急性を要するのに、それは達成されないのである。

この事態に、欧州の復興形態はV字型でもU字型でもなく、むしろK字型になるのではないかと懸念された[45]。そこでは、素早く復興するセクターと、被害がさらに深まるセクターとの間で格差が拡大すると予想される。これによって、経済的・社会的不平等が危機的なレベルにまで高まるのは言をまたない。それは、雇用の面ではっきりと現れるに違いない。

実際に、コロナ危機により欧州のどこでも雇用不安が引き起こされている[46]。それは、最大の経済力を誇るドイツでも同じであった。そこではすでに、最大のセクターである自動車業界で人員整理が始まっていた。先に示したように、当面は一時的失業策などの緊急対策で解雇は確かに制限された。しかし、そうした支援がなくなればどうなるか。解雇が爆発的に増えることは目に見えている。とくに中小企業の場合、支援があってもその経営危機から脱け出せず倒産に追いやられるケースが多い。これによって労働者は、新たな雇用先を見つけるのがますます困難になる。欧州中央銀行は、ユーロ圏の失業率が二〇二〇年初めの七・三%から二〇二一年に九・五%、そして二〇二二年に八・八%へと高止まることを予測する。とくにスペインやギリシャを中心に、南欧諸国で失業率が著しく上昇するとみなされた。

こうした中で、先に見た欧州の復興プランが失業問題の解消に直ちに役立つかと言えばそうではない。同プランは長期性の投資に重点を置いているため、二〇二一年に経済活動を即拡大する効果を発揮しないと考えられるからである。そこで大部分の欧州政府は、緊急支援を延長せざるをえない。イタリア、スペイン、ギリシャなどの南欧諸国のみならず、スウェーデンやデンマークなどの北欧諸国においても、一時的失業策を中心とした諸々の支援策が、二〇二〇年の間、さらにはそれを超えて延長された。とくに財政余力の大きいドイツでは、一時的失業策が二〇二二年まで引き延ばされた。こうした一時的失業策の延長に対し、それが経済の必要不可欠な変更を遅らせてしまうとして反対するエコノミストもいる。しかし、それがなければ賃金労働者は明らかにポストを失ってしまう。かれらが、他の企業やセクターで雇用先を見つけるのは難しい。一時的失業策がそれゆえ、雇用の安定に貢献することは疑いない。

ところが、そうした対策で問題となるのは、それが永続きしないという点である。実際に欧州の多くの一時的失業者は、二〇二一年に職を失う恐れがある。この点は、とくに脆弱なセクターで明確に現れる。そうだとすれば、一時的失業による雇用状況とは一体何なのか。それはたんに、ゾンビ化した雇用にすぎないのではないか。このように思われても仕方がない。

欧州はこの事態に、一時的失業の補償に伴う国家債務危機を回避するために、二〇二〇年九月に、「失業リスク緩和のための緊急支援（Support to mitigate Unemployment Risks in an Emergency,

SURE)」というプログラムを立ち上げた[47]。このプログラムは、一〇〇〇億ユーロを上限とする資金供給として示され、そのための原資は債券の発行で調達される。この点で、同プログラムは欧州安定メカニズム（ESM）に相つうじる。それは、加盟国が一時的失業による賃金補償のために使われ、欧州委員会をつうじた貸付を意味する。したがってSUREは、復興プランにおける共同債のように、補助金としての資金供与を含むものでは全くない。

ところがそのような緊急支援策にもかかわらず、欧州では今日、一時的失業にアクセスする条件が硬化し始めている[48]。例えばフランスは二〇二一年七月一日より、コロナ流行で最も影響を受けたセクターを除き、国家の一時的失業による賃金補償をそれまでの八四%から七二%に減少させた。またドイツでは二〇二一年九月末より、雇用者の社会的負担金の返還のうち半分しか補償しないことが決められた。その他の国も含めて、欧州大陸諸国は二〇二一年に一時的失業からの脱却を図ろうとしているのである。折角SUREというプログラムが設けられたのに、その利用の高まる気配がない。同プログラムはあくまで貸付であり、加盟国がそれによって債務を一層増やしてしまうことを考えれば、かれらの意向も理解できる。そうだとすれば、やはり一時的失業策の延長以外の雇用対策が講じられねばならない。それは、企業の倒産から解雇に至る雇用喪失の流れを断ち切るために必要とされるのである。

他方で、欧州の復興に向けてもう一つの重要な課題がある。それは、グローバリゼーションにどう対応するかという問題である。すでに論じたように、欧州は資本の自由化を推進する中で医療用資財の不足という深刻な問題を引き起こした。それはとりわけフランスで鮮明に現れた（第五章）。マクロン大統領はそれゆえ、コロナウイルスに対する闘いはまた「生産の本国回帰（relocalisation）」のための闘いでもあると語る。そこでは、生産の海外依存を減少させるために、生産の国民的主権を再建することが強く求められたのである。

実際に自動車やコンピュータなどの分野で、フランスとドイツの工場はコロナ危機によって同じ障害に一挙に突き当たる。[49]それは、生産に不可欠な特定部品の調達が、輸送の中断によってブロックされてしまうという問題であった。グローバリゼーションの下で構築された商品のサプライチェーンは、コロナパンデミックの下で断ち切られたのである。

このようなサプライチェーンはこれまで、コスト削減の理由により極度にグローバル化されてきた。このことはまた、欧州の弱点を露呈するものであった。コロナ危機の下で、生産拠点の海外移転を主張する訳にはもはやいかない。逆にコロナ危機は、生産の本国回帰を開始させる契機となった。これは、欧州に対して大きな挑戦を意味する。かれらは、遵守すべき原則の一つとして資本の自由化を掲げてきたからである。果して、生産の本国回帰によって低コストに基づく競争に十分に対抗できるか。この点が問われるに違いない。それはとくに、中国を念頭に置いて検討されねばならない。

欧州にとって、中国の存在に対する意識はこの二〇年間に劇的に変化した。事実、二〇〇〇年代初めの頃に、中国の存在はかれらにとりそれほど大きなものではなかった。ところが、二〇一六年に中国企業がドイツのロボット生産工場を取得すると、ＥＵの中国に対する姿勢は一変した。中国の欧州企業の買収に対して、ＥＵは防衛手段をとった。二〇一六年以降、ＥＵに対する外国投資に一定の規制が設けられたのである。また貿易の面でも、反ダンピングや反補助金による規制をＥＵは再検討する。欧州委員会はこうして、二〇一九年に中国を「戦略的ライバル」に指定した。

他方で欧州の企業は、中国に対してどのように対応したか。かれらは二〇一〇年代に入ると、コスト削減のために本国の工場を閉鎖して中国に生産拠点を一挙に移した。生産の極端な中国依存が展開されたのである。このことはまた、欧州の脱工業化傾向を加速した。他言すれば、それは欧州における産業の空洞化をもたらした。コロナ危機によるサプライチェーンの断絶はまさしく、そうした生産の海外依存から引き起こされる生産体制の脆弱性を浮彫りにしたと言わねばならない。では、欧州はこの危機を契機として、真に生産の本国回帰と工業化の再建に向かって進むことができるであろうか。それは、今後の欧州の復興を図る上で極めて重要なテーマとなるに違いない。

ところで、欧州経済はユーロ圏を中心として、この四〇年間にそもそも衰退する傾向を明白に示している[(50)]。一九八〇年代初めに米国と欧州一九ヵ国（今日のユーロ圏）は、各々世界のGDPの二〇％以上を占めていた。ところが、それから四〇年を経て、米国と欧州のGDPの世界に占める割合は各々、一六％と一二％に低下した。とくに注視すべき点は、欧州の低落のスピードが米国のそれを上回っている点である。この点は、二〇〇八年の金融危機以降にはっきりと示された。二〇〇八〜二〇一九年の米国の年成長率が一・八五％であったのに対し、ユーロ圏のそれはたった〇・八二％にすぎない。ユーロ圏の経済成長は、米国のそれの半分にも達していない。欧州は明らかに、同期間に経済的繁栄を市民に約束することができなかった。一九八〇年代以降の新自由主義とグローバリゼーションの進展は、欧州経済の発展に功を奏さなかった。そしてコロナ危機は、そうした傾向を加速したのである。

表7－4は、IMFが二〇二一年四月に公表した、二〇一九年以降の世界の生産の成長率を推定したものである。見られるように、二〇二〇年の成長率は、コロナ危機により世界全体でマイナスを記録している。その中で、とりわけユーロ圏の成長率の低下が目立つ。それは、イギリスを除けば他の

表 7-4　世界の成長率[1]（2019 ～ 2022 年）

（%）

地域・国名	2019年	2020年	2021年	2022年[2]
全世界	2.8	-3.3	6.0	4.4
先進諸国	1.6	-4.7	5.1	3.6
米国	2.2	-3.5	6.4	3.5
ユーロ圏	1.3	-6.6	4.4	3.8
ドイツ	0.6	-4.9	3.6	3.4
フランス	1.5	-8.2	5.8	4.2
イタリア	0.3	-8.9	4.2	3.6
スペイン	2.0	-11.0	6.4	4.7
イギリス	1.4	-9.9	5.3	5.1
日本	0.3	-4.8	3.3	2.5
新興諸国	3.6	-2.2	6.7	5.0
中国	5.8	2.3	8.4	5.6
インド	4.0	-8.0	12.5	6.9
ロシア	2.0	-3.1	3.8	3.8

注　1）購買力平価での生産額による年々の変化率。
　　2）予測値。

出所：IMF, *World Economic Outlook*, IMF, April, 2021, p.9 より作成。

先進国の成長率よりも低い。とくに米国との差が著しく大きい。この差はそもそも、コロナ流行以前の段階ですでに現れていた。国別で見れば、フランス、イタリア、並びにスペインの成長率の低下が、そのような傾向をよく物語っている。かれらは、もともと低い成長率をコロナパンデミックの下で一層悪化させたのである。

ユーロ圏の成長率は、果して二〇二一年以降に持ち直すであろうか。IMFの予測によれば、かれらの成長率は一応プラスに転化するものの、二〇二一年に関してはは米国のそれより依然としてかなり低い。米国の経済成長が二〇二一年に、コロナ流行以前のレベルに達するのに対し、欧州がそのレベルに届くにはさらに一年待つ必要がある。この両者の差は何を意味するであろうか。先に見たように、米国の復興プランの規模は、欧州のそれをはるかに上回っている。もしもこのことが、そうした差に反映されているとすれば、欧州は同プランのさらなる拡大を図らねばならないであろう。

しかし、このような事態に欧州委員会は、それほど悲観的な見方を示していない。かれらは、危機脱出のシナリオを一応次のように描く[51]。それは、域内需要というよりはむしろ外国需要、とりわけバイデン大統領の巨大な復興プランによる米国の需要に期待するものである。他方でかれらは、コロナ危機が旅行業などの特定のセクターに永続的な打撃を与えることを否定しない。したがって復興のテンポは、ＥＵ内で一様ではない。また、労働市場の復活には時間がかかるため、失業率も二〇二一年以降にコロナ危機以前のレベルを上回ると予想される。さらに、企業倒産の金融市場に及ぼす影響も排除されない。

このように欧州委員会は、経済復興に関するネガティブな側面を把握するものの、ワクチン接種の拡大に応じて楽観的な展望をし始めた[52]。二〇二一年六月初めの段階で、欧州の人々の四六％がワクチンを接種した。これを受けて経済は突然に再開し始め、ＥＵの景況判断指標も一挙に上昇した。それは、工業、建設、サービス、並びに商業のすべてのセクターで改善が見られたためである。また消費の拡大も確実なものとなった。こうして欧州委員会は、ＩＭＦの予測とほぼ等しい成長率を欧州に関して示した。

ただ、ここで注意を要するのは、成長率のみで経済復興を語るのは早計であるという点であろう。実際に、二〇二〇年にマイナスの成長率を示したことから、測定する分母の値はかなり低いため、それ以降の成長率が高くなるのは驚くべきことではない。問題はむしろ、絶対的な生産レベルの上昇にある。この点で、欧州のコロナ流行以前のレベルへの復帰は依然として遠いと言わねばならない。OECDは、ドイツがそのレベルに達するには二〇二一年からさらに六ヵ月後、イタリアとオランダは二〇二二年、フランスは二〇二二年からさらに六ヵ月後、そしてスペインは二〇二三年になると予測する。米国がそうしたレベルに二〇二一年に達する点を踏まえると、欧州との差の大きさがよくわかる。さらに、欧州の労働市場の復活は一層遠のく。それは二〇二三年と予想される。

一方、もう一つの懸念材料がある。それは市場利子率の変化である。欧州はコロナ流行以来、欧州中央銀行（ECB）の量的緩和策をとおして大々的な金融支援を行ってきた[53]。ECBは二〇二〇年三月以来、二兆五〇〇〇億ユーロもの介入（証券購入）を行い、そのうちの一兆八五〇〇億ユーロが、コロナパンデミックの緊急プランによるものであった。そして、かれらの介入は二〇二二年三月まで続けられる。ラガルド総裁は二〇二一年一月に、十分な貨幣の量的刺激を基本的に続行することを表明したのである。確かにコロナ危機以降、世界は資金コストゼロの時代を迎えた。ECBはそれゆえ、借り手に有利な融資条件を維持することができた。

しかし、この異常な超低金利が今後も続く保証はない。実際に、金利は少しずつ上昇する傾向を示している[54]。欧州の国家は、これまでのようなマイナス利子で代表される超低金利で借入れることができないかもしれない。投資家は、ポストコロナでリスクが膨らむことを恐れて債券を売り始めた。かれらは、各国の公的債務が非常に増大するのを不安視したのである。それればかりでない。米国の復興が早まるにつれて、反インフレーションの観点から同国の利子率の引上げが当然予想される。公的債務は巨額なだけに、利子率のわずかな引上げも、その返済に多大な影響を与えることは間違いない。それはまた、債券の売却につながるという悪循環が生まれることも確かである。ECBは、一体いつまで量的緩和を行うことができるか。この点が問われるのは疑いない。もしもそれができないのであれば、欧州は量的緩和以外の支援方法を新たに見出す必要がある。それはやはり、欧州の財政拡大以外にない。同時にそれを可能とする方法を探らなければならない。

五．欧州建設の課題

以上に見たように、ポストコロナに向けた欧州の復興には様々な課題が待ち受けている。では、欧州がそうした課題を克服し、真に復興を果たすためにはどうすればよいか。最後に、この点についてやや理論的な側面から検討することにしたい。

結論を先取りする形になるが、そのためには端的に言って欧州のパラダイムの転換を図る必要がある。それは、これまでの原則を根本から見直すことを意味する。ここで取り上げる原則の一つは財政規律であり、もう一つは資本の自由化である。

最初に、財政規律の原則について考えてみよう。欧州ではコロナ危機に対し、全体としての復興プランとして各加盟国が独自のプランを策定した。それは当然に大きな財政支出を伴うことから、欧州の伝統的な基本原則である財政規律の厳格な適用を一旦停止したことはすでに見たとおりである。それゆえ、欧州のそうした措置が共同債の発行と同じく画期的である点もくり返し強調する必要はないであろう。

しかしここで問題とされるべきは、債務の相互化を伴う共同債の場合と同じように、この財政規律が真に抜本的に改正されるか、あるいは撤廃されるかという点である。この点は先にも論じたが、再度取り上げて検討することにしたい。筆者は先に、財政赤字と公的債務の対GDP比を各々三％と六〇％に定める財政規律には根本的な問題があることを指摘した[55]。財政赤字の三％には何の根拠もないし、公的債務の六〇％は、財政赤字と経済成長率に基づく等式（財政赤字／経済成長率、いずれも対GDP比）にあてはめた計算値にすぎない。しかもその際の成長率は五％と想定された。この値が今日通用しないことは明らかである。それにもかかわらず、この財政規律原則はこれまで一度も修正されることがなかった。同原則が、ドイツ保守派の強硬な財政均衡論に支えられてきたことも確かであった。

そこで、今回の財政規律の一旦停止を契機として、その根本的な見直しが図られるかと言えば、それは決して定かでない。否、むしろその存続の可能性すらある。財政規律を保守する姿勢は、とくにドイツでつねに示されている。そこではすでに、二〇二二年に向けて財政均衡に復帰することが議論されているのである。それでもって欧州は、真の経済・社会復興を達成することができるであろうか。

先に見たように、欧州の復興は決して一様に果されるのではない。コロナ危機で最も打撃を受けたセクターの復興は容易でない。この点は一国内でも、また欧州全体でもあてはまる。欧州の復興が、不平等を表すK字型のものになると予想されるのはそのためである。一方、それとの関連で雇用調整が長びくことから、労働市場の復活は一層の時間を要する。それゆえ、そうした脆弱なセクターへの企業支援や失業保険などによる大きくて継続的な財政支出が強く求められる。問題なのは、財政支出の拡大では全くない。それを可能とする財源の一層の確保こそが真剣に考えられねばならない。このことはまた、法人税と所得税をめぐる租税の改革という問題を提起する。財政規律の根本的見直しは同時に、租税システムの変革を迫っているのである。欧州は、この問題に早急に対処する必要がある。

この点は後に再び論じることにしたい（第八章と終章）。

次に、資本の自由化原則についてはどうであろうか。欧州建設は周知のように、財、サービス、資本、並びに人の自由な移動（「四つの自由」）を大前提として進められてきた。ここでとくに注視するべきものは資本の自由化原則である。それは、この原則の下に促進された企業の活動が、コロナ危機を一層深めることになったからに他ならない。

一九八〇年代からグローバリゼーションの名の下に、資本の自由化が世界的規模で展開されてきたことは周知の事実である。そこで忘れてならないのは、T・ピケティ（Piketty）が正しく指摘したように、実はそれをリードしたのが欧州であったという点であろう[56]。しかもそれは、欧州建設の立役者である社会‐民主主義的な政党によって推進された。この点は、一九八〇年代半ばのフランス社会党政権下ではっきりと示された[57]。かれらは、経済政策の舵取りを自由化に向けて大きく転換させたと共に、ドイツの要求する資本の完全な自由化を欧州中央銀行の設立と引換えに受け入れたのである。そしてこの自由化がOECDとIMFの方針に組み入れられ、それは新たな国際的標準となった。

ところが、そうした資本の自由化が仇となってコロナ危機が欧州で深まった。この点が例えば、医療用資財の海外生産への依存に鮮明に映し出されていたことはすでに見たとおりである。今回、欧州の復興を図る上で再検討されたことは、医療セクターのみならず、すべてのセクターにおける基本的に必要な財を本国で生産することである。欧州の外国直接投資に基づいた商品のグローバルなサプライチェーンがいかに脆いものか。コロナ危機はそれを明確にした。

そうだとすれば、基本的な財の海外生産から本国生産に転換させるにはどうすればよいか。この点が問われるに違いない。それは、テクニカルな手段のみで進められるであろうか。低コスト主義に固執する企業が、簡単にそのような転換を図れるとは考えられない。その際に必要とされることは結局、欧州建設を支える原理の変更ではないか。資本の自由化が、競争原理に基づくことは疑いない。少しでもコストを下げて競争力をアップすることが、外国直接投資の一大要因になるからである。そしてこのことが、欧州の集団的な繁栄をもたらすとみなされてきた。コロナ危機は、この考えを根底から覆した。欧州建設はもはや、自由主義的な競争原理だけで促進されることはない。資本の自由化原則もその意味で、根本から見直される必要を迫られているのである。

以上、我々は欧州の復興プランについて、その意義と問題点を様々な視点から検討してきた。それらを振り返って確実に主張できることは、そうしたプランが今度こそ真に欧州市民の側に立った、下からの欧州統合を進めるための、言い換えれば欧州の民主主義の赤字を埋めるための出発点とならなければならないという点である。この点は、今回のコロナ危機で否というほど見せつけられたのではないか。人々の生命を健康危機から守ること、しかもそれを集団の力で遂行することがいかに大切なことか。コロナパンデミックはまさにこのことを、我々に極めて貴重な教訓として示してくれたはずである。では、そうした健康の安全保障を欧州全体としてどのように確立すべきか。実は、この一番大事な問題が欧州復興プランで抜け落ちていると言わねばならない。そこで最後に、この点を論じることにしたい。

フランス経済景気研究所は、二〇二一年の欧州経済をめぐる諸問題を提示する中で、欧州の将来に向けた保健システムのあり方について議論を展開している(58)。以下では、そこでの議論を追いながら、欧州はコロナ危機で打ち砕かれた保健システムをいかに立て直すべきかを検討することにしたい。

第一章ですでに見たように、欧州の保健システムはコロナ流行以前から決して十全なものではなかった。コロナパンデミックはそれゆえ、くり返し主張することになるが、健康危機管理におけるEUの脆弱性を露呈した。こうした事態に欧州は、フランスとドイツのイニシアティブの下で二〇二〇年五月に「保健の戦略」を打ち出した。それを受けて欧州委員会は、同年の五月二七日に「EU４ヘルス（Health）」という新しいプログラムを「次世代のEU」プロジェクトの一環として示した[59]。このプログラムは、感染危機の阻止、薬品や基本的な医療用資財の備蓄と購入、かつまた加盟国の医療関係者向け職業教育に対する融資などを強化するものである。しかし、同プログラムの資金規模は十分に大きいものではなかった。それにもかかわらず、このプログラムは復興プランが成立する二〇二〇年七月の段階で合意に達せず、同年の一一月一〇日にやっと合意にこぎつける。ところが、同プログラムへの融資額は二〇二一～二〇二七年に、当初の九四億ユーロから五一億ユーロへと大幅に削減されたのである。それは、欧州委員会が当初承認した七〇〇億ユーロの実に十分の一以下であり、両者の間に著しい差が見られた。どうしてこのようなことが起こったのか。そこには、欧州全体の保健に対する基本認識の問題がある。

保健問題はこれまで、EUが専一的に取り扱う領域では全くなかった。それはまず、国民的権利の発揮されるものとみなされたからである。したがって同問題は、欧州統合の中心テーマになるはずがない。第一章で論じたように、イタリアにおけるコロナ流行に対してEUが当初関心を寄せなかったのはそのためである。また、確かに欧州統合が開始されて以来、これほど深刻な健康危機がただの一度も生じなかったことも、EUが保健問題を度外視した一因であったことは否定できない。

しかし、少し考えて見ればすぐにわかるように、保健問題は当然に人間の尊厳と平等に直接係る。それは同時に、社会福祉と社会的保護の問題につうじる。それゆえ欧州が社会モデルの実現を目指すからには、保健に関する公共政策を全体として打ち出さなければならない。実際にコロナパンデミックを阻止する上で、欧州の集団的行動が必要とされた[60]。そこでは、情報の提供や医療用資財供給における連帯が求められたのである。他方で、コロナ流行が与えた健康上のショックは、加盟国間の経済的・社会的な非対称性を生み出した。欧州における生活水準の不平等は、そうしたショックの決定的要因であった。そうであれば、健康と結びついた不平等との闘いこそが、社会的不平等を減少させるための政策的戦略の鍵となる。欧州は今こそ、そのための戦略を打ち出すべきである。例えば、欧州が人の自由移動を原則として掲げるのであれば、健康の危機管理の改善に向けた質の高い人材の自由移動が図られてよい。

他方で、薬品を含めた保健のための製品供給をいかに保障するかという問題がある。そうした供給が欧州以外の国とりわけ中国に専ら依存する現象は、フランスを事例に第五章で見たとおりである。欧州委員会のフォン・デア・ライエン委員長はこの事態に、「欧州の装備（Barda européen）」という考えを二〇二〇年九月に発表した[61]。これは、医療用資財の供給を保障する管理プランであり、供給に関する情報の警告システムと在庫の不足に対する制裁システムを含んでいる。欧州レベルでそれらの在庫を整理することは、健康リスクを相互化する上で優位に立つことは疑いない。それはまた、医療用資財に対する需要が必ずしも対称的でないことに応じるものである。そして、この「欧州の装備」を実現させるためには、先に指摘したように、それらの資財の生産拠点を欧州内に留めなければならない。それゆえ欧州は、資本の自由化原則を打ち破ってもそれを実行する必要がある。

一方、欧州委員会は「保健同盟」のプロジェクトも提示した[62]。それは、ＥＵと各加盟国が将来の健康危機に立ち向かうためである。ＥＵはこれにより、「健康緊急対応機関（Health Emergency

Response Authority, HERA）と称される新たな機関を設けた。しかし、それは二つの大きな問題に直面する。第一に、公共の保健問題を欧州全体でコーディネートすることは容易でない。第二に、同機関に対する適切な融資の問題がある。同機関は、紛れもなく一つの欧州連邦機関である。したがって同機関にどのていどの予算を付けるかが重要課題になる。

ＥＵにはすでに、欧州薬品機関と欧州疾病コントロールセンターが存在する。これらの主たる機能は、パンデミックの監視や医療用資財の準備、さらには職業教育までの広範囲に及ぶ。ワクチンのプログラムもこれに入る。ところが、両機関の全体の予算は四億ユーロほどであり、それはＥＵ二七ヵ国のＧＤＰのたった〇・〇〇三％にすぎない。そこで欧州委員会はこの点を考慮して、ＥＵ４ヘルス・プログラムに七年間で九四億ユーロの予算を提案した。それでもなお、この予算額は少ないと言わねばならない。ところが、同プログラムの予算は結局一七億ユーロに大幅に減額されてしまった。それはまた、ＥＵの財政キャパシティの限界をよく物語っている。保健システムの強化と公衆衛生の保護の点で、同プログラムの重要性は明らかである。それなのにＥＵは、そこに適切な融資を行おうとしなかった。ＥＵ４ヘルス・プログラムは、オランダを中心とする緊縮国家との交渉の犠牲と化したのである。その予算は、二〇二〇年一一月に五一億ユーロまで引き上げられたものの、当初のものよりもはるかに少ないままにある。これでもって、欧州の保健システムは果して強化されるであろうか。かれらは、今回のコロナ危機を真に教訓として受け止めているであろうか。甚だ疑わしいと言わざるをえない。

このようにして見ると、欧州はエコロジーとデジタル技術を重視したのとは正反対に、一番肝心な保健システムを軽視した。復興プランは冒頭で述べたように、経済やビジネスの面に限られては決してならない。それは社会と人間の側面を含み込む必要がある。そもそも人間の健康の復興なくして、経済活動を復活させることが不可能なことは火を見るより明らかではないか。欧州委員会が、コロナ危機を教訓として保健システムを改善するための連邦機関の設立を折角企てたにもかかわらず、それに対する資金供給は極めて不十分であった。一体、この難局を打開するにはどうすればよいか。この問題に応えるためには、従来とは異なる方法によって財源を確保する以外にない。コロナ税とも呼ぶべき欧州連邦税の設定もその一案である。欧州は市民による市民のための統合を進めるためにも、保健システムの連邦化をいち早く実現し、それでもってかれらの健康と日常生活を万全な形で保護する必要がある。コロナ危機はまさしく、そのことに向かう絶好の機会を与えたのではないか。財政連邦制と保健連邦制の両輪によって、欧州の真の連邦制に向けた進展が図られる。そう思わざるをえない。

注

（1）拙著『フランスとEUの金融ガヴァナンス』ミネルヴァ書房、二〇一二年、二六〇、二七四ページ。
（2）拙著『欧州財政統合論』ミネルヴァ書房、二〇一四年、二五二ページ。
（3）拙著『「社会分裂」に向かうフランス』明石書店、二〇一八年、二六五ページ。
（4）Van Renterghem.H., "Le match Macron-Merkel", *L'Express*, 7, mai, 2020, p.43.
（5）Malingre, V., et Wieder, T., "Paris et Berlin unis pour la relance européenne", *Le Monde*, 20, mai, 2020.
（6）ハミルトン・モーメントについて詳しくは児玉昌己『現代欧州統合論』成文堂、二〇二一年、第一〇章を参照。
（7）Chastand, J.-B., "Un plan de 750 milliards d'euros pour l'UE", *Le Monde*, 29, mai, 2020.
（8）Chastand, J.-B., Hivert, A.-F., Malingre, V.,et Stroobants, J.-P., "Les états d'âme des pays lâchés par Berlin", *Le Monde*,

22, mai, 2020.

（9）Chastand, J.-B., *op.cit.*

（10）Malingre, V., "《Plus tôt le plan de relance sera disponible, mieux ce sera》", entretien avec B. Le Maire, *Le Monde*, 1-2, juin, 2020.

（11）Malingre, V., et Stroobants, J.-P., "L'Europe arrache un plan de 750 milliards", *Le Monde*, 23, juillet, 2020.

（12）*ibid.*

（13）Boutelet, C., "《L'idée d'une politique budgétaire européenne plus forte s'est imposée》", entretien avec Gabriel Felbermayr, *Le Monde*, 8, septembre, 2020.

（14）Malingre, V., "Les《recommandations》très politiques de Bruxelles", *Le Monde*, 19, septembre,2020.

（15）Antonin, C., Blot, C., Dauvin,M., Plane, M., Rifflart, C., et Sampognaro, R., "Les plans d'urgence et de relance dans les quatre plus grands pays de la zone euro, au Royaume-Uni et aux États-Unis", in OFCE, *L'économie européenne 2021*, La Découverte, 2021, pp.59-60.

（16）*ibid.*, p.62.

（17）*ibid.*, p.63

（18）*ibid.*, p.60.

（19）サッチャーの問題提起については前掲拙著『欧州財政統合論』二一二ページを参照。

（20）この点について詳しくは、前掲拙著『欧州財政統合論』一六〇～一六九ページを参照。

（21）Dévoluy, M., " Pour un fédéralisme économique et social", in Dévoluy, M., et Koenig, G., dir., *L'Europe économique et sociale*, Press universitaires de Strasbourg, 2011, pp.277-278.

（22）Barbier-Gauchard, A., *Intégration budgétaire européenne*, De boeck, 2008, pp.28-29. バルビエ・ゴシャールの議論に

ついて詳しくは前掲拙著『欧州財政統合論』、一六四～一六九ページを参照。

（23）Dévoluy, M., *op.cit.*, pp.283-288.

（24）Ragot, X., "Coordination budgétaire: de nouvelles règles ou un changement d'institution?", in OFCE, *op.cit.*, p.76.

（25）DAP/Blot, C., "Prévoir la croissance par temps d'épidémie", in OFCE, *op.cit.*, p.16.

（26）Malingre, V., "《L'Europe a besoin de plus que le plan de relance》", entretien avec Paolo Gentiloni, *Le Monde*, 4, juin, 2021.

（27）Malingre, V., et Stroobants, J.-P., *op.cit.*

（28）Malingre, V., "《L'Europe a besoin de plus que le plan de relance》", entretien avec Paolo Gentiloni, *Le Monde*, 4, juin, 2021.

（29）Wieder, T., "L'avenir incertain du《frein à la dette》", *Le Monde*, 8, septembre, 2020.

（30）Malingre, V., "Les《recommandations》très politiques de Bruxelles", *Le Monde*, 19, septembre, 2020.

（31）Laurent, É., "Le Green Deal européen:juste une stratégie de croissance ou une vraie transition juste !", in OFCE, *op.cit.*, p.96.

（32）*ibid.*, pp.101-102.

（33）Dévoluy, M., *op.cit.*, pp.283-288.

（34）Malingre, V.,"Les《recommandations》très politiques de Bruxelles", *Le Monde*, 19, septembre, 2020.
do., "Derière ligne droite pour le plan de relance européen", *Le Monde*, 29, avril, 2021.
Vallet, C., "Bruxelles prêt à s'endetter pour financer le plan de relance de 806 milliards d'euros", *Le Monde*, 29, avril, 2021.

（35）Tonnelier, A., "Paris vante son action pour premier versement en septembre", *Le Monde*, 29, avril, 2021.

(36) Charrel, M., "Réformes européennes: les leçons de 2008", *Le Monde*, 26-27, juillet, 2020.

(37) この点について詳しくは拙著『ギリシャ危機と揺らぐ欧州民主主義』明石書店、二〇一七年、第五章参照。

(38) Malingre, V., "Plan de relance: une étape cruciale a été franchie", *Le Monde*, 13, novembre, 2020.

(39) 拙著『「黄色いベスト」運動と底辺からの社会運動』明石書店、二〇一九年、第一章参照。

(40) Albert, É., Bonnel, O., Boutelet, C., Hivert, A.-F., et Piquer, I., "Comment l'Europe tente de sauver son économie", *Le Monde*, 1, septembre, 2020.

(41) Albert, É., et Charrel, M., , "《Le chemin de reprise sera long en zone euro》", entretien avec Philip Lane, *Le Monde*, 11, mai, 2021.

(42) Vallet, C., *op.cit.*

(43) Albert, É., "A travers l'Europe, la reprise économique ralentit", *Le Monde*, 27, août, 2020.

(44) Malingre, V., "En Europe, l'espoir d'une reprise s'éloigne", *Le Monde*, 6, novembre, 2020.

(45) Charrel, M., "Pourquoi la pandémie va durablement peser sur l'économie", *Le Monde*, 10, novembre, 2020.

(46) Boutelet,C.,Charrel, C., Hivert, A.-F., Morel, S., et Rafenberg, M., "L'Europe face à la délicate sortie du chômage partiel", *Le Monde*, 17, septembre, 2020.

(47) Antonin, C., Rifflart, C., et Verdugo, G., "Le marché du travail malade de la Covid-19 ", in OFCE, *op.cit.*, pp.28-29.

(48) Albert, É., Boutelet, C., Leclerc, A., Madeline, B., Morel S., et Vermeylen, M., "Europe : négocier la sorte du chômage partiel", *Le Monde*, 16, juillet,2021.

(49) Charrel, M., "Guerre commerciale: l'Europe s'arme enfin", *Le Monde*, 14, décembre, 2020.

(50) Albert, É., et Charrel, M., "Quarante ans d'un lent déclin européen", *Le Monde*, décembre, 2020.

(51) Malingre, V., "La sortie de crise se dessine pour l'Europe", *Le Monde*, 13-14, mai, 2021.

(52) Albert, É., "En Europe, un fort rebond économique", *Le Monde*, 1, juin, 2021.
(53) Albert, É., "La BCE s'engage à maintenir un《ample stimulus monétaire》", *Le Monde*, 23,j anvier, 2021.
(54) Albert, É., "L'Europe sort de l'ere des taux négatifs", *Le Monde*, 30-31, mai, 2021.
(55) 前掲拙著『欧州財政統合論』二五～二七ページ。
(56) Piketty, T., *Capitl et idéologie*, Seul, 2018, pp.643-645. この点について詳しくは拙稿「不平等体制と累進税―トマ・ピケティ『資本とイデオロギー』をめぐって」西南学院大学、経済学論集、二〇二一年三月、五一～五二ページを参照。
(57) 拙著『欧州通貨統合下のフランス金融危機』ミネルヴァ書房、二〇二〇年、第五章参照。
(58) Creel, J., Saracento, F., et Wittwer, J., "Pour une agence de santé européenne unique", in OFCE, *op, cit*.
(59) *ibid*., pp.105-106.
(60) *ibid*., pp.108-109.
(61) *ibid*., p.114.
(62) *ibid*., pp.118-119.

第八章　フランスの復興プランと債務問題

コロナパンデミックにより経済的・社会的被害を受けた国はどこでも、くり返しになるが二つの重い課題を背負わされた。一つは言うまでもなくコロナ感染の阻止であり、もう一つは、大きな負のインパクトを受けた経済と社会を立て直すことである。欧州の復興プランを主導したフランス自身も、もちろんそれらの課題を免れることはできなかった。否、むしろフランスこそが真っ先にそうした課題に取り組む必要に迫られたと言ってよい。それは、フランスが欧州の中で最も厳しい感染防止策をとっただけに、その経済・社会に与えた影響がことさら大きかったからに他ならない。本章で、フランスの復興プランを検討の対象とする第一の理由はこの点にある。

一方、ここでフランスにとくに注目するのは別の理由にもよる。ポストコロナの世界で残された重要課題は債務問題である。それは欧州全体と同時に、各国自体にも振りかかる。この問題をいかに解消するかは、その後の世界を大きく変えることにつながると言っても過言ではない。こうした中で、フランスにおいて一つの解決の道を示す動きが、国民の間ではっきりと示された。それは、所得と富の再分配によるものであった。この方法は今日、後に詳しく見るように（終章）、世界全体で提唱されているのである。フランスの復興問題を検討するもう一つの理由はここにある。以下では、フランスの復興プランの経緯とその問題点を摘出しながら、これらの問題を論じることにしたい。

一．復興プランの基本方針

フランス政府は二〇二〇年四月早々に、経済・財務相、フランス経済景気研究所（ＯＦＣＥ）と国立統計経済研究所（ＩＮＳＥＥ）の研究者、大学教授、並びに金融機関の関係者を集結させ、フランス経済を揺るがしている危機を脱出するために討議した。[1]同経済が二〇二〇年に第二次世界大戦以来最悪のリセッションに見舞われることは疑いなく、復興プランの必要を早急に迫られたからである。

マクロ経済レベルでの著しい特徴はすでに見たように（第三章）、外出制限による消費の大きな減少であった。したがって、消費をいかに取り戻すかが当初からの重要課題となった。付加価値税のような間接税を一律に引き上げれば、消費をさらに抑制するのは間違いない。他方で、コレージュ・ド・フランスのアギオン教授やＯＦＣＥのラゴ総裁が強調するように、最も脆弱な世帯を支援してかれらの消費を促すことが絶対的に必要とされる。ル・メール経済・財務相はそこで二つの基本方針を提示した。一つは企業の投資の促進であり、もう一つは租税の引上げの拒否である。これは、企業支援を重視する供給政策を示す。ところが、ここで一つの厄介な問題が生じる。それは財政赤字の問題である。企業支援による財政支出が拡大する一方、税収の増大は図れないからである。それゆえ財政の再均衡をいかに達成するかが議論の対象とされた。このようにフランスの復興プランは当初より、財政赤字の問題と密接に結びついていたのである。

ル・メール経済・財務相はすでに見たように（第二章）、二〇二〇年四月半ばに企業を支える緊急支援プランを打ち出した。[2] それは、当初の支援額を倍増するものであった。そこには、一時的失業への給付金、非常に小さな企業に対する連帯ファンド、さらには生活保護を受けているような脆弱な人々に対する補償金が含まれる。一方、エールフランスのような大企業を救済する資金も用意された。ル・メールは、国家支援が必要な企業をリストアップし、かれらへの貸付や自己資本の引上げ、かつまた国有化さえも視野に入れる。その他、国家保証付き貸付や経済的・社会的開発ファンドの増大が考えられる。他方で政府収入は、企業に対する課税の減免、付加価値税、所得税、並びに炭素税などの減少によって大きく低下する。そこで問われるのは、一体誰がそうした莫大な支援金を払うのかという点であろう。ル・メールはここで、その支払いはすべてのフランス人と企業に求められると唱える。要するに財政赤字は、皆で解消されねばならないとみなされた。これが、フランス政府の基本認識であったことに我々はまず留意する必要がある。

ル・メールは同時に、フランスの復興を図る際のプライオリティを設定する。[3] それらは第一に、エネルギー転換によるフランス経済の脱炭素化、第二に、フランスにおける生産の本国回帰を推進するための租税政策、そして第三に、不平等に対する闘いである。しかし、これらはいずれも問題点を含んでいる。第一のプライオリティでは、企業支援との関連が問われる。そこには、環境保護が担保されていないからである。また第二のプライオリティについては、グローバリゼーションの問題がある。ル・メールはそれを否定しない。そうだとすれば、グローバリゼーションの一つの要である外国直接投資（生産拠点の海外移転）と生産の本国回帰の調整が困難なことは目に見えている。さらに第三のプライオリティに関し、ル・メールは賃金の引上げを提唱する。しかしこれは、雇用と同じく企業が決定するものであって政府が強制できるものではない。政府は租税の引上げを否定するため、そこには所得の再分配という発想は一切ない。

以上我々は、フランスが二〇二〇年三月半ばから外出制限を始めてから一ヵ月ほどの間に示された復興プランの概要を見た。それは巨額の支援を伴うものであった。そこで問われるのは、そのための財源である。政府が租税を引き上げないことを前提にする一方、財政支出の拡大が必然的に生じる以上、その一部を何らかの形で外部資金に頼ることが考えられた。前章で論じたように、マクロンがメルケルと協調してEUに対し、補助金を含めた復興プランを要求したのもそのためであった。

このようにフランスは、ドイツと共に欧州復興プランの成立を迫ると同時に、独自のプランを具体的に提示した。マクロン政権の経済プログラムを作成した政府直属のシンクタンクである経済分析審議会は二〇二〇年七月一〇日に、外出制限の最初の総括としてコロナ危機に対する経済戦略を発表する[4]。まず復興プランのねらいは次のような悪循環、すなわち、失業の高まりや世帯と企業の政府に対する信頼の低下が現行経済を問題にし、それが雇用の新たなショックを引き起こすという悪循環を断ち切ることにある。かれらはそこで、二つの基本方針を示した。一つは、供給政策と需要政策を同時に行うことである。供給サイドでは、企業の倒産を防ぐために資金援助する一方、企業に対する課税と社会的負担金を減免する。これによって企業に雇用の促進を求める。需要サイドでは、低所得で不安な世帯を支援する。それは、不安な労働者に対する手当てや学生に対する手当てなどの社会的資金移転をつうじて行われる。また、低所得の世帯の購買力を高めるための支出も図られる。もう一つは、短期の対策と長期の対策を並行して行うことである。短期の政策が企業や世帯に向けられる一方、長期の対策は、投資による新たな経済の方向付けとして表される。後者は、エコロジカルな社会への転換、高等教育や研究、並びに保健などへの投資となって現れる。

このようにして見ると、以上の復興プランはマクロン政権の当初からの政策と完全に符号する。そこでは、つねに二つの相対立する要素が含まれる。同プランに関して言えば、供給と需要、並びに短期と長期というような、相反する政策が同時に行われる。問題とされるべきは、そうした同時性の成立が可能かどうかという点であろう。

マクロン大統領は経済分析審議会の提言を受け、二〇二〇年七月半ばのTV演説で、復興のための「新しい道」を提示した[5]。それは、同年三月初めに表明した「どんなにお金がかかっても」行うという考えの下で、ル・メール経済・財務相の示した巨大な支援を改めて強調するものであった。そして彼は、この対策が欧州復興プランの枠組で融資されることも合わせて表明した。フランスの復興プランはこうして、欧州の復興プランと同時並行の形で立案されたのである。この点を忘れてはならない。

マクロンは、この新しい道に二つの軸を据える。一つの軸は雇用である。中でも若者の雇用に関して、職業教育以外に新しいメカニズムが用意された。それは、企業に対して若者の雇用に必要な社会的負担金を免除することであった。また、社会的編入や市民サービスの創出も図られた。もう一つの軸はエコロジーである。マクロンはル・メールと同じく、経済と環境の一致を訴える。彼はこのようにして、復興プランの中に新しい道をつくる。しかし、彼の針路は変えるつもりがないことも明らかにされた。この点は銘記されねばならない。例えばマクロンは、増税や連帯富裕税の再建を完全に否定する[6]。彼は、租税の引上げで危機は解決されないと判断した。また、この段階では改革主義も依然として主張された。そこには、非常に強く反対された年金改革も含まれる。

マクロンはこうして、針路の根本的変更はないことを国民に告げた。それはまた、彼が富裕層に有利な政策を保つことを意味した。この点は、租税政策に明白に現れた。全体の二〇％に相当する最も富裕な世帯に対する住民税は、一応維持されたものの、二〇二一〜二〇二三年にそれの三分の一の免除が予定される。これは、マクロンの租税の前での平等という考えに基づく。他方で彼は、公正の道を探る姿勢も示した。それは、これまで彼が軽視あるいは無視してきた社会的パートナーとの対話の促進である。このようにマクロンは、針路を変えずに道を変えることを示した。果して、これでもって国民とりわけ低所得者の庶民は満足するであろうか。かれらは、金持ちの大統領というレッテルをマクロンから外せるであろうか。甚だ疑わしいと言わざるをえない。

もう一つ注視すべき点は、マクロンの復興プランに対する基本方針の中に、欧州復興プランのアイデアが盛り込まれているという点である。前章で見たように、フランスはイタリアとスペインに次いで欧州復興プランから多大な恩恵をえる。かれらは四〇〇億ユーロ、すなわちフランス自身の復興プランの四〇％を欧州からの補助金として獲得したのである。マクロンはそれゆえ、この融資は我々の借入れでもないし、我々の課税によるものでもなく、さらには我々の納税で返済されるものでもないと語る(7)。彼はフランス人に対し、フランスの負担を軽くすると共に欧州が保護者である点を示すことで、欧州に対する貢献を自賛した。しかしマクロンは、そうした補助金には構造改革を含めたコンディショナリティが設けられていることを国民にきちんと伝えていない。もしもそのことが表面に現れたとき、一大社会問題が生じるのは間違いない。この点は後に再び論じることにしたい。

二．復興プランの展開

以上のような復興プランの基本方針の下に、フランス政府は二〇二〇年八月末より、その具体的内容を国民に提示する。[8] フィリップに代わって新首相に就任したカステックスは、マクロンの方針を忠実に実現させるように試みる。それは、これまでと同じく供給政策を最重視するものであった。彼は、世帯の所得はコロナ危機の中で、企業のそれよりもよく保たれているという認識の下に、第一のプライオリティは、企業の生産的投資に対して多額の資金を供給することにある旨を示す。それはまた、フランス企業運動のルー・ド・ベジュー総裁が、「企業の再生」というメッセージの中で、投資に有利な政策を維持するのが不可決だとする見解を表明したことに相つうじるものである。

他方でカステックス首相は、マクロンが強調した雇用維持の政策を唱える。それは例えば、一時的失業の延長となって現れた。同時に、現行の失業手当てに影響を与える失業保険改革も停止された。しかし、それは廃止されたのではない。彼は、それを良い改革とみなすからである。我々は、この点に留意する必要がある。彼はまた、とりわけ若者の職業教育と雇用の促進を図る。ただし、これは企業に対してオブリゲーションになることではない。カステックスは、雇用者がそうした行動をとるのを信じるに留める。これでもって、若者の雇用が真に増大するかは極めて疑わしい。

マクロンの主導の下に、新政府により考案された復興プランは「フランスの復興（France Relance）」と命名された。[9] この目的は、たんにコロナ危機の結果に対応するのではなく、いかにしてフランスがより強く再生するかを示すことにある。それは、三つの大きなテーマ、すなわちエコロジー、競争力、並びに連帯というテーマを掲げる。この最後のテーマについては、所得の低い人々や小さな企業への配慮、並びに市民サービスの増加が謳われた。マクロンはここで、これらのテーマについてすでに当初から取り組んできたことを強調する。しかし、そうであればどうして黄色いベスト運動のような一大社会運動が引き起こされたのか。彼は、そうした社会危機から真に教訓をえたであろうか。そうとは思えない。マクロンは復興プランと並行して、失業保険改革と年金改革の実施を再び唱えたからである。とくに後者は、公正の観点から絶対に必要な改革であることを彼は訴える。

フランスの復興と称されたプランは、供給政策に基づく企業支援と諸々の社会改革の実行というマクロンの針路に沿うものであった。それは主として、イノベーションセクターとエコロジカルな社会への移行のための投資から成る[10]。一〇〇〇億ユーロのプランのうち、企業の競争力向上に三四〇億ユーロ、エコロジカルな社会への移行に三〇〇億ユーロ、そして残りの三六〇億ユーロが社会と地域の連合に割り当てられた。とくにエコロジカルな社会への移行に復興プランの三〇％が支出されることは、フランスが経済のグリーン化（verdissement de l'économie）を目指すことを示している。これはまた、二〇二〇年七月に合意をえた欧州復興プランにおけるコンディショナリティの基準にしたがうと共に、二〇一五年一二月の気候に関するパリ協定の目的と一致するものである。ル・メール経済・財務相が、フランスの復興を緑の復興プランと称したのは、この点をよく物語っている。では、フランスのエコロジストがこのプランで満足したかと言えばそうではない。かれらは、三〇〇億ユーロの支出は決して十分でないとみなしたからである。

ところで、フランスの復興というプランの最大の特徴は、それが長期性の投資に偏っている点にある。そこでは、短期の復興プランが積極的な形で提起されていない。ケインジアン的なマクロ経済政策である需要の引上げは、マクロンの政治経済的メッセージと合致しないからである。したがって、最も所得の低い世帯に対する金融支援は問題とされない。需要を支えるプランはより簡単であり、それは社会的手当ての増大か付加価値税のような消費税を減少させることで示される。しかしこの対策は、二一世紀の挑戦に対してフランスが準備するものでもないし、また生産手段を強化するものでもない。需要は雇用にこそある。フランス政府はこう判断した。果して、このような考えで一般の人々、とりわけ最も貧困な人々は生活困難な状態から脱け出せるであろうか。くり返しになるが、雇用はカステックス首相が表明したように、企業に対するオブリゲーションでは決してない。そうだとすれば、かれらの復興プランは結局、雇用を重視していないと言わねばならない[11]。人々の消費需要を高めるには、かれらに対する直接的な金融支援、消費税の低減、並びに租税の変更による所得と富の再分配しかないのである。

フランスの復興という名のプランは、このようにして見ると将来を見据えたものでしかない。実際に同プランが示されてから一年近く経ってマクロンは、それが「二〇三〇年のフランス」を目標に置いたものであることを語る[12]。したがって同プランは、緊急時に対応するものでは全くない。それは、企業に対する支援を軸とした長期戦略を示すにすぎない。

実は、経済危機からの脱出をめぐり、長期戦略対短期戦略という議論は古くから存在する[13]。それは、ケインジアンとリベラリストの間の論争として現れた。ケインジアンが、長期では皆死んでしまうから直ちに消費者を支援すべきと主張したのに対し、リベラリストは、企業に対する支援で投資と雇用を促すのがより効果的であるとみなす。欧州の復興プランもフランスのそれも、後者を重視する立場にあることは言うまでもない。とくにリベラリストの考えは、オーストリアのエコノミストによって強く支持されている。欧州のプランにかれらのアイデアが反映されていることは否定できない。

マクロン政権が需要政策を念頭に入れない以上、その復興プランが企業寄りの供給政策を示すことは明らかである。実際に、同プランを支える一つの柱は企業の競争力の回復に置かれた。そのための主たる対策は製品に対する課税の低減である一方、長期貸付保証をつうじた自己資本の強化も謳われる。さらに、工業プロジェクト投資への補助金、生産の本国回帰、並びに中小企業と零細企業のデジタル化などに対する支援が示された。他方で、社会的かつ地域的な連合への道が開かれたものの、それは基本的に雇用対策であった。一時的失業の長期化、職業教育、並びに若者雇用プランなどにその点がはっきりと表される。その他、社会的住宅の建設、小規模商業、及び地方自治体などへの支援も行われる。

このような一連の金融支援に関してとりわけ注視すべき点は、生活不安を抱える人々に対する支援があまりに少ないという点である。それは、たった八億ユーロでしかない。フランス政府はこの点に関して、復興プランはつかの間の感情によるものではなく、将来の成長を促すセクターへの投資でなければならないと説明する。それは、コロナ危機で喪失した成長機会を取り戻すためであり、それゆえ供給政策に基づく成長第一主義が掲げられる。したがってそこでは、低所得者の生活を改善させるという社会復興のプランが入り込む余地はない。これでもって一般の人々とりわけ貧困な人々が、同プランによる恩恵を十分に受けられるであろうか。失業に追い込まれながら新たな雇用先の見出せない人々は、路頭に迷うしかないのではないか。実際に、ポストコロナの中で企業の雇用調整が長びくことは疑いない。そうだとすれば、成長の復帰が即雇用の回復を導くことはない。そのとき、フランスの復興の描くシナリオは脆くも崩れてしまうに違いない。

さらに、そればかりでない。このフランスの復興プランにはその他の多くの問題が潜んでいる。以下でそれらの問題について検討することにしたい。

第一に、企業の資本に対する支援の問題。フランス政府の戦略に関する一つのプライオリティは、経済組織の保持にある。この観点から、企業倒産の回避のために資本の強化策が打ち出された(14)。このために三〇億ユーロも用意されたのである。しかし、そこで二つの深刻な問題が生じる。一つは、それはすべての企業、中でもとりわけ中小企業を対象にするものではないという点であり、もう一つは、そうした支援を受けた企業の債務が増大するという点である。実際に、この支援は共同参加型貸付の形態をとり、それは保険会社や機関投資家などの金融機関をつうじて行われる。国家はたんに、貸付を保証するにすぎない。したがって国家は、すべての中小企業の資本に直接介入するつもりはない。

他方で、そのような貸付を受け入れた企業の債務は当然膨らんでしまう。コロナ流行以前からすでに借入れを行っている企業は、それによって債務を一層増やす。この債務比率の上昇が、倒産リスクを高めることは間違いない。事実、コロナ危機はこの比率をより高めたのである。そこでは、企業の業績悪化→資本の減少→借入れの増大という悪循環が描ける。しかも、過剰な債務を抱える企業は投資する余裕がない。それゆえかれらは、債務を返済することさえできない。そうした企業はまさに「債務の壁」にぶつかってしまう。このような流れを考えると、政府の思惑とは逆に、企業支援によって経済組織は破壊されてしまうかもしれない。

事実、フランスでコロナ危機により企業の倒産リスクが高まっている。とくに、零細企業の資金繰りが非常に困難な状態にある。ところが政府は、そうした企業のすべてに支援するつもりがない。ル・メール経済・財務相は、広範囲にわたる企業への貸付は論外であるとし、経済的に活発な企業に国家保証付きの貸付を行うと語る。フランスで小さな規模の企業の数が非常に多いことを踏まえると、そのような支援策で経済組織を真に防衛できるであろうか。

実際に、約四〇〇万社とも言われるフランスの中小企業のうち、一体どれほどの企業がコロナ危機から立ち直れるか。この点が不安視されているのである[15]。フランスの中小企業連合のアセラン総裁は、かれらは現在、経営的に決定的瞬間（l'heure de vérité）を迎えていると語る。社会的負担金と納税の支払い猶予期限が迫っているからである。また国家保証付き貸付についても、利子率の高さを考えると返済不能のリスクがある。それゆえ中小企業連合は、政府に対して債務の相互化と分割払いを要求した。中小企業と零細企業が、フランスの企業のほとんどを占めているにもかかわらず、政府の支援プランはつねに大企業に向けられている。政府の推奨する共同参加型貸付も、金融機関を通して行われるからには大企業に対してより有利に働くことは疑いない。フランス政府が、大企業を優遇する形で企業支援を行うならば、経済組織が中小企業を中心に崩れるのは明らかである。

第二に、復興プランによって大きな恩恵を受ける企業に対する代償の問題。企業の競争力アップに向けられた三四〇億ユーロのうち、二〇〇億ユーロが製品に対する課税の軽減に向けられた[16]。この大きな恩恵に対して、企業は何の代償も払わなくてよいのか。この点が議論され始めた。労働組合と野党のみならず与党側からも怒りの声が上がったからである。かれらは、賃金の引上げなどの富の再分配に関して代償を払わせるのが当然とみなした。

こうした代償問題に関して、フランスは過去に苦い経験を持つ。オランド政権下で、「競争力と雇用のための課税の減免」が施行されたとき、それには何の代償も求められなかったと同時に、雇用もわずかしか生み出されなかったからである。野党の社会党のV・ラボー（Rabault）は、今回の復興プランの中に「代償」という言葉が一切見つからないことを指摘する。同党はそれゆえ、支援を受けた企業とりわけ大企業に対し、配当金の支払い停止や雇用の創出などをオブリゲーションとすべきことを要求した。労働組合側も、最大の組織であるフランス民主主義労働同盟（CFDT）は、営業状態のよい企業に補足的支援を与えるべきでないし、資金供与と引換えに富の再分配を図るべきと主張した。また左派の労働総同盟（CGT）も、支援を受けた企業は解雇してはならないことを訴えた。

ところが、これらの批判に対して雇用者側はそれを一蹴した。フランス企業運動総裁のルー・ド・ベジューは、そうした批判は合理的でないと反論する。復興プランによる課税の減少よりも、外出制限の間に被った企業の営業停止によるコストの方がはるかに上回っているからである。彼は、条件付き支援は経済の集権化の考えであり、それは機能しないことを強調した。ほんとうにそうであろうか。今回の復興プランを支える一つの柱は、社会的連帯であったはずである。この観点からすれば、企業支援に対して雇用創出を含めた社会的保護の改善という条件を付けることは、それこそ経済をむしろ分権化するものであって集権化を促すものでは決してない。一般の市民とりわけコロナ禍で失業して生活困難に陥った人々の眼に、同総裁の考えに示された企業の姿勢が横暴であると映ったとき、新たな社会危機が引き起こされるのではないか。復興プランが社会復興を含むべきことを絶対に忘れてはならない。

カステックス首相はこうした中で、すべてのアクターに対して「責任の意識」を呼びかけた。彼はそこで、租税の贈り物を与える代わりに、企業に対して若者の雇用をとくに求めた。しかし筆者が何度も主張したように、雇用は基本的に企業に対するオブリゲーションにならない。先に見たオランド前大政権下の政策が大失敗した理由もここにある。責任の意識という抽象的表現は、かつてオランド前大統領が語った「協調」という表現につうじる。このような言葉をいくらくり返しても、実質的効果は上がらない。マクロン政権はこの点で、オランド政権の教訓を全然学んでいないのである。

最後に、復興プランによる財政支出拡大の問題。フランスの一〇〇〇億ユーロに上る復興プランのうち、八〇〇億ユーロは公的赤字に基づく。[17]そして、その半分（四〇〇億ユーロ）が先に見たように、EUの復興プランによって補償される。さらに残りのうち二〇〇億ユーロは、公的投資銀行と預金供託公庫により融資される。ここで問題とされるべきは、EUの補助金を除いてそれらの融資はフランス自身ですべて返済されねばならないという点である。一方、マクロンの針路に基づいて増税は論外とされる。ではどうすればよいか。ル・メール経済・財務相は、財政再建の目標を放棄したのではなく、それは長期戦略の中に組み込まれると語る。この戦略の柱となるのが成長である。果してそれは、うまく機能するであろうか。

実際にフランスの公的赤字は、二〇二〇年に対GDP比で一〇％を超えると予測される。[18]一体、この赤字をどのようにして埋めたらよいか。政府にとって、復興プランから手を引くことはもちろんできない。では、同プランで直ちに成長が押し上げられるかと言えば、それは定かでない。フランスの復興プランが長期戦略に基づく以上、短期の経済回復に対して有効に働くとは考えられないからである。それは間違いなく、短期で期待される手段を欠いている。同プランは確かに、長期で成長を支えるのに適したものかもしれない。しかしそれは、コロナショックの大きさに短期で十分に対応するものでは全然ない。

フランス経済景気研究所の主要研究者であるM・プラン（Plane）は、フランスの復興プランは、消費を高めて企業の受注を増やすための対策を欠いていると指摘する。[19]そうだとすれば、政府の投資プランと短期の経済回復を同時に行うことには無理がある。ここでぜひとも必要とされるべきことは、個人消費の回復ではないか。フランスで個人の貯蓄はコロナ禍で増大し、それは約一〇〇〇億ユーロに上る。これは復興プランに等しい。この莫大な貯蓄から消費支出の資金を引き出すには、例えば付加価値税の引下げが考えられる。しかもそれは、コロナ危機で最も影響を受けたセクターを対象としなければならない。ドイツの行ったような全般的な消費税の引下げではなく、イギリスの行った目標を定めた消費税の引下げが考えられる。このような需要政策を一切行わずに、専ら供給政策に基づく企業支援に頼ることで短期的な経済回復を見込むことは到底考えられない。そこで、もしも短期で成長が不足すれば、債務返済の困難と同時に、再び雇用の喪失をもたらすに違いない。そうだとすれば、政府は公的赤字をカバーするために成長以外の手段をとらねばならないであろう。それはマクロンの針路とは逆に、租税の引上げによる財政収入の拡大以外にない。しかもそうした粗税の引上げは、一般の人々の消費にネガティブ効果を与える逆進税としての間接税を対象とするのではなく、法人税や富裕者に対する累進税に向けられねばならない。この点については後に再び論じることにしたい。

ところで、フランス政府は二〇二一年に入ってさらに二つの圧力を受けた[20]。一つは、コロナ再流行による外出制限問題であり、もう一つは、コロナ禍で閉ざされ続けてきたセクター（レストランや文化施設）から生まれる人々の怒りの問題である。ル・メール経済・財務相はそれゆえ二〇二一年三月初めに、フランスのコロナ感染状況がどうであれ、復興プランを具体化して経済回復を加速させることを宣言した。この段階で欧州復興プランからの資金供与は依然として行われていない。これはあまりに遅すぎる。ル・メールがこの点を強く批判したのは全く正当である。

欧州復興プランから補助金を受ける加盟国は、欧州委員会に対して二〇二一年四月までに「国民的な復興・回復プラン」を提出しなければならない[21]。しかもそれは先に示したように、同委員会の審査を受ける必要がある。それには二ヵ月を要すると言われ、最終的な決定は二〇二一年の夏になる。それは、二〇二〇年七月の二七ヵ国による合意から実に一年後に当たる。このプロセスはまさに、米国のケースと全く対照的である。米国ではバイデン大統領の下で、即座に緊急復興プランのための巨額な資金が用意された。これに対して欧州委員会は、EUは国家でないことを忘れてはならないと語る。それは当然であるとしても、先に論じたように、EUが真に財政連邦制を目指す気があれば、また人々を保護する姿をEU市民に見せたいのであれば、財政権力の共有化をいち早く確立する必要がある。

さらにフランスは、欧州委員会との間で復興プランをめぐり厄介な問題を抱える。前章で論じたように同委員会は、補助金供与のコンディショナリティとして各国に構造改革のパックを提示した。フランスにおける同改革のリストは、年金における規制の一律化、職業教育、租税システムの単純化、製品に対する課税の引下げ、並びにとくにサービスにおける規制の撤廃などで表せる。くり返しになるが、とりわけ年金改革は、フランスにとって深刻なテーマである。欧州の支援と引換えに年金改革を実施すればどうなるか。再び大反対運動による社会危機が訪れるのは目に見えている。ここで再度強調しなければならないことは、EUが一方で財政拡大に基づく復興プランを示しながら、他方ではそのコンディショナリティとして財政緊縮を伴う構造改革を各国に課したことである。これは明らかに矛盾を表す。EUのこうした姿勢に、その今日的限界をはっきりと見ることができる。

このように欧州からの復興支援が遅れる中でフランス政府は、二〇〇億ユーロもの追加予算を二〇二一年六月の改正予算案に組み入れた[22]。それは、コロナ危機で最も打撃を受けた企業に対する支援を行うためである。ル・メール経済・財務相はその点で、「どんなにお金がかかっても」行うとする姿勢は維持されることを表明した。今回の危機が通常のそれではない以上、緊急手段を続けて講じなければならないからである。その際に政府は、農家への支援や世帯の消費を促す政策を打ち出すものの、やはり集中的に行うのは企業に対するフォロー・サポートを含めた支援であった。この点を忘れるべきでない。

以上、我々はフランスの復興プランを欧州のそれと関連させながら検討した。ここで最後に、そうしたプランで非常に軽視されている点を指摘しておきたい。それは、欧州の場合と同じく保健システムの復興プランである。今回の復興プランは、フランスについても欧州についても、一部で社会復興プランが示されているものの、その主たる目的はあくまで経済復興にある。しかし、今回の経済危機をもたらした直接的要因は、コロナ流行による健康危機にあるはずではないか。冒頭で述べたように、そもそも先進諸国も発展途上諸国も、ウイルス感染に対する防衛の保健システムが不十分であるがゆえにコロナパンデミックが引き起こされた。そうだとすれば、これを教訓として諸国が真っ先に行うことは、医療体制の充実でなければならない。それこそ病院などの医療施設、医療関係者、並びに医療用資財の拡充は、長期にわたる公共財の蓄積をもたらす。コロナ危機に直面して、保健システムの整備・拡大がはるかに重視されねばならない。この点の配慮が、どうして復興プランに欠けているのか。不可解極まると言わざるをえない。

三．経済と社会の復興をめぐる諸問題

では、フランスの復興プランが提示される中で、経済と社会の状況はどのようであったか、またそこにはいかなる問題が潜んでいるか。次にこれらの点について検討することにしたい。

フランス経済は、復興プランが発表されて以降も、確かな発展の道を開くことができなかった。そこには、コロナ再流行と外出制限のような保健上の規制という二つの不確実性が存在した。国立統計経済研究所（ＩＮＳＥＥ）は、二〇二〇年一〇月に景気循環に関する調査を行い、その中でフランスの経済復興はコロナ感染が広がることに応じて減退することを示している[23]。素早い復興の望みは断たれたのである。二〇二〇年第四・四半期における改善の見込みは期待できない。実際にＩＮＳＥＥのアンケートによれば、フランス企業の三社に一社が将来の展望を持てない。したがって景気は停滞したままである。

このような経済の停帯は、雇用の側面にはっきりと映し出された。一時的失業にある人々が、その後に雇用を確保できるか。その可能性次第で失業は大きく変動する。フランスの企業はこれまで、国家による補償のおかげで労働者を保護できたにすぎない。それは今、明らかに限界に達している。国立統計経済研究所によれば、二〇二〇年末に失業率は、就業人口の九・二％に至ると予測される。

他方で、貯蓄率は相変わらず上昇している。フランスの世帯が、外出制限下で慎重な行動により貯蓄を非常に増大したことは先に見たとおりである。ところが外出制限解除後も、そうした傾向は依然として続いている。フランス人の消費支出は、とくにサービスセクターで伸びていない[24]。世帯の貯蓄

に消費が追い付いていないのである。保健上かつまた社会上の状況は、フランス人を用心深くさせる以外にない。かれらの景気に対する信頼は確かに回復していない。

二〇二〇年の世帯の消費はこのようにして、二〇一九年に比べ七％減少すると予測された。この消費低迷の背後に、将来不安の他に実はもう一つの重要な要因があることを忘れてはならない。それは、雇用の喪失や所得の減少による購買力の低下である。購買力の低下はインフレーションを抑える効果を持つ一方、それはまた経済のデフレーション化を引き起こす。このことは、需要や価格の崩落と同時に、失業の増大というリスクを招く。所得減少→購買力低下→インフレーション抑制→景気悪化→失業増大という負のサイクルがここで展開されてしまう。この悪循環をいかにして断ち切るか。これが一つの大きな課題になることは間違いない。

フランスはこのような中で、二〇二〇年一〇月にコロナ流行が再爆発したことにより同年の春に続いて二回目の外出制限を発令した[25]。しかし、それは第一回目のものと決定的に異なった。そこでは、人々の外出制限が求められた一方、経済は制限されなかった。マクロンは、経済を止めてはならないとしてミラクルを期待した。生活必需品以外の商品の販売店は開店され、学校も今度は開校された。第二次外出制限は、第一次のものよりもはるかに緩やかであった。

他方で、「どんなにお金がかかっても」行うという方針は貫かれた。小さな企業への支援、一時的失業、並びに国家保証付き貸付などは継続された。しかし、世帯と企業の士気は下がったままである。かれらの復興への期待はすでに消えていた。企業とりわけ中小企業の中には過剰債務に陥っているものが多い。かれらは低利子の下で、返済のあてなしに債務を一層拡大したのである。そうした企業はそれゆえ、政府に対して特別な支援を求める他なかった[26]。一方、世帯も将来不安から財布のひもを緩める訳にはいかなかった。

ル・メール経済・財務相は第二次外出制限が施行されてから一ヵ月後に、それは前回のものよりもはるかによく機能していると語る[27]。ところが実際には、フランス経済に分裂が生じていた。すでに痛めつけられていたホテルやレストランなどのセクターは、新外出制限で一層のダメージを受けた。経済セクター間における不平等は明白となった。つねに最も影響を受けてきたセクターは、さらに活動を低下させた。また、文化施設や輸送などのサービス活動も鈍化した。コロナ流行による経済不況はまさに、構造的不況の様相を呈した。フランスの経済復興が、こうした不況の克服を最重要な課題としたことはそれゆえ当然であった。

フランス経済は果して、不況から素早く脱出できるであろうか。国立統計経済研究所（INSEE）、フランス銀行、並びにフランス経済景気研究所は二〇二〇年一二月半ばに、コロナパンデミックと結びついたコストはGDPの約一〇ポイントに上るとみなし、INSEEは、フランスのGDPが同年に九％崩落すると予測した[28]。さらにその後も、フランスの経済状況が一挙に反転する兆しは見られない。フランス銀行は、コロナ危機以前の状態に戻るのは二〇二二年半ばになると予想した。二〇二〇年のGDPの大きな損失を、二〇二一年に補うことは到底できない。図8－1は、二〇二〇年以降におけるフランスの経済活動の変化を、二〇一九年の第四・四半期に対する比として表したものである。見られるように、フランスの経済復興は緩やかなW字型を示している。とくに二〇二一年に入ってからの伸びの鈍化が目立つ。

このようなフランス経済の低迷は、やはり雇用の面に明確に反映される。失業は二〇二一年に、はっきり高まると予想された。国立統計経済研究所（INSEE）によれば、二〇二〇年末に賃金労

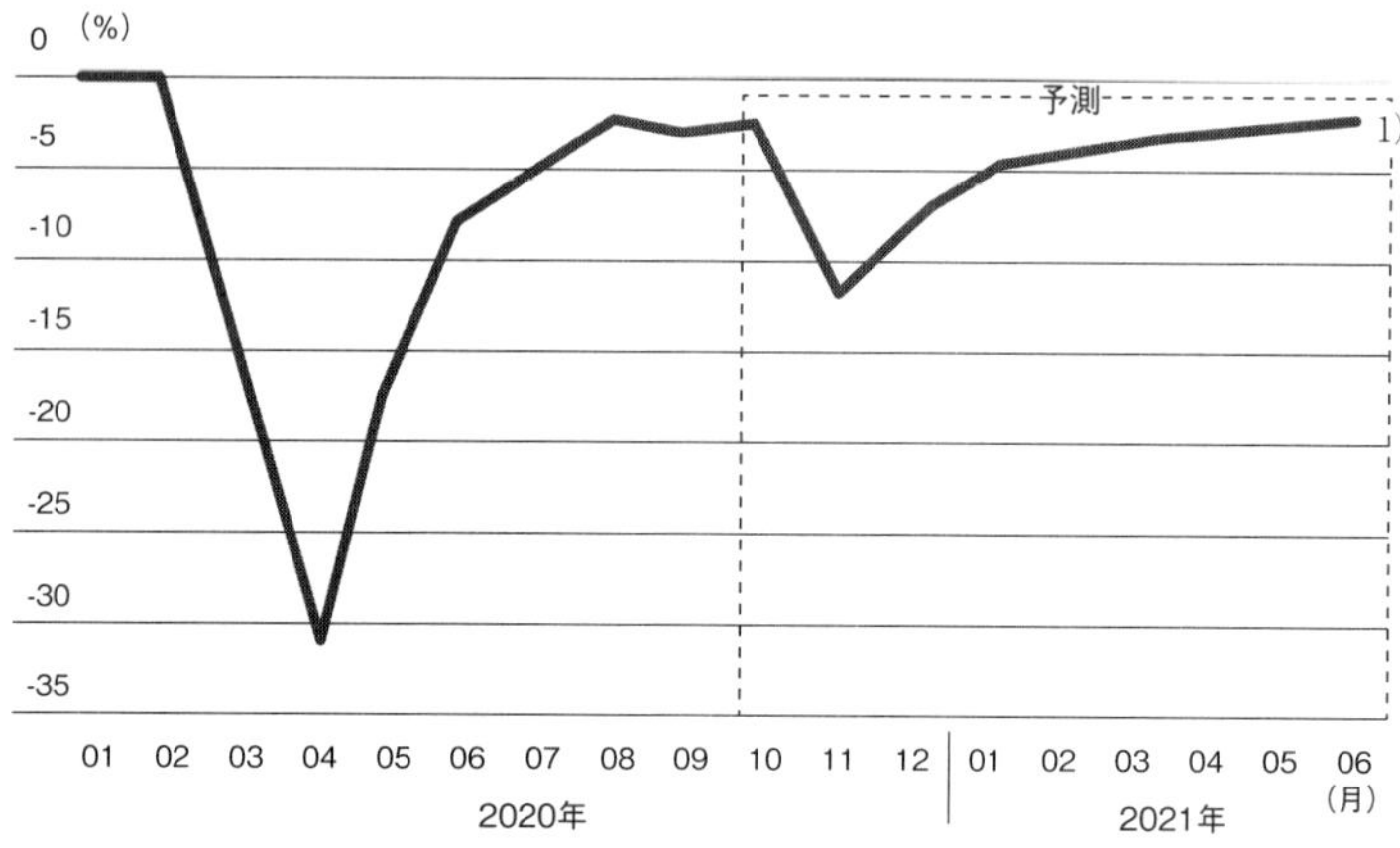

注　1）2019 年の第四・四半期と比べた割合。

出所：Madeline, B., “Après le choc de 2020, une reprise prudente”, *Le Monde*, 17, décembre, 2020 より作成。

図 8–1　2020 年以降のフランスの経済活動 1)

働者と非賃金労働者の約七〇万人が雇用を喪失した。これは、フランスの被雇用者の二％に相当する。実際に、公共職業安定所で職を求める人の数は増え続けた。フランス銀行は、二〇二一年の第一・四半期に失業率が就業人口の一一％に達すると予測した。ＩＮＳＥＥは、二〇二一年におけるフランスの経済復興には、四つの大きな不確定要素があることを指摘する[29]。それらは企業倒産、失業の高まり、消費と貯蓄のレベル、並びに不平等の増大である。

　フランスの企業は確かに、国家保証付き貸付によって倒産をこれまで免れることができた。しかし、その返済が不能になったときどうなるか。フランスのエコノミストはこぞって、事態は逆転すると考える。事実、そうした貸付による債務の返済は、二〇二一年の満期に合わせて迫られている[30]。一方、企業の総売上げは二〇一九年のレベルに至っていない。もちろん、リスケジュール（債務の繰り延べ）は可能である。しかし小さな企業にとって、そうした手段をとることはできない。この事態に保険会社は、倒産数が二〇二〇年の三万四〇〇〇社から二〇二一年に五万社に、さらに二〇二二年には六万五〇〇〇社に上ると予測する。このような倒産に合わせて失業が高まるのは当然であろう。フランス経済景気研究所は、二〇二一年に一八万人もの雇用が失われると推計した。実際に二〇二〇年の九月から一一月にかけて、雇用喪失はすでに拡大していた[31]。また、企業倒産の広がりをも注視する必要がある。倒産は、コロナ危機で最も影響を受けたセクター（ホテル、レストラン、旅行、娯楽など）以外のセクターに、あるいはさらに金融セクターに向けて、恐るべき伝播をもたらす。それだから、こうした倒産の連鎖を回避するために政府は、国家保証付き貸付の返済を最大限引き延ばす案を提示したのである。

他方で、雇用の不確実性と失業の高まりは、世帯の行動を大いに規定してしまう。かれらは、蓄積した貯蓄を使うか、あるいは消費を慎重に行うかの選択に迫られる。フランス銀行は、世帯の消費はむしろ抑えられると想定する。これにしたがって、二〇二〇年末に一三〇〇億ユーロであった貯蓄は、その後の二年間に二〇〇〇億ユーロにも上ると予想された。この莫大な貯蓄をフランス経済にいかに注入するか。これが喫緊の課題となることは疑いない。

一方、不平等も依然と消えていない。否、むしろ新たな格差が生まれている。フランスの世帯は確かに、公的資金の巨大な投入のおかげで所得をこれまで維持することができた。しかし、その世帯に与えるインパクトは限られていた。それは、不平等の新たな発生を排除しなかったのである。独立事業従事者のような特定の職業カテゴリーに属す人々は、通常の賃金労働者よりも一層の打撃を受けた。この最も不安な人々は、所得を維持するどころか仕事を保つことさえできなかった。賃金労働者と非賃金労働者の間の格差は広がるばかりである。こうした不平等の解消も、経済不況の克服と共に極めて深刻な課題となることは間違いない。もしもそれを放置すればどうなるか。再び社会運動が激しくなるのは目に見えている。

フランス政府はこのような状況を踏まえて、二〇二〇年一一月初めに二〇二一年に向けた改正予算案を発表した。[32]それはとくに、より不安な人々を有利とした対策を含んでいる。積極的連帯所得手当て、住宅個人援助、並びに学生奨学金などの例外的支援の他に、不安な人々に対する優先的な貸付がそこで示された。しかし、それでもなお予算案を構成する主たる要素は企業支援に据えられた。この点の抜本的な見直しがない限り、社会危機を真に回避することはできないであろう。

以上に見たように、フランスの経済復興はそう簡単に達成することができない。そこには様々な課題が待ち受けている。その一つとして、生産の本国回帰という問題がある。資本の自由化に基づいた医療用資財の生産拠点の海外移転が、医療体制崩壊の一因になったことはすでに見たとおりである（第五章）。こうした財の海外での生産という傾向は、薬品などの医療セクターに限らない。それは自動車、航空、設備、並びに化学などの産業でも明らかであった。[33]

しかし今回のコロナ危機は、そのような生産体制を見直す機会を与えた。グローバルサプライチェーンが切断されるリスクを避けるために、本国により近い場所さらには本国に生産拠点を移す必要が生じたのである。ところが実際には、多国籍企業は成果のより低い工場を閉鎖し、より高い成果を求めて生産拠点の海外移転を促した。この動きは、コスト差に基づくものであった。しかもフランスでは、国家保証付き貸付を受けている企業でさえ、そうした海外移転を試みたのである。

このようにフランスでは、コロナ危機以前も、またそれ以降も国内での脱工業化と生産拠点の海外移転という動きが促進された。パリを含むイル・ド・フランス地方は、それを示す典型的な例であった。[34]同地方の工業は、何十年にもわたって脱工業化により衰退した。コロナ危機は、それに拍車をかけたのである。フランス最大の自動車会社であるルノーは、二〇二〇年五月にイル・ド・フランスの工場を閉鎖した。また製薬グループのサノフィ（Sanofi）も、二〇二〇年末に工場を閉鎖した。これらによって、大量の労働者が職を奪われるのは明らかである。いわゆる空洞化現象が、フランスで最大の人口を誇る地方で起こった。こうした傾向がまさに、政府の勧める生産の本国回帰と逆行することは言うまでもない。

ル・メール経済・財務相は、二〇二〇年の夏以降にフランスにおける再工業化と生産の本国回帰が優先されるべきことを謳う。[35]しかし、それが真に実行されるか定かでない。なぜなら、そもそもメードイン・フランスを優遇することは、欧州単一市場の自由競争とりわけ資本の自由化の原則によって禁じられているからである。しかもフランスの企業にとって、賃金コストが他の地域に比べて高いことは、生産拠点の海外移転を促す基本的要因になってしまう。フランスで、手作業の組立てに基づく生産活動を維持することは巨大な挑戦を意味する。そうだとすれば、復興プランで示された国家保証付き貸付などの金融支援は、そうした海外移転を食い止める上でほとんどインパクトを与えないのではないか。フランスのエコノミストがこのように疑うのは、全く正当であろう。

そもそもフランス政府が、生産の本国回帰の推進という対策を打ち出したのも、フランスの工業組織の脆弱性がコロナ危機によって加速されたと認識したからに他ならない。[36]実際にフランスでは、コロナ流行以前からすでに激しい空洞化の現象が見られた。フランスの製造業におけるメードイン・フランスの割合は、表8－1に示されているように全体で半分にも満たない。消費財に至っては、それは三六％にすぎない。こうして、フランスの製造業で働く賃金労働者の雇用も一九九〇年代から激減する傾向を示した。一九九〇年に約四二七万人であった被雇用者は、二〇二〇年の第二・四半期には二七五万人ほどに著しく減少したのである。とりわけ二〇〇〇年以降の落込みが大きい。またフランスの製造業の対GDP比も、これに合わせて二〇〇〇年代から低下し、二〇一九年には九・八％までに下がった。これは、ドイツの同比率が一九・四％であるのと対照的であった。

表 8-1　フランスの製品に占める「メードイン・フランス」[1)]の割合（2015 年）

（%）

製　品	メードイン・フランスの割合
全製品	45
輸出製品	55
消費財	36
その他の製品[2)]	31

注　1）メードイン・フランスは、フランスで求められる製品の総価値の中で、フランス居住者の労働でつくられた部分を表す。
　　2）投資財、在庫など。

出所：Madeline, B., “Industrie: l’espoir made in France”, *Le Monde*, 3, novembre, 2020 より作成。

このような状態に陥ってフランス政府は、二〇二〇年一〇月半ばに再工業化を促す対策をやっと打ち出す。それは、三〇〇〇以上のプロジェクトと一〇億ユーロに上る支援から成る。しかし、それでもって工業化がフランス国内ですんなりと進むかと言えば、その保証はない。例えば二〇二〇年一二月初めには、それこそマクロン大統領の出生地であるアミアン（Amiens）の航空宇宙産業は死に至る危機を迎えたし、またフランス北部のオー・ド・フランス（Hauts-de-France）地方では、ブリヂストンの工場が二〇二〇年九月に閉鎖された(37)。後者で問題とすべき点は、その閉鎖の根拠である。ブリヂストン自身は、欧州における競争力を保つためと答える。なぜなのか。それは、EUの支援が東欧（ポーランドやハンガリーなど）に対して補助金の形で与えられるため、そうした地域への投資がフランスへの投資より有利になるからである。この点はブリヂストンに限らない。ネスレ（Nestlé）・フランセも低コストを求めて、やはりポーランドやスロバキアに生産拠点を移してしまった。

このように、一九八〇年代の資本の自由化原則の下に始まったフランスにおける脱工業化とそれによる産業空洞化の現象は、コロナ危機を経ても相変わらず見られる。こうした傾向から脱出して生産の本国回帰を進展させるにはどうすればよいか。この解決は、フランスに対してのみ求めても意味がない。それは、ＥＵに対してこそ振りかかる課題であると言わねばならない。ＥＵは一方で、自由競争の歪みを排すために自国企業の優遇を禁じておきながら、他方では、賃金コストの低い地域への投資を促進する政策を打ち出す。これにより、フランスのような高い賃金コストを抱える国が、コスト削減を目指した生産拠点の海外移転に襲われるのは明白である。前章でも論じたように、ＥＵはコロナ危機を契機として、資本の自由化原則を見直す必要がある。この点を再度強調しておきたい。

四．社会改革と社会運動

フランス政府は以上に見た復興プランと並行して、年金改革や失業保険改革などの社会改革もポストコロナの世界で実現させることを図る。フィリップに代わって新しい首相に就任したカステックスは、二〇二〇年七月に早速社会的パートナー（雇用者と労働組合）との会合を開き、社会改革について議論した(38)。その際に彼は、社会改革を行う根拠を語る。年金改革については、財政問題を処理する責任が政府にある点が示される。年金制度が巨額（約三〇〇億ユーロ）の赤字を抱えることがその理由である。しかし、コロナ流行以前にマクロンの提示した年金改革プロジェクトが、大規模な社会運動を引き起こしたことは記憶に新しい。一方、失業保険改革に関しては、コロナ危機で失業した人々に制裁が加えられないようにすることが唱えられた。

カステックス首相はこのように説明した上で、最終的に年金と失業保険の改革実施を二〇二一年まで行わないことを発表した[39]。この決定は社会的パートナーも同意するものであり、これによってフランス政府は当面、社会改革から引き起こされる社会問題を回避することができる。しかし、政府がそれらの改革を断念した訳ではない点に留意する必要がある。とりわけ年金システムについて、カステックスはその財源問題を改革から切り離して考えるべきことを示唆した。

マクロンは大統領就任早々から、年金改革を進める姿勢を明らかにした[40]。二〇一八年にそのパースペクティブが示された際、同改革を促す財政的根拠が謳われたのである。フランスの年金システムの財源は決して大きくない。その財政を均衡させるのは将来困難である。彼はこう訴えた。しかし、フランスの年金支出は二〇一九年にGDPの約一五％であり、それは最大の費目である公共支出のGDPに占める割合からほど遠い[41]。そうであれば、なぜ急いで改革を行う必要があるのか。この点を疑わざるをえない。

マクロンは復興プランに関して、経済対策と社会改革を一つのパックとして考える[42]。その根幹に、彼の財政均衡主義が潜む。経済対策による財政支出の拡大を、社会改革による財政緊縮でバランスさせようというのである。事実、与党の予算報告書の中で、財政均衡を保証する構造改革は最も良い効果を発揮することが唱えられた。したがって年金改革は、もはやタブーではない。

ところが、年金改革は二つの点で難しい問題を抱えている[43]。一つは、同改革により一定の賃金労働者とりわけ公務員が被害を受ける問題。ユニバーサルシステムと称される同一の年金制度をすべての賃金労働者に適用するには無理がある。それを断行すれば、下級の公務員を中心に大反対運動が再び引き起こされるのは間違いない。もう一つは、年金の財源確保が困難な問題。年金制度への融資が年々増加することは確かである。それをカバーするための年金受給年齢の引上げに対しても、労働組合を中心に根強い反対がある。

このように、年金改革をポストコロナで着手するには大きなリスクがある。それゆえカステックス首相がそれを延期したのは賢明であった。しかし、同改革に対してはフランス以外からの圧力があることも忘れてはならない。前章で見たように、欧州委員会は補助金のコンディショナリティとして構造改革の推進を示した。フランスに対して、年金改革がそのリストに最重要項目として組み込まれた以上、政府は同改革に対して何らかの指針を表す必要がある。これにより、ＥＵ指令の年金改革が始まる恐れがあると言わねばならない。

他方で、失業保険改革はどうであろうか。失業保険の支払いが、失業者の増大に合わせて拡大し、同勘定が赤字になることは明らかである。実際に、二〇二〇年の一年間にフランスの失業状態はコロナ禍で悪化した[44]。二〇二一年一月末のフランス労働省の発表によれば、何も活動していない求職者は二〇二〇年に全体で七・五％増大した。二〇二〇年の第四・四半期に、そうした人々は三八一万人を上回り、それは二〇一九年の同期比で二六万人以上増えている。コロナパンデミックが続く中で、企業の人員整理は終ることがない。これにより失業者は減少するどころか、高止まりの様相を呈した。しかも、雇用の探索に落胆した人々が労働局に登録しなくなる傾向が強まったことを考えると、実質的な失業者は一層増えると言ってよい。

もちろん、フランス政府の一時的失業策の効果を否定することはできない。二〇二〇年一二月の段階で、一時的失業者は二四〇万人を数えて依然と多い。かれらの一部は、職業教育も受けた。そこで問題となるのは、一体どのくらいの一時的失業者が元のポストに戻ることができるかという点である[45]。ポストコロナで雇用を再び見出せないとき、一時的失業者が深刻な事態を迎えるのは疑いない。

このような失業状態の中で、失業保険をめぐる収支が悪化するのは当然であろう。その赤字は鋏状効果となって現れる[46]。求職者に対して支払われる失業手当てはリセッションの下で増大する一方、収入の方は歴史的な規模で減少したからである。後者は、企業の社会的負担金支払いの猶予、失業保険に寄与する総賃金の低下、並びに雇用の減少などを要因とする。ここで、コロナ危機→リセッション→失業増・賃金減→失業保険の収入減・支出増→失業保険勘定赤字という図式が描ける。

二〇二一年二月末のフランスの商工業雇用関連業種全国連合（ＵＮＥＤＩＣ）の発表によれば、二〇二〇年末の失業保険勘定の赤字は一七四億ユーロに達する[47]。これは、以上に見た恐ろしいほどの鋏状効果による。その中で注視すべき点は、一時的失業への融資が支出の半分以上（五五％）を占めている点である。それは、失業手当て（二五％）よりもはるかに多い。そうした融資のうち、三分の二は国家が、また残りの三分の一は同連合（ＵＮＥＤＩＣ）が各々負担する。ＵＮＥＤＩＣにして見ても、一時的失業の継続は大きな財政的圧力となる。

フランス政府が失業保険改革に着手するのはそれゆえ、年金改革の場合と同じく、やはり財源の問題を根拠とする。同改革によって、支出の拡大が防げると想定されるからである。それはコロナ禍で一旦停止されたものの、二〇二一年から同改革の適用が再び議論された。これに対して労働組合が反発したのは言うまでもない。フランス民主主義労働同盟（ＣＦＤＴ）、労働総同盟（ＣＧＴ）、並びに労働者の力（ＦＯ）などを中心に、五つの労働組合は二〇二一年二月末に、失業保険改革に反対する共同コミュニケを発表した[48]。同改革が、職を失った女性と男性の日常生活に重い負担をかけることは間違いないからである。このような共同コミュニケは今回が初めてであり、それだけ労働組合の同改革に対する反対も強いものであった。とくに、短期契約を変更する人々に対して失業手当てが減少することは、同改革がそうした人々の生活を一層困難にするような逆進性をはっきりと示す。労働組合は、この逆進性を非難した。それは不公正だからである。失業保険改革は結局、最も不安な人々の苦痛を増すことになる。この点を忘れてはならない。

一方、野党とりわけ社会党も、失業保険改革は不公正であるとしてそれを拒絶した[49]。かれらは、同改革案が打ち出されて以来、労働組合と共に警告を発した。それは、失業保険へのアクセスを劇的に硬直させるからである。社会党はこの点を、二〇二一年六月末の地方選挙で強く訴えることを決意した。とくに失業者の中にかなり多くの若者が含まれ、かれらは同改革で大きな影響を受ける。しかもそうした若者の多くは、最も貧困な地区に住んでいる。そうだとすれば、この改革はまさに反若者政策であると同時に反貧困政策でもある。社会党のこうした主張は、まっとうな見解である。

コロナ危機の中で、将来不安を抱える人々は確実に増加している。それにもかかわらず、失業保険改革がかれらを救うどころか、逆にかれらをさらに窮地に追い込むことは言語道断であろう。ここで、永続的に打撃を受けている労働者を救済する手段がむしろ考えられねばならない。カステックス首相とE・ボルヌ（Borne）労働相は二〇二〇年一一月末に、そうした労働者に対する一時的支援（月に九〇〇ユーロ）を提示した[50]。しかし、それを受けるには様々なコンディショナリティが設けられた。家賃ほどの少額の支援が、さらに条件付きであることに対し、不安な人々は強い怒りを覚えたに違いない。

二〇二一年二月に、フランス、ドイツ、イギリス、並びにイタリアの人々に対して、コロナ流行の管理に関する広範なアンケートが行われた[51]。それによれば、一般に欧州の人々の間に疲れと無気力が見られること、またかれらは、統治者に対してますます批判的であると同時に、経済的諸結果に対して不安を高めていることがわかる。そして、この傾向は他国よりもフランスで一層強い。とくに経済状態に対する不安は大きく、それは若者、高齢者、さらには事業家の間ではっきりと現れる。

労働総同盟（ＣＧＴ）のＰ・マルチネス（Martinez）書記長は、二〇二一年に入って人々の怒りは明らかに高まっていることを指摘した[52]。実際に、企業の人員整理は脆弱な世帯を脅したのである。それゆえＣＧＴは、解雇に反対する国民的デモを呼びかけた。かれらは二〇二一年一月を、社会的怒りを発露する月とみなす。企業の倒産と解雇の進展が、人々とりわけ底辺の庶民に対して重大な負の効果を与えることは明白であった。

このように新たな抗議運動を目論んだのは労働総同盟だけではない。実は、長らく沈静したあの黄色いベスト運動が、二〇二一年春に再び展開する兆しを見せたのである[53]。地方の至る所で、同運動はやはり消えていなかった。それは確かに、当初のような大規模なものと化すことができない。しかし、そのアピールが存続していたことは疑いない。同運動は、経済的、社会的、環境的、並びに民主的な公正を全般的に要求する。それはまた、社会的怒りから発する。ところがこの怒りに対して、フランス政府は十分な対応をまるでしていない。これによりフランス社会の不公正と不平等はますます深まるばかりである。かれらは、最初に勃発した黄色いベスト運動から何ら教訓を引き出していない。否、むしろ政府は、それを無視しているかのように思える。

事実、マクロンは依然として、こうした反政府の動きに全く目を向けずにいる。彼は二〇二一年六月に、コロナウイルスをコントロールした後に再び社会改革に着手し、大統領任期の最後までフランスの近代化の改革を行うと宣言した[54]。その根底にはやはり、当初から謳われた財政均衡の考えがある。果して、これでもって人々とりわけ低所得で困窮する人々の賛同をえられるであろうか。マクロンが、垂直的な管理を進めれば進めるほど、一般の人々とエリートとの間の溝はより深まるに違いない。このことが、新たな抗議の声を高める動機となるのも確かであろう。それはまさに、フランス社会の「黄色いベスト化」を意味する。グルノーブル・シアンス・ポリティークの政治学教授F・ゴンチエ（Gonthier）が正しく指摘するように、今日、この黄色いベスト化による人民の社会運動が再発する可能性はますます高まっている。健康、経済、並びに社会の複合的危機により、人々による社会的保護の要求が一段と強まると予想されるからである。

五．債務問題と租税改革

以上に見たように、フランスはコロナ危機の中で「どんなにお金がかかっても」行うという意思の下に、大規模な政府支出を試みた。その結果、フランスの公的債務は一挙に増大した。それはまさしく「コロナの請求書（facture Covid）」すなわちコロナ債務を表した。二〇二一年三月末の国立統計経済研究所の発表によれば、二〇二〇年のフランスの公的債務は対GDP比で一一五・七％（二兆六五〇一億ユーロ）を示し、それは二〇一九年の九八・一％を大きく上回る結果となった[55]。また、公的赤字も対GDP比で九・二％であり、それは二〇一九年の三・一％から三倍近くに上昇した。この比率は一九九九年以来最も高く、最終的に赤字は二一一五億ユーロに上る。

表 8-2 フランスの公的赤字と国民的負担[1)] (2017-2020 年)

(対 GDP 比、%)

	2017年	2018年	2019年	2020年
公的赤字	3.0	2.3	3.1	9.2
公共支出	56.5	55.6	55.4	62.1
国民的負担	45.1	44.7	43.8	44.7

注　1）税金と社会保障負担金。

出所：Tonnelier, A., "Dette Covid : le dilemme du gouvernement", *Le Monde*, 27, mars, 2021 より作成。

表8－2は、二〇一七年以降のフランスの公的赤字、公共支出、並びに税収などの変化を表したものである。見られるように、二〇二〇年に公共支出が大きく増える一方、税収の前年に対する伸びはそれほどでない。このことから公的赤字が著しく拡大したのは当然である。とくに、地方自治体の収支や社会保障収支を含まない国家の収支の赤字が際立つ。この赤字は二〇一九年の九二九億ユーロから二〇二〇年には、ほぼ倍の一七八二億ユーロに膨らんだ[56]。それは、第二次世界大戦以降の記録的な値を示す。一時的失業と連帯ファンドへの巨大な支出、並びに大企業への資本参加が行われる一方、収入の側では付加価値税と法人税、さらには所得税が減少したのである。

このようにフランスは、コロナ危機に対して積極的に国家が介入することによってそれからの脱出を図った。この介入は、国民の生活を保障する限りで正当化される。ところが、ここで一つの大きな問題が立ちはだかる。それは、そうした巨額の債務を一体誰がどのように返済するかという問題である。この債務が促進された背後に、リセッション下の利子率の著しい低下があったことは否定できない。実際に利子返済は、債務の増加にもかかわらず減少する傾向を表した。しかし、今後も長期利子率が下がる保証はどこにもない。もしもそれが引き上げられれば、債務返済をめぐるリスクが一挙に高まることは言をまたない。しかもこのリスクは、決してフランスに限られるのではない。それは、ユーロ圏全体に対して一つの大きな脅威となって現れる[57]。すべての欧州諸国でコロナ危機による債務が生じた以上、このことは当然の帰結である。

ではどうすればよいか。そうしたリスクを削減するために欧州中央銀行（ＥＣＢ）は直接に融資することができない。それは条約で禁じられている。そこでＥＣＢは、債務の貨幣化による金融支援を試みた。これは確かに一つの有力な手段である。この観点からフランスの著名なエコノミストであるアルチュもル・モンド紙に投稿して、一国内で中央銀行による公的赤字の貨幣化を推奨する[58]。しかし、ここにも一つの大きな問題が待ち受けている。それは、非常に急速に貨幣を創出することで、株価や不動産価格などの資産価格が高騰しかねないという問題である。アルチュも、この激しいインフレーションの可能性を認める。しかし彼は、それは債権保有者を豊かにするとしてポジティブに捉える。結果して、この考えは正当であろうか。実際に、コロナ禍でも富裕者は明らかに、株式を中心とする金融資産の価格上昇によって富をますます増大させた。これによって富裕者と貧困者の間の格差が一層拡大したことは間違いない。この点を踏まえれば、そうしたインフレーションを容認することは到底できない。

ところで、国家の債務返済が将来深刻になるという予想の下に、一つの心配事が人々の間で生まれた。それは租税の引上げである。結局、そうした返済により国民が犠牲になるのではないか。かれらはこの点を不安視した。これに対してル・メール経済・財務相は、当初から租税はいかなるものでも引き上げないことを謳った。彼は、債務は成長、公共支出の制御、並びに構造改革で返済することを唱え続ける[59]。また大統領府も、危機脱出のための課税引上げは根本的に誤りであるとしてそれを否定する。[60] しかし、ほんとうにその通りになるかは全く確かでない。もしもル・メールの想定する返済手段が実行されなければどうなるか。それをカバーするのは税収の増大以外にない。また、仮にそうした手段がよく行われたとしても、公共支出の削減や構造改革による財政緊縮で人々の生活に負のインパクトを与えることになれば、一体何のための、また誰のための復興プランであるかが問われるに違いない。

このような中で、フランスでは政府の債務返済に関して一つの新しい手段が求められ始めた。それは、コロナ危機脱出のための富裕者に対する特別な課税である。マクロン大統領の撤廃した連帯富裕税をここで再現する声が国民の間で高まった。労働組合も、そうした声を代弁する。フランス最大の労働組合であるフランス民主主義労働同盟のベルジェ総裁はル・モンド紙のインタビューにおいて、コロナ債務が出現する中で富裕な人々の納税による富の再分配が必要であると主張する。[61] 具体的には、年収三〇万ユーロ以上の所得に対して五〇％の税率という累進税を課すことが、また遺産の権利と大資産の贈与に対する課税を再考することが唱えられた。

では、どうしてフランスでそのような富裕者に対する特別な課税が求められるのか。そこでは、富裕者の数はそれほど増えていない。国立統計経済研究所の調査によれば、所得に関して富裕者（メディアン〔中央値〕の生活水準の一・八倍に相当する人々）は、一九六四年の六七〇万人から二〇一四年に六八〇万人へと、五〇年間でたった一〇万人しか増えていない。[62] したがって問題とすべきは、富裕層の拡大という点ではなく別の点である。それは、富裕者がますます富裕になっているという現象に求められる。事実、不平等監視機関の報告は、この二〇年間に富裕階層の所得は中流階層のそれからかけ離れていることを明白に示している。両者の間の所得格差は、一九九六年から二〇一七年にかけてはっきりと拡大した。同時に、富裕階層の資産も一層増大した。

マクロン政権は、こうしたフランスの不平等な状況にもかかわらず、さらに富裕者に有利な租税政策をとったのである。かれらは、連帯富裕税の撤廃や資本利得に対する課税の低下に見られるように、富裕者に対する課税の負担を大きく軽減した[63]。一方、不動産価格の上昇から富裕者はより多くの利益をえた。これに対し、貧困者の所得は増大するどころか、むしろ減少する傾向さえ示した。コロナ危機はそれに拍車をかけたのである。事実、くり返して強調するが、危機の最初の犠牲者は、雇用不安にある人々や短期労働契約の人々などの脆弱な立場にある貧困者であった。このような富裕者と貧困者の間に見られる際立った格差は、前者に対する特別課税の設定を正当化するに違いない。

ポストコロナの世界をめぐって、二つの対極的な考えがある[64]。一つは、経済復興の加速を支持する考えである。そこでは、より多くの労働と賃金の低下の必要が求められる。これに対してもう一つの考えは、危機の代償を最も富裕な人々に支払わせるというものである。こうした政策上の対立が見られる中で、フランスでは後者の考えを支持する層が国民の間で生まれた。かれらは、連帯富裕税の復活を要求したのである。また政治家の間でも、左派の多くは同税の再建もしくは、時限的で例外的な富裕者の納税を訴えた。

一方、フランスの経済学者の間でも連帯富裕税を復活させる意見が相次いで表明された。二〇一九年のノーベル経済学賞受章者のE・デュフロ（Duflo）は、二〇二〇年五月半ばの段階で同税の復活は道理に叶ったものであると宣言した。また、ピケティの支持者を中心に、そうした累進税を最も富裕な欧州の人々全体に課すことを主張する経済学者も現れる。同税は、コロナパンデミックに対する欧州の連帯を具体的に実現させる。かれらはこう唱えたのである。全体の一％に相当する富裕者が、残りの九九％の人々を救うことになる。コロナ危機はまさに、富裕者が別格の存在であることを終らせる。実際に例えば、一〇〇〇万ユーロを超える資産に対して一～五％の累進税を課すことで、最も貧困な世帯に二〇〇〇ユーロを再分配することができると試算される。

他方で、二〇二〇年六月のアンケートによれば、こうした累進税の提案に対し、フランスの多くの人々は賛同していることがわかる。回答者の一〇人のうち七人までが、連帯富裕税の復活が有効な復興手段になると答えている。また与党の中でさえも、富裕な人々に特別な租税が課せられるのは当然であるとする議員もいる。

ところがフランス政府は、これらの意見に耳を傾けるつもりは毛頭ない。ル・メール経済・財務相は、連帯富裕税の再建はデマゴギー（民衆扇動）にすぎないとみなした上で、それは論外と断じる。右派の政治家は、すべての増税に反対する。それゆえ同派に属するル・メールが、そうした見解を示すのは言うまでもない。もちろんマクロンも、連帯富裕税の復活を問題にすることは絶対にない。しかし、パリ・シアンス・ポリティークの政治学教授B・コートレ（Cautrè）が指摘するように、これまで連帯富裕税に関してくり返し議論されてきたが、今日の状況はそれまでと決定的に異なる。コロナ危機で巨額の支援が必要であるからには、富裕者への租税をつうじた財源をぜひとも確保しなければならないからである。それは、フランス政府やEUが唱えるように、巨大な情報関連会社に対する課税と環境税のみで済ます訳にはいかない。

現実に、連帯富裕税の廃止と資本利得に対するフラット課税により、富裕者の富はますます増大した。フランス人の〇・一％に相当する超富裕な人々の所得は、金融資産への投資による配当がかれらに一層集中することで急増した。これが、二〇二〇年一〇月初めに公表された租税改革委員会の報告書の結論である。[65] では、著しく富を蓄積した超富裕者が、支出や実物的投資を真に増やすかと言えばそれは決して定かでない。トリクルダウン効果は保証されていないのである。この点はマクロンの思惑と全く異なる。彼は二〇一九年四月末に、連帯富裕税の撤廃による効果がなければそれを正すと謳った。ところが、コロナ危機の中でその動きは全然見られない。

　しかしコロナ禍で生活困難を強いられた人々の間に、富裕者に対して特別に課税する必要があるという思いが浸透し続けている。それを後押ししているのが左派の政党である。[66] 例えば社会党は、この危機で恩恵を受けた企業への課税や、投機から生じる資本利得に対する課税を強調する。不服従のフランスも連帯富裕税の再建を支持し、最低限一時的であってもコロナショックから立ち直るために連帯のメカニズムをつくり出さなければならないと訴える。これに対し、ル・メール経済・財務相も右派の政治家も、これまでの姿勢を変えるつもりが全然ない。かれらは、いかなる増税にも反対する。

　ところで、ここで留意すべき点は、コロナ禍で富裕者に対して特別に課税するという考えがフランスでのみ浮上しているのではないという点である。実は、最も自由主義を重んじるイギリスでも、そうした意見が表明されている。[67] イギリスは、コロナ流行による大きな経済ショックでフランスと同じく、二〇二〇年に巨大な公的赤字を引き起こした。ジョンソン首相はそれを埋めるために租税の引上げを図った。そこには財産に対する課税も含まれている。確かに与党（保守党）も野党（労働党）も、この考えを当面支持しない。フランスの場合と異なり、左派を代表する労働党がこの租税改革に賛同しないのは不可思議である。ところがイギリスの人々の間で、財産に対する租税引上げのアイデアが強く根づいている。二〇二〇年五月初めの世論調査によれば、回答者のうち六一％の人々が、七五万スターリング（八五万ユーロ）を上回る財産に対する課税に賛同する。反対者は全体の一四％でしかない。租税回避に反対する論者は、二〇一一〜二〇一八年にイギリスにおける労働所得に対する税率が二九・四％であるのに対し、資本所得に対するそれはたった三・四％にすぎないことを指摘しながら、富裕者に対する課税を再考すべきと訴える。

今のところ、イギリスの保守党政権の下で、そうした租税改革は見込めない。しかし、かれらの間で若干の変化も見ることができる。二〇二〇年五月のアンケートによれば、イギリスの議員の七〇％強が、公共サービスの融資のために租税を引き上げるべきと答えている。かれらは国家の役割の大きさを認める。保守的革命を率いたサッチャリズムは、ここにきて陰りを示し始めたのである。実際にイギリスでは、富裕者に対する課税の優遇は減少し、租税回避に対する闘いも進展した。欧州で最も租税の少ない国の一つであるイギリスで、租税改革の動きがついに見え始めたのである。翻ってフランスではどうか。

マクロン政権の下で連帯富裕税が撤廃されて以降、租税システムは果して公正な方向に進んでいるであろうか。また、それによってトリクルダウン効果は現れているであろうか。これらの問いに対し、野党は租税改革委員会の報告書に基づきながら一斉にノーと答える(68)。これまでの租税改革は明らかに、フランスの全体の〇・一％に相当する超富裕な人々の所得を増やしたことに貢献した。また経済分析審議会も、フランスの外出制限が、より大きな財産を持つ人々の貯蓄を一層膨らませる要因となったことを指摘する。かれらの貯蓄は、外出制限以降に蓄積されたフランスの貯蓄の実に三分の二を占める。これに対して最も貧しい人々は、貯蓄することができないか、もしくはほんのわずかしか貯蓄できないでいる。

このような事態に、フランス政府の二〇二一年に向けた予算案における一つの大きな課題は、最も富裕な世帯による復興のための納税に置かれた[69]。しかし政府は、それを断固として拒否した。ル・メール経済・財務相は、租税のいかなる引上げもないし、またいかなる新たな租税もないことを告知した。課税の引上げは復興を殺してしまう。我々は二〇〇八年危機のときの誤りをくり返してはならない。彼はこう唱える。

しかし、ここで最も問題とすべきは、コロナ危機で異常に拡大した公的債務をいかに償還するかという点である。ル・メールは先に見たように、この巨額の債務を経済成長、財政の制御、並びに構造改革によって完全に解消することを謳う。そこではとくに年金改革の必要が強調される。また、ル・メールと同じく保守派の共和党に属するE・ウエルス（Woerth）財政委員会委員長も、政府予算は潜在的成長を復活させるためのものであると唱える。

果して、そうした対策でコロナ債務はほんとうに返済できるであろうか。政府もこの点をようやく問題にし始めた。かれらは二〇二〇年一一月末に、財政収支の巨大な悪化に応じるための委員会を新たに設ける[70]。ところが、それでも政府は財政の針路を変えるつもりが全くない。かれらは相変わらず、野党の強調する連帯富裕税の復帰をあくまで拒否する一方、公共支出の抑制や構造改革の経済に与える効果を期待する。

コロナ債務の返済に関するフランス政府のこうした姿勢に対し、野党は当然強く反発した[71]。共産党の中には、少なくとも欧州中央銀行に対する債務の返済免除、あるいは永久債をつうじた債務免除を訴える議員もいる。また、不服従のフランスのリーダーであるメランションは、債務はイデオロギーで管理されるべきとする。一方、社会党とル・ペンの率いる国民連合は、債務返済の無期延期を要求した。

野党によるこれらの批判が沸き上がる中で、ル・メールは、成長による法人税の増大で債務返済が可能であるとする見解をくり返し述べるにすぎない。しかし何度も強調するが、このことが可能かどうかは決して明らかでない。というのも、コロナ債務は国家に対する問題だけではなく、それは企業に対しても重くのしかかっているからである。現実にフランス銀行は、フランスの企業債務が二〇二〇年二月から二〇二一年二月までの一年間に一二％増大したことを示している(72)。問題は、その満期の到来にある。一定数の企業は明らかに、返済不能のリスクに晒される。それはホテル、レストラン、商業、並びに航空輸送などのセクターを中心に、企業組織の四分の一にも達すると予想される。かれらは、超債務をカバーできずに債務の壁にぶつかってしまう。そこでフランス経済景気研究所は、企業倒産を防ぐための新たな支援が必要であると警告する。こうした状況を踏まえれば、ル・メールの描くシナリオが絵空事であることは明らかであろう。

では、政府はいかに対応すべきか。それはやはり、「どんなにお金がかかっても」行う意思を貫く以外にない。コロナ危機下での財政出動は三つの軸、すなわち企業支援、賃金労働者支援、並びに保健のための支出から成る(73)。経済状態がコロナ流行以前のレベルに戻るまで、それらの支出は国家にとってコストになり続ける。しかし、このコストを払うという姿勢は、政党の右派と左派、労働組合、並びに雇用者のすべてのアクターに支持される(74)。かれらは、伝統的に支出超過を批判してきた右派政党も含めて、今回の国家介入政策にこぞって賛同する。

ところが肝心の政府は、何が何でもコストを払うという考えに反対する姿勢を示し始めた。ル・メールは、支出の削減を宣言したのである。そこには、テクノクラート（高級官僚）の存在があると言わねばならない。そもそもフランスの経済省は巨額の資金の要求に対し、それはフランスを破産させるとしてこれまで拒絶してきた。コロナ危機は、このパラダイムを大きく転換させた。それは他方で、政治家とテクノクラートの新たな対決を生み出したのである。[75]「どんなにお金がかかっても」行うとする政府の意思に対し、行政当局は支援の永続による赤字の爆発に直面して反発した。テクノクラートの大半は、支援は余りにも寛大であり、連帯ファンドは縮小されるべきと主張する。ル・メールの宣言が、こうした高級官僚の声を代弁するものであるとすれば、一体誰が政治を動かしているのかが問われるに違いない。

テクノクラートの間には、公的債務が将来世代の債務となるからよくないとする考えがまかり通っている。ほんとうにそうであろうか。フランス経済景気研究所の研究は、そうした債務の増大が全く逆に将来世代の福祉向上に大いに役立つことを示している。[76]国家の債務が、公共投資をつうじた所得の移転を生むとすれば、それは再分配を促すと共に将来のインフラストラクチャーの構築に貢献する。だからこそ復興プランは拡大される必要がある。公的債務はつねに悪いという考えは払拭されねばならない。このように唱える研究は全く正当なものである。

ル・メール経済・財務相は以上の見方と反対に、ポストコロナで公共支出を削減すると同時に構造改革を行うことで財政均衡主義に戻ることを示唆した。そうだとすればフランスの復興プランは、コロナ危機下のたんなる例外的措置にすぎないのではないか。そう思われても仕方がない。そしてこの点は、EUの復興プランについてもあてはまる。そこでもやはり、前章で論じたように補助金の見返りに構造改革の実施が強く謳われているからである。フランスもEUも、結局は財政緊縮というドグマから脱け出すことができないのか。この点が問われるのは間違いない。

他方で、ポストコロナにおけるもう一つの大きな問題として、くり返しになるが債務返済の手段の問題が残る。フランスは以上に見たように、増税を拒否する一方で企業に対する課税の減免を図る。こうした対策を果していつまで続けられるであろうか。コロナ危機下の債務問題は、確実に不平等問題を反映している。脆弱な企業と個人が債務を増やしているからである。国家の支援による公的債務の急増はその結果にすぎない。そうであれば、不平等体制の解消こそが、債務を打ち消す最良の手段になるのではないか。それはやはり、何度も主張してきたが、富裕者（企業と個人）に対する累進税の強化による富の再分配以外にない。そしてこのことは今日、実は世界的な傾向として唱えられつつある。この点については、終章で詳しく論じることにしたい。

ところでル・メール経済・財務相はこうした中で、二〇二一年八月三〇日に、「どんなにお金がかかっても」支援するという原則を同年の九月三〇日をもってついに撤廃すると表明した[77]。二〇二〇年三月半ばにマクロンが宣言したこの原則は、一年半の後に終了することを告げたのである。そこにはやはり、フランスの財政赤字の解消問題が潜んでいることは疑いない。果して、同原則の廃止による不安はないのか。一応、コロナパンデミックで最も被害を受けたセクターについては同原則が適用されるものの、それ以外のセクターで危機的状況が生じないかどうかは定かでない。政府は同原則を廃止する根拠として、あくまでも順調な経済復興を掲げる。しかし現実には、大きな債務を抱える企業が、国家による支援のないまま経営を持続できる保証はない。実際に、企業の倒産とそれに伴う失業の増大が見込まれている。そうであれば政府は、財源の確保に基づいた支援を、どんなにお金がかかっても行う必要がある。

注

（1）Tonnelier, A., "A Bercy, l'utilité d'un plan de relance fait débat", *Le Monde*, 8, avril, 2020.
（2）Tonnelier, A., "L'État double son plan de soutien à l'économie à 100 milliards", *Le Monde*, 11, avril, 2020.
（3）Tonnelier, A., "Bruno Le Maire dessine les contours de l'après", *Le Monde*, 2, mai, 2020.
（4）Tonnelier, A., "《L'affaissement économique est plus risqué que la dette》", entretien avec Philip Martin, *Le Monde*, 11, juillet, 2020.
do., "Le gouvernement au défi de la relance", *Le Monde*, 11, juillet, 2020.
（5）Lemarié, A., "Macron garde son cap mais《change de chemin》", *Le Monde*, 16, juillet, 2020.
Tonnelier, A., "Un plan de 100 milliards d'euros pour la relance", *Le Monde*, 16, juillet, 2020.
（6）連帯富裕税の廃止については、拙著『「社会分裂」に向かうフランス』明石書店、二〇一八年、二五四ページを参照。
（7）Gatinois, C., et Tonnelier, A., "Emmannuel Macron vante son action européenne", *Le Monde*, 23, juillet, 2020.
（8）Roger, P., "Jean Castex donne des gages aux patrons", *Le Monde*, 28, août, 2020.
（9）Pietralunga, C., "Macron se projete déjà dans《l'après》", *Le Monde*, 31, août, 2020.
（10）Tonnelier, A., "100 milliards pour relancer la France", *Le Monde*, 4, septembre, 2020.
Barroux, R., et Garric, A., "Écologie Un《premier pas nécessaire》", *Le Monde*, 4, septembre, 2020.
（11）Tonnelier, A., "Un an après, le bilan mitigé du plan de relance", *Le Monde*, 1, juillet, 2021.
（12）Conesa, E., "Relance: Emmanuel Macron tente de se projeter dans《la France de 2030》", *Le Monde*, 14-15, juillet, 2021.
（13）Escande, P., "Plan de relance act II", *Le Monde*, 10, novembre, 2020.

(14) Madeline, B., “Entreprises L’État veut renforcer les fonds propres des société”, *Le Monde*, 4, septembre, 2020.
(15) Leclerc, A., “Pour les PME, avec la rentrée sonne l’heure de verité”, *Le Monde*, 3, septembre, 2020.
(16) Desmoulières, R.B., Lemarié, A., Tonnelier, A., et Zappi, S., “Aides aux entreprises: le débat relancé”, *Le Monde*, 7, septembre, 2020.
(17) Tonnelier, A., “Le financement des mesures va peser sur la dette publique”, *Le Monde*, 4, septembre, 2020.
(18) Tonnelier, A., “Trajectoire budgétaire: la casse-tête de Bercy”, *Le Monde*, 18,septembre, 2020.
(19) Tonnelier, A., “《Le manque de croissance risque de se traduire par du chômage》”, entretien avec Mathieu Plane, *Le Monde*, 18, septembre, 2020.
(20) Tonnelier, A., “Bruno le Maire veut accélérer le déploiement du plan de relance”, *Le Monde*, 3, mars, 2021.
(21) Mathieu, B., “Paris dans les starting blocks du plan de relance européen”, *L’Express*, 29, avril, 2021, pp.36-37.
(22) Conesa, E., et Tonnelier, A., “Sortie de crise: l’exécutif mobilise 20 milliards”, *Le Monde*, 28, mai, 2021.
(23) Madeline, B., “La croissance de l’économie française s’étiole”, *Le Monde*, 8, Octobre, 2020.
(24) Madeline, B., “Faire dépenser les français, une affaire de confiance”, *Le Monde*, 1, septembre, 2020.
do., “Le rythme de la reprise économique française devient plus incertain”, *Le Monde*, 26, septembre, 2020.
(25) Gatinois, C., “L’exécutif veut éviter de confiner d’économie”, *Le Monde*, 30, octobre, 2020.
(26) Garnier, J., et Leclerc, A., “Commerce, restauration: le reconfinement fait des gagnants et de nombreux perdants”, *Le Monde*, 30, octobre, 2020.
(27) Madeline, B., “L’économie française s’adapte au confinement”, *Le Monde*, 19, novembre, 2020.
(28) Madeline, B., “Après le choc de 2020, une reprise prudente”, *Le Monde*, 17, décembre, 2020.
(29) Madeline, B., “La France de 2021 face à quatre inconnues”, *Le Monde*, 24, décembre, 2020.

（30）Madeline, B., "La vague des licenciement frappe la France", *Le Monde*, 3, décembre, 2020.
（31）*ibid*.
（32）Tonnelier, A., "Budget rectificatif: 20 milliards d'euros supplémentaires sur la table", *Le Monde*, 6, novembre, 2020.
（33）Madeline, B., "Attractivité: la crise comme aiguillon", *Le Monde*, 29, mai, 2020.
（34）Cosnard, D., "Désindustrilisation: l'Ile-de-France menace", *Le Monde*, 16, juin, 2020.
（35）Aizicovici, F., et Leclerc, A., "En France, la menace des délocalisations", *Le Monde*, 22, septembre, 2020.
（36）Madeline, B., "Industrie: l'espoir made in France", *Le Monde*, 3, novembre, 2020.
（37）Moniez,L.,"Hauts-de-France: de la désindustrialisation à la lente réindustrilisation", *Le Monde*, 14, décembre, 2020.
（38）Desmoulières, R.B., et Bissuel, B., "Réformes sociales: le premier minister, Jean Castex, face au front uni des syndicats", *Le Monde*,11, juillet, 2020.
（39）Bissuel, B., "Social: l'opération déminage de Jean Castex", *Le Monde*, 19-20, juillet, 2020.
（40）前掲拙著『「社会分裂」に向かうフランス』二〇五ページ。
（41）Conesa, E., "Retraites: de la difficulté de réformer en période électrale", *Le Monde*, 6-7, juin, 2021.
（42）Conesa, E., et Tonnelier, A., "Économie: Macron réfléchit au dernier acte", *Le Monde*, 19, mai, 2021.
（43）Bontems, J., de Caset, A., et Villemot, D., "La réforme des retraites doit privilégier la justice sociale", *Le Monde*, 15, juin, 2021.
（44）Bissuel, B., "Une hausse du chômage contenue, dans une économie sous cloche", *Le Monde*, 29, janvier, 2021.
（45）Madeline, B., "Chômage partiel : le difficile retrour au travail", *Le Monde*, 19, février, 2021.
（46）Desmoulières, R. B., "L'assurance-chômage enregistre un défit《inédit》", *Le Monde*, 23, octobre, 2020.
（47）Desmouliéres, R. B., "La crise sanitaire et économique fragilise les comptes de l'assurance-chômage", *Le Monde*,

26, février, 2021.

(48) Desmoulières, R. B., et Bissuel, B., “Les syndicats font front commun contre la réforme de l’assurance-chômage”, *Le Monde*, 24, février, 2021.

(49) Zappi, S., “Assurance-chômage: le PS disseéque la réforme au niveau territorial”, *Le Monde*, 9, juin, 2021.

(50) Bissuel, B., et Leclerc, A., “Nouvelles aides pour les précaires”, *Le Monde*, 28, novembre, 2020.

(51) Goar, M., “Les exécutifs face à la lassitude des opinions”, *Le Monde*, 23, février, 2021.

(52) Desmoulières, R.B., et Carriat, J., “La majorité s’inquiète d’un dégel des colères sociales”, *Le Monde*, 23, janvier, 2021.

(53) Pouzadoux, M., “Au cour de la crise sanitaire, les《gilets jaunes》veulent compter”, *Le Monde*, 2-3, mai, 2021.

(54) Lemarié, A., “Macron veut déconfiner ses réformes sociales”, *Le Monde*, 6-7, juin, 2021.

(55) Tonnelier, A., “Dette Covid: le dilemme du gouvernement”, *Le Monde*, 27, mars, 2021.

(56) Tonnelier, A., “Le déficit de l’État a doublé en 2020”, *Le Monde*, 22, janvier, 2021.

(57) Guinochet, F., et Mathieu, B., “Quelle relance après la crise?”, *L’Express*, 7, mai,2020, p.37.

(58) Artus, P., “Qui est《l’assureur en devenir ressort》?”, *Le Monde*, 4, mai, 2020.

(59) Tonnelier, A., “Dette Covid: le dilemme du gouvernement”, *Le Monde*, 27, mars, 2021.

(60) Guinochet, F., et Mathieu, B., *op.cit.*, p.38.

(61) Desmouliéres, R. B., et Bissuel, B., “《Pour une contribution accrue des plus riches》”, entretien avec Lauren Berger, *Le Monde*, 6, mai, 2020.

(62) Madeline, B., “Les rang des plus aisés des français ne se sont pas étoffés, mais leur fortune a grossi”, *Le Monde*, 11, juin, 2020.

（63）前掲拙著『「社会分裂」に向かうフランス』二五二ページ。

（64）Belouezzane, S., Carriat, J., Lemarié, A., Tonnelier, A., et Zappi, S., “Le débat sur la taxation des plus riches fait sont rand retour”, *Le Monde*, 11, juin, 2020.

（65）Tonnelier, A., “ISF: les revenus des 0.1% les plus riches ont explosé”, *Le Monde*, 10, octobre, 2020.

（66）Belouezzane, S., Gatinois, C., Mestre, A., Pougin, E., et Zappi, S., “L'épineux débat sur la taxation des plus riches fait son retour”, *Le Monde*, 7-8, février, 2021.

（67）Albert, É., “Au Royaume-Uni, imposer les plus fortunes redivient populaire”, *Le Monde*, 11, juin, 2020.

（68）Gatinois, C., “Le budget de crise《historique》en débat à l'Assemblée nationale”, *Le Monde*, 13, octobre, 2020.

（69）Tonnelier, A., “Le gouvernement refuse de taxer les ménage les plus aisés”, *Le Monde*, 14, octobre, 2020.

（70）Gatinois, C., et Tonnelier, A., “Bercy remet la《dette Covid》dans le débat”, *Le Monde*, 25, novembre, 2020.

（71）Tonnelier, A., “Dette: la piste de l'impôt sur les sociétés”, *Le Monde*, 24, mars, 2021.

（72）Madeline, B., “Entre facture liée au Covid-19 et endettement, le voie pour les entreprises est étroite”, *Le Monde*, 16, avril, 2021.

（73）Tonnelier, A., “Face au coût élevé de la crise, le numéro d'équilibiste de Bercy”, *Le Monde*, 16, avril, 2021.

（74）Conesa, E., “《Quoi qu'il en coûte》: les oppositions atones”, *Le Monde*, 4, juin, 2021.

（75）Conesa, E., “Bercy se convertit à la dépense dans la douleur”, *Le Monde*, 31, Mai, 2021.

（76）Tonnelier, A., “Les experts de l'OFCE appellent à doubler la taille du plan de relance”, *Le Monde*, 28, janvier, 2021.

（77）Madeline, B., “Les risques de la fin du《quoi qu'il en coûte》”, *Le Monde*, 1, septembre, 2021.

終章　コロナ危機の意味するもの——不平等体制と社会的公正

以上我々は、欧州とフランスを事例としながら、コロナ危機の発生した背景とその諸結果について様々な角度から検討を重ねてきた。それらからどのような教訓が引き出せるか。ここではさしずめ、次の三点を指摘しておきたい。第一に、疫病に対する普段からの危機管理の不十分さがコロナパンデミックを招いたこと。この点でコロナ危機は人災でもあった。しかもそうした管理の不十分さは、国内レベルのみならず国際レベルで明確に現れた。医療体制の強化は、それこそ国際協力の下に促進されねばならない。保健システムは環境と同じく、グローバル公共財として認識される必要がある。欧州は、そのような国際体制を実現させる格好の場となるはずなのに、かれらの間でそれが十分に意識されていない。第二に、コロナウイルスによる健康リスクは同時に、経済と社会を多大なリスクに晒したこと。このリスクは個人、企業、並びに国家のすべてに行き渡る。そして最大の被害を受けるのは最も脆弱なアクターである。コロナ危機はこうして不平等体制を一層深める結果となった。それゆえ復興プランは、決して経済の側面に留めてはならない。それは社会ひいては人間の復興を目指す必要がある。そして第三に、コロナ危機から脱出するために個人、企業、並びに国家のすべてが非常に大きな債務を抱えたこと。したがって、このコロナ債務とも呼ぶべき債務を誰がどのように返済するかが、ポストコロナの最重要課題となる。それはまた、これまでの財政と租税のシステムのあり方を問い直すと同時に、不平等体制の是正を図ることと結びつく。実は、この問いかけが現在、世界中で議論の的となっているのである。そこで最後に、この点を制度的かつまた理論的な側面から検討しながら、そうした問いに答えられるような資本主義体制のあるべき姿を合わせて考察することにしたい。

一．バイデン効果と欧州の反応

コロナ危機から脱出するための一つの突破口を開いたのは、欧州ではなく米国の政策であった。それは、新大統領であるバイデンの政策（バイデノミクス）として示された。彼の政策提言は単純明快である。その一つは、復興資金を増やすための財政支出の拡大であり、もう一つは、その支出をカバーするための租税の引上げである[1]。そもそも米国は先に見たように（第七章）、コロナ流行の当初から欧州よりもはるかに多くの資金を復興に当ててきた。バイデンは、さらにその上乗せを図る。復興資金の合計は約三兆ドル（約二兆五〇〇〇億ユーロ）にも達したのである。一方EUは復興プランとして、米国の半分以下の七五〇〇億ユーロを提示したものの、その実施に一年以上かかっている。その中で唯一フランスは、米国の例をヒントに伝統的な国家介入主義を掲げながら国民的マーシャル・プランを表した。

他方でバイデンは、法人税を引き上げると同時に、多国籍企業に対する最低税率を設けた。後者については、欧州も以前から主張してきたものの、それは依然として実現されていない。欧州が夢を見ている間に米国は実行したのである。コレージュ・ド・フランスのアギオン教授は、このようなバイデンの復興プランと租税の引上げに完全に賛同する。こうしたバイデン主義者はアギオンに限らず、フランスのエコノミストの間で多く見られる。かれらはバイデン・マニアとも呼ばれる。

確かに、バイデン政権の示した積極的介入主義は、これまでのトランプ政権下の新自由主義とは一線を画す。そしてこの介入主義に関する検討は、欧州ではフランスを除いて遅れた。その遅れを取り戻すかのように、欧州でも最近新たな動きが示され始めた。EUの執行部は、復興プランの規模を一層拡大することを図る。かれらは、二〇二一年四月半ばに、その再評価を発表したのである[2]。それは、二〇二六年までに八〇六〇億ユーロに拡大される。このうち、四〇七五億ユーロが補助金で三八六〇億ユーロが貸付である。この追加資金は、債務と短期証券の発行で調達される。こうした復興プランの拡大傾向は全く評価できる。これはまさに、バイデン効果を表すと言わねばならない。

ところで、バイデンの復興プランのうち、三分の二はインフラストラクチャーに関するプログラムから成る。当初予定されたインフラストラクチャーへの投資は、実に二兆二五〇〇億ドルにも及ぶものであった[3]。それは、古典的とも言えるセクター、すなわち道路、水道、電気、並びに公共輸送と現代的セクターであるインターネットへの投資を表す。この投資額は、二〇二一年六月末に野党（共和党）との妥協により、八年間で一兆二〇九〇億ドルに減額されたものの、それでも前代未聞の大きさである。そして肝心なことは、民主党が法人税を引き上げる代わりにこの減額を受け入れたという点にある。なぜならバイデンは、そうしたインフラストラクチャー投資の資金を法人税の引上げで賄う必要があることを宣言していたからである[4]。それは、従来の二一％から二八％に引き上げられた。一方、米国企業の在外子会社に対する法人税率は倍の二一％に上昇した。他方で、所得に対する連邦的な限界税率も三七％から三九・六％に達した。これは、B・オバマ（Obama）政権下のものと同じである。

バイデン大統領は、このような一連の租税政策が一層の社会的公正を達成させるという文脈の中で行われることを強調する。彼は、今こそ「米国企業と米国全体の一％に相当する最も富裕な人々が、かれらの応分を支払うとき」であると宣言した。この宣言が、欧州に力強い効果を与えることは間違いない。バイデンは、米国でたった六五〇万人の超富裕者がコロナパンデミックの一年に一兆ドル以上の富を増やしたとして、億万長者を批判した。実際にかれらの富は、現在四兆ドルをも上回ると言われる。他方で彼は、中流階級の人々に租税の重みをかけない。かれらはすでに十分な税を払っているとみなされる。したがって彼の租税改革は、年に四〇万ドル以下の所得の米国人を対象としない。同改革はあくまでも、全体の一％に当たる最も富裕な人々にねらいを定める。要するに、富裕者に対して累進税が適用されたのである。

一方バイデンは、こうした租税改革を米国だけでなく先進諸国全体に波及させることを試みた。これこそがバイデン主義の真骨頂であった。事実、二〇二一年六月四～五日のロンドンG7財務相会議で、最小限の法人税の設定がテーマとなった。これは緊急を要する。コロナ危機による財政赤字の巨大化は、各国間の租税競争をいち早く終らせる必要があったからである(5)。この最低法人税のシナリオにより、EUも当然に税収を増大することができる。EUにとり、このような租税改革は画期的なものとなるに違いない。かれらはこれまで、むしろ逆に租税改革によって法人税率を引き下げる傾向を示してきたからである。

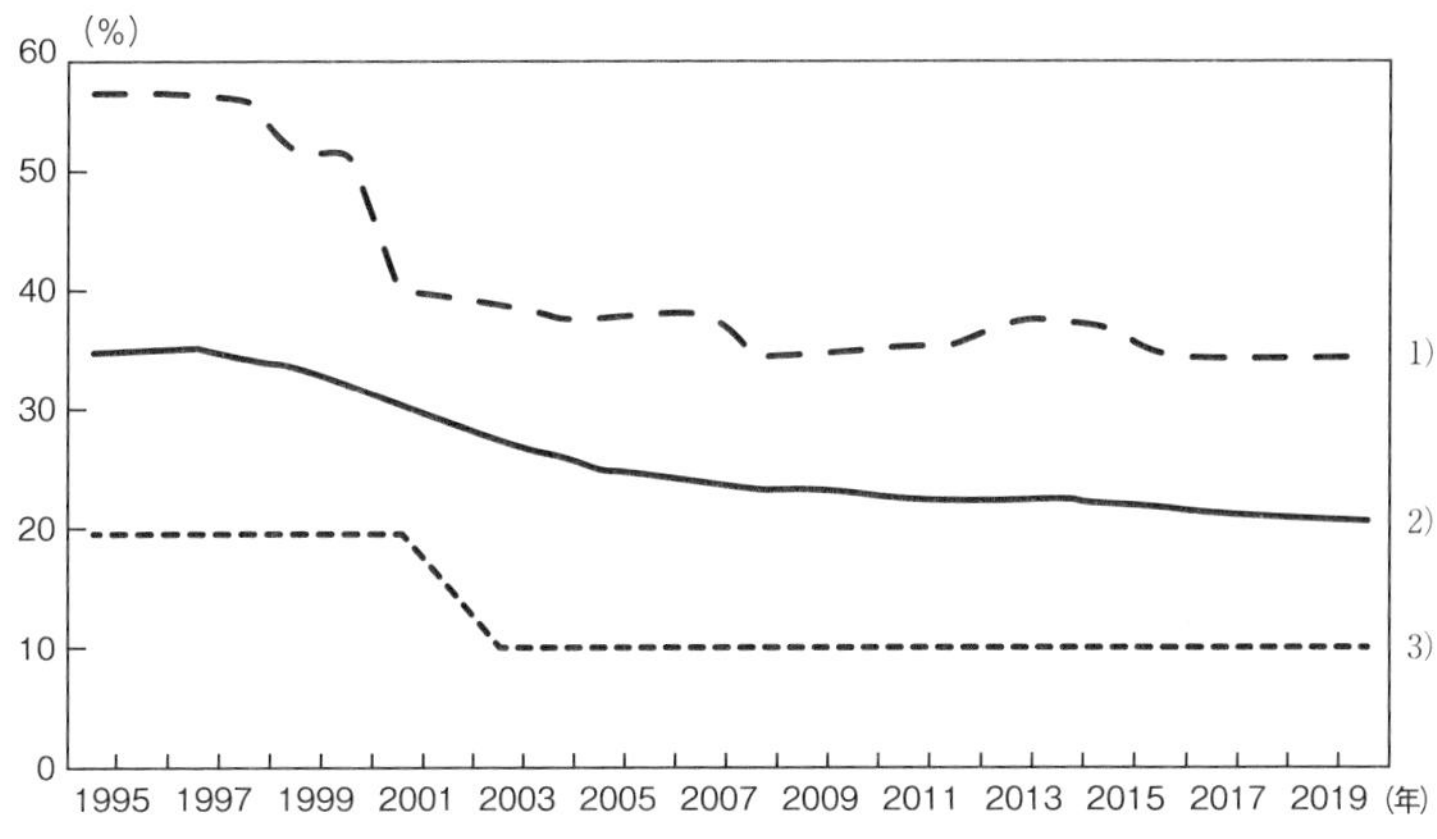

注　1）最高税率　2）平均税率　3）最低税率

出所：Allègre, G., "L'impôt sur les sociétés peut-il constituer une ressource propre de l'Union européenne?", in OFCE, *L'économie européenne 2021*, La Découverte, 2021, p.84. より作成。

図終－1　EU の法人税率（1995～2019 年）

ＥＵの法人税率は、そもそも加盟国間で著しく異なる。租税政策の権限が分散される以上、租税競争のメカニズムを避けることができなかった。ピケティは、彼の最新書（『資本とイデオロギー』）の中で、欧州諸国間の全会一致という規律が、一九九〇～二〇二〇年の三〇年間にわたって、つねに租税ダンピングの動きを加速させたと論じる[6]。このことが競争上の歪みを生み出すと同時に、外国企業は低税率国に収益を移転したのである。後者は、いわゆるトランスファー・プライシング（移転価格操作）をつうじて行われた。そこでは、低税率国の財の輸出価格が市場価格から離れて意図的に引き上げられた。他方で、欧州統合の進展により移動コストが減少したことも、租税競争を促して法人税率を低下させる一因となった[7]。実際にＥＵの法人税率は、図終－１に見られるように一九九〇年代半ばより一貫して低下した。とくに最低税率は、二〇〇〇年代初めから一〇％で変わっていないことがわかる。

では、欧州は法人税改革に何も着手しなかったかと言えばそうではない。そこでは、企業の過剰負担と二重課税が問題とされてきた。そして今日、欧州委員会はとくに多国籍企業に対する課税を集中的に検討している[8]。かれらは、欧州以外の地域の企業がEUに対してわずかしか税を払っていないことに注目する。一方、同委員会は二〇一八年に法人税率のベースを三％引き上げた。ところが、それにもかかわらず法人税率は欧州諸国の間で非常に異なる。それは、課税基準に対する計算方法の違いに基づく。この基準の低下が、当然に多国籍企業を引き付けることになる。

他方で、国民所得に占める企業利潤の重みも欧州諸国間で大いに異なる。欧州内に存在するアイルランドなどのタクスヘイブンに、多国籍企業の利潤が集中することもその一因である。その結果、法人税による収入の違いもEU諸国間で非常に大きい。対GDP比で見ると、それはキプロスで〇・四六％、アイルランドで〇・二二％であるのに対し、イタリアとフランスでは、たった〇・〇八％でしかない。アイルランドは、欧州のタクスヘイブンでトップに位置する。そこでは、ペーパーカンパニーの利潤のGDPに占める割合が他国よりもはるかに高い。したがって欧州では、租税の公正が問題とされねばならない。ところが、加盟国間でそうした公正に対する一致した考えは全く見られない[9]。

現実に、欧州の法人税は二つの理由で不公正なままである。一つは、タクスヘイブンにおけるペーパーカンパニーの利潤のおかげで、課税基準を現実の活動から切り離すことができる。もう一つは、こうした国際的不正が企業間の不公正に追加される。多国籍企業は租税のコストを下げるために、タクスヘイブンに利潤を移すからである。確かに、共通の課税基準はEU内でも設定され、これにより最低法人税率は一〇％と定められた。しかし、それはあまりに低いと同時に、二〇年近くに渡って変わっていない。多国籍企業に対する課税の改革は、ＥＵ内では全会一致を必要とするため、大きな進展を見ることができないのである。

今回のコロナ危機は、新たな租税改革を導く契機となるのではないか。この改革は緊急性を伴うと共に、より超国家的な方向への変化を示すはずである。ＥＵに関して言えば、それは加盟国の連帯を一層強めるに違いない。そしてそうした改革が、共通の最低法人税率の設定をつうじて米国のバイデン政権により主導されたことの意義は極めて大きい。バイデンは二〇二一年四月に、世界中の多国籍企業に対して二一％の課税を設けることを提案した。それは、同年五月に米国財務省によって一五％に引き下げられたものの、この最低税率案は他の世界のパートナーに届けられたのである。

実は欧州でも、そこに立地された外国の大企業が支払う租税に対して、公的なコントロールの必要がこれまでも強く謳われた。グローバリゼーションの勝利者は応分の税金を支払わねばならない。このように主張されたのである。しかし、欧州におけるその実施能力は疑問視された[10]。そうしたプロジェクトに対する支持基盤は脆かったからである。欧州のタクスヘイブンを代表するアイルランド、ルクセンブルク、並びにマルタは、それに強く反対した。これにより、同プロジェクトを推進したフランスも妥協せざるをえなかった。

ところが今回、最大数の多国籍企業を抱える米国が、かれらに対する課税の改革でリーダーシップを発揮した。この下にフランスとドイツは、他の欧州諸国に圧力をかけることができた。フランスのル・メール経済・財務相とドイツのショルツ財務相は、国際的な租税革命を訴える[11]。これにより、タクスヘイブンにペーパーカンパニーを設けることは意味がなくなる。グローバリゼーションの姿は、それで大きく変わる。かれらはこのように唱えた。こうした動きを受けて欧州委員会は、二〇二一年五月半ばに同一の租税を改めて提案する。これに対してアイルランドはあくまで反対したものの、米国を中心とした国際的な租税改革の流れを阻止することはもはやできなかった。

多国籍企業に対する最低法人税率（一五％）に関してOECDは、二〇二一年六月のロンドン・サミットにおけるG7の合意を経て同年七月初めに、ついに世界一三〇ヵ国での大枠合意に達したことを発表する。[12] また、巨大なIT企業を中心とするデジタル関連企業に対する共通の課税も合わせて設定された。そうしたIT企業の中に、GAFA（Google, Apple, Facebook, Amazon）も当然含まれる。バイデンはこの合意に際し、多国籍企業はもはや公的な税収を犠牲にしてかれらの利益を守ることはできないと語った。

世界共通の最低法人税率は、二〇二三年から適用される。もちろん、これでもって租税競争が完全になくなる訳ではない。アイルランドやハンガリーを含めた九ヵ国はすでに、この協定に反対する意思を表明している。OECDの事務総長M・コーマン（Corman）も、今回の合意が租税競争を排除しないことを認める。しかしそれが、そうした有害な競争を制限することになるのは間違いない。バイデン大統領が同協定の成立を促したのもそのためである。とくに欧州で、それを支持する国が多い。かれらが、多国籍企業に対する適正な課税を長年に渡って求めてきたからである。例えばドイツのショルツ財務相は、この最低法人税率に関する合意は、より公正な租税に進む巨大なステップになるとしてそれを称賛した。またフランスのル・メール経済・財務相も今回の合意を、この一世紀で達成された最も重要な租税に関する国際的合意であるとして高く評価した。[13]

この最低法人税率が実行されれば、それはまさに租税革命を成すものであり、歴史的画期を示す出来事であると言ってよい。このような租税に関する根本的な改革が行われた背景に、コロナ危機に伴う大きな財源の確保という問題があることは、くり返し述べてきたとおりである。同時にそれが米国の主導の下で行われたところに、バイデン効果をはっきりと見ることができる。そしてこの効果は、とりわけ欧州で強く発揮されたと言ってよい。他言すれば、欧州は復興プランに合わせた財源問題の解消を、単独では行えないという限界を露呈したのである。

ところで、こうしたバイデン効果は租税改革に関してのみ現れたのではない。それは、世界の医療体制における不平等の改善に向けた動きにも見ることができる。[14]バイデンは、二〇二二年末までに五億人分のワクチン（ファイザー社製）を世界に供給することを約束した。同時に彼は二〇二一年五月に、ワクチンの特許を一時的に取り外すべきことを宣言した。その背後に、医療専門家や世界保健機関（WHO）の圧力があったことは否定できない。かれらは、コロナウイルスの感染と変異を防ぐために最も貧困な国々へのワクチン供与を訴えた。そこでは、世界の最も富裕な国々の寛大さが求められる。バイデンの率いる米国は、このことを率先して見せた。このようなバイデンの意向は、ロンドン・サミットに直ちに伝わった。主催国イギリスのジョンソン首相は、G7は二〇二二年末までにワクチンをすべての人に与えることを宣言した。かれらは、集団で一〇億人分のワクチンを他の世界に供与することを謳ったのである。

一方、G7によるその他の世界へのワクチン供与には、中国とロシアによるワクチン外交が圧力として働いていた。この点は疑いない。実際に両国は、アフリカとアジアに対してそうした外交をすでに展開していた。欧州委員会のフォン・デア・ライエン委員長も、それに対してEUは大量（七億人分）のワクチンを生産し、その半分をEU以外の国（九〇ヵ国）に輸出する考えを表明した。しかし他方で同委員会は、バイデンの提起したワクチンのライセンスの除去に対して賛同の意を表さなかった。それはミラクルの解決ではないとみなされたのである。フランスのマクロン大統領も当初、バイデンの宣言を支持したもののＧ７の直前にその考えを変更した。彼は、特許を外す前にワクチンを生産できる経済にすることが必要であると唱える。そこには明らかに、ドイツの強い反対に寄り添う姿勢が見られた。メルケル首相は、ワクチンの特許を外すことを断固として拒否したからである。そうしたフランスの意向は、二〇二〇年三月のコロナ債発行に際したときと全く同じであった。独仏協調路線はここでも貫かれたのである。

本来であれば、公正な社会の構築を標傍する欧州こそが、ワクチンの特許撤廃を真っ先に提言しなければならないのではないか。また、世界的にもそのことが容認されねばならないはずである。国連事務総長のＡ・グテーレス（Gueterres）は、ワクチンの生産を倍増する一方、その知的所有権を取り除くと同時に、その生産のための技術移転を行う必要があることを主張した。欧州は租税改革と並んで、ここでもリーダーシップを発揮することができなかった。ドイツが反対すれば欧州は動けない。このことが再び現れた。しかし、これによって欧州のコロナ危機の解消に果す役割における存在意義が問われるのは間違いない。

二．ＩＭＦの提言と欧州での議論

（一）ＩＭＦの提言

以上に見たような米国のバイデン大統領による租税改革案と平行して、実はＩＭＦも、コロナ危機下の各国の財政と租税の問題に対して様々な提言を行っている。かれらは二〇二一年四月に財政監視に関する報告書の中で、バイデンと同じく公正の観点から現行体制の改善案を示した[15]。同報告書のサブタイトルとして「機会均等（fair shot）」という言葉が掲げられたのもそのためである。因みにこの言葉は、バイデンが大統領選の勝利宣言で用いたものと言われる。

そこでまず、IMFの提言を同報告書によりながらフォローすることにしたい。最初に、コロナパンデミックの与えた効果に対するIMFの基本認識を見ておこう。それは端的に言って、不均衡な効果である[16]。このパンデミックは、貧困者、若者、女性、マイノリティ、並びに学歴が乏しく低所得で働く労働者などの脆弱な人々に対して、非常に大きなネガティブ効果をもたらした。かれらはこのように認識する。この点は、我々が欧州とフランスを事例に検証した結果と変わらない。

一方、世界の各国は、コロナの感染がグローバルにコントロールされるまで、経済の深刻な縮小と仕事の大きな喪失を阻止するために財政的サポートを行う必要がある[17]。このサポートによって、各国政府の財政赤字と債務は前代未聞のレベルに引き上げられた。この点は、とりわけ先進諸国ではっきりと現れた。表終−1と表終−2は、二〇一九年から二〇二二年までの先進諸国の財政収支と公的債務に関して、IMFが推計したものである。それらは、我々のこれまでの議論にエビデンスを与える。先進諸国の財政赤字は、二〇二〇年に大幅に拡大した。とくにユーロ圏の財政収支は二〇一九年にほぼ均衡していたのに対し、それは二〇二〇年に一転して対GDP比で財政規律（三%）の二倍以上になる。とくにフランスや、イタリア、スペイン、ギリシャなどの南欧諸国で赤字が際立つ。他方で財政の健全を誇ったドイツとオランダの財政収支も、二〇一九年の黒字から二〇二〇年に一挙に赤字に転落した。またイギリスと米国のアングロ・サクソン諸国の財政赤字も、南欧諸国のそれを上回るほどに拡大した。そして、こうした財政赤字の傾向は二〇二一年以降も続くと予測される。次いで先

表終－1　先進諸国の財政収支（2019～2022年）

（対GDP比、%）

地域・国名	2019年	2020年	2021年	2022年[1)]
先進諸国平均	-2.9	-11.7	-10.4	-4.6
ユーロ圏	-0.6	-7.6	-6.7	-3.3
G7	-3.7	-13.2	-11.9	-11.9
フランス	-3.0	-9.9	-7.2	-4.4
ドイツ	1.5	-4.2	-5.5	-0.4
オランダ	2.5	-5.6	-4.3	-2.5
スウェーデン	0.5	-4.0	-3.9	-1.8
イタリア	-1.6	-9.5	-8.8	-5.5
スペイン	-2.9	-11.5	-9.0	-5.8
ギリシャ	0.6	-9.9	-8.9	-2.6
イギリス	-2.3	-13.4	-11.8	-6.2
米国	-5.4	-15.8	-15.0	-6.1
日本	-3.1	-12.6	-9.4	-3.8

注　1）予測値

出所：IMF, *Fiscal Monitor*, IMF, April, 2021, p.67より作成。

表終－2　先進主要国の公的債務（2019～2022年）

（対GDP比、%）

地域・国名	2019年	2020年	2021年	2022年[1)]
先進諸国平均	75.2	90.8	94.2	94.4
ユーロ圏	69.2	80.8	82.8	81.8
G7	86.9	104.9	108.8	108.5
フランス	89.3	104.3	106.1	105.1
ドイツ	41.4	50.0	52.5	50.4
オランダ	41.6	43.8	45.5	45.5
スウェーデン	3.5	6.8	9.9	11.0
イタリア	122.1	142.0	144.2	143.1
スペイン	82.2	103.2	104.5	104.3
イギリス	75.3	93.8	97.2	99.2
米国	83.0	103.2	109.0	109.5
日本	150.4	169.2	172.3	171.0

注　1）予測値

出所：IMF, *Fiscal Monitor*, IMF, April, 2021, p.74より作成。

進諸国の公的債務（対ＧＤＰ比）を見ると、それは二〇二〇年に非常に増大した。ユーロ圏のそれは、財政規律の六〇％を二〇％以上も上回った。とくにフランス、イタリア、並びにスペインなどのコロナパンデミックで大きな影響を受けた国の公的債務はＧＤＰの一〇〇％を超えるほどであった。この公的債務の増大は、アングロ・サクソン諸国でも現れた。また、このような債務の増大傾向は財政赤字のそれと同じく、二〇二一年以降も続くとみなされる。

では、先進諸国のこうした財政赤字と公的債務をいかにカバーすべきか。ＩＭＦは、この問いに対して一つの答えを用意する。それは、「一時的なコロナ復興税（temporary COVID-19 recovery contribution）」と呼ばれるものである。[18]同税は、高い所得と富を対象とすべきであり、そのためには国内と国際の双方で租税改革が必要とされる。ＩＭＦはこのように唱える。この点はバイデンの意向に沿うものであり、それを後押しするものである。同税については後に再び詳しく論じることにしたい。

ＩＭＦはさらに、機会均等の課題に関して提言を行う。以下で、その要点をまとめておきたい。最初にＩＭＦは、この課題を検討する問題意識を明らかにする。それは、コロナ危機下で不平等が拡大したという認識から生まれる。コロナ流行以前から各国における所得の不平等は増大したままであり、また先進諸国と発展途上諸国の間の不平等も過去三〇年間に拡大したことは確かである。問題とされるべき点は、こうした不平等がコロナ危機の下で一層悪化した点にこそある。[19]それはとくに、健康ケアのようなベーシックな公共サービスへのアクセスの面に鮮明に現れた。実際に米国における所得の不平等は、コロナウイルスによる感染率と死亡率の高さに深く関係している。一方、貧困者のコロナ感染に晒されるリスクがより高いことには、所得以外の要因もある。それらは、より少ないテレワーク、仕事の安全保障、ソーシャルディスタンスの欠如、並びに過密な地区や住宅での生活などで表される。これらについては、我々も以上の議論（第六章）で明らかにした。要するに貧困者は、ベーシックな公共サービスへのアクセスの面で、富裕者よりもはるかに劣っている。こうしてコロナパンデミックは、人々に対して不均衡な影響を与えた。最も脆弱なグループは最大のネガティブ効果を被ったのである。とりわけ女性が大きな被害を受けた。ＩＭＦは、この点を指摘することも忘れていない。他方で、コロナ危機による学校閉鎖は、人々の間の将来の不平等に一層拍車をかける[20]。それは、教育に対する前代未聞の分裂をグローバルな規模で導く。

ＩＭＦは、コロナ危機で生じた不平等を以上のように認識した上で、ではそれを解消するにはどうすればよいかを政策の観点から提言する。今回のＩＭＦの財政監視に関する報告書の最大の特徴は、この点にこそ見ることができる。

各国政府は、社会的セーフティネット、健康ケア、並びに教育サービスに焦点を当て、それらに対して緊急支援を直ちに提供する必要がある。ただし、そこでの不平等を減少させるための公共政策の中味は、コロナ流行以前のものと変わらない[21]。その一つは先行分配政策である。これは、所得の不平等を減少させて成長を育む。もう一つは再分配政策である。これは、貧困と可処分所得の不平等を減少させると同時に、短期でのベーシックサービスへのアクセスを改善させる。それは、低所得の世帯に所得を再分配することによる一方、貧しい家庭の子供達の学校教育を促進することによる。ＩＭＦは、このような一般的議論を念頭に入れながら、不平等解消のための諸々の具体策を提示する。次に、それらを三点にわたって整理しておきたい。

第一に、公共支出政策。教育、健康ケア、並びにインフラストラクチャーへの公共支出は、ベーシックサービスへのアクセスと人的資本の蓄積を改善する。[22]公共支出はまた、富裕な家庭と貧しい家庭の子供達の間の格差を埋める。なぜなら、高所得の世帯と低所得の世帯の間の大きな格差は、教育へのアクセスの相違を反映しているからである。さらに、健康ケアへの投資も人的資本の蓄積を高める。ＩＭＦはこのように、コロナ禍で公共支出を高めることによって不平等を削減できるとみなす。ここで、積極的な財政支出が容認されるのである。ＩＭＦのこの提言はまさしく、バイデンの宣言にそのまま通じると言ってよい。

第二に、再分配政策。バイデンとＩＭＦの政策提言が連携する姿は、後者の租税政策に一層明確に現れる。今回のＩＭＦの示した政策で最重視すべきは租税政策である。そこでこの点について、ＩＭＦの唱える論点をやや詳しくフォローすることにしたい。

ＩＭＦはまず、直接税に基づく資金移転によって所得の不平等を長期的に減少させることができると謳う。[23]かれらはこうみなした上で、その際に社会的支援プログラムが重要であることを主張する。それは貧困を減少させると共に、人的資本の蓄積を促す。そこで最も効果を発揮するのが、資金移転プログラムに他ならない。このプログラムは、コロナ危機で引き起こされた貧困世帯の所得ショックを和らげるに違いない。

ＩＭＦはこうした直接税の重要性を認識した上で、さらに累進税に注目する。[24]というのも累進税は、不平等を是正する上で非常に大きな潜在力を持っているからである。一九八〇年代以降に新自由主義が謳歌される中で、租税政策はそれほど累進的ではなくなった。その結果、所得の不平等は進展した。労働所得と資本所得の上位の限界税率が低下したのである。そこで、とくに利子、配当、並びにキャピタルゲイン（資本利得）などで示される資本所得は富裕者に向かうため、それに対する累進税は一層効果を発揮する。ＩＭＦのこのような考えは、ピケティのそれに相つうじると言ってよい[25]。彼の累進税論については、後に再び取り上げることにしたい。

ところで、ＩＭＦがこれほど累進税の必要を強調するのは、以上のような一般論の観点からだけであろうか。実はその背後に、人々の累進税に対する根強い賛同がある点を指摘しておかねばならない[26]。二〇二〇年一〇月に行われた米国での世論調査によれば、コロナパンデミックで影響を受けた回答者は、累進税を強く支持していることがわかる。そうした人々の中には、職を失った人やコロナ感染で深刻な病に陥った人が含まれている。かれらは、そうでない人々よりも累進税に一層賛同する。この点は、前章で見たフランスの場合と同じである。

ＩＭＦはこうした状況を踏まえて、さらに二つの租税を提示する[27]。一つは富裕税である。同税はこれまで、世界的な広がりをそれほど示していない。前章で論じたように、フランス政府はコロナ禍でもそれを拒否した。しかし、富の集中が今日著しく高まる中で、富裕税に対する要求が新たに強まっていることは疑いない。この点が、フランスでとくにはっきりと現れていることも前章で示したとおりである。

もう一つの新しい税は、先に見た「一時的なコロナ復興税」である。ベーシックな公共サービスに対して、すべての人が機会均等の下にアクセスできなければならない。しかし、それは政府にとって高くつく。そのコストは、教育、健康ケア、並びにそのインフラストラクチャーの維持に支払われる。そのためには、追加的な税収を増大させる必要がある。ポストコロナの世界で、先進国と発展途上国を問わず世界中で税収能力が高められねばならない。先に見た、最低法人税率に対する国際的合意もこのことに寄与するのは言うまでもない。そしてＩＭＦは、それに加えて一時的なコロナ復興税の設定を提案した。それは、最も高い所得の階層に対する税率に追加される。同時に、超過利潤に対する課税も想定される。それは、薬品やデジタル関連ビジネスに代表されるような、コロナ禍で非常に繁栄した企業に対する法人税に付け加えられる。要するにこのコロナ復興税は、ポストコロナの経済・社会の回復のために必要とされる巨額の資金需要を融資するものとして位置付けられる。それはまさに、コロナ資金移転とも呼べるものである。

第三に、機会均等政策。各国政府はコロナ禍で、教育、健康ケア、インフラストラクチャー、並びに社会的セーフティネットなどに投資する必要がある。しかもそこでは、機会均等の原則が適用されねばならない。もしもそれを怠れば、人々の社会不安から政治的安定が損なわれるに違いない。したがって、政府に対する人々の信頼を強める上で公共選択がキーとなる。この点は、コロナパンデミックの中ではっきりとした。ＩＭＦはこのように唱えながら、政府による機会均等政策の必要を訴える[28]。

実際にコロナ流行以前からすでに、世界中の人々はベーシックな公共サービスへのアクセスが均等に行われることを望んでいた。このことは、国際的な社会調査で明らかにされている。そこではやはり、ほとんどの回答者は一層の累進税が課されることに賛同しているのである。政策決定者は、この点をぜひとも念頭に入れておかねばならない。政府に対する人々の信頼の低下は、ベーシックサービスの質に不満を感じたときに生じる。それゆえ政府は、累進税を中心としたより再分配的な政策を断行することで国民の信頼を取り戻すことができる。今回のコロナ危機ほど、この点を鮮明に示したものはない。それは確かに、政府の政策に対する人々の姿勢を根本的に変えた。かれらは、所得と富の再分配に影響を与える政策を強く求めたのである。そうであれば政府は、コロナ禍で最も被害を受けた人々に対して一層の資金配分を行うことを考えない訳にはいかない。

ＩＭＦはこうして、世界の各国政府が再分配政策を実施しながら、公共サービスへのアクセスに関して機会均等を図ることを訴える。コロナ感染が世界中に広まる中で、健康ケアという人間にとって最も大切な公共サービスの面に、そうしたことの意義が象徴的に示されると言わねばならない。

(二) 欧州での議論

ところで、以上のようなＩＭＦの租税改革論や機会均等論に合わせる形で、欧州でもそれらに関する議論が展開された。それを主導する一人の有力な論者は、あのピケティであった。

ピケティは、欧州復興プランが本格化する段階から、コロナ流行の及ぼす影響についてル・モンド紙への投稿で全般的に論じる。(29) 彼はまず、コロナ危機が、より平等でより永続的な新しい発展モデルを急いで採用しなければならないことを迫っていると認識する。そこでは、国家が中心的な役割を演じる。それは保健、イノベーション、並びに環境などの新しいセクターへの投資を決定する。問題はその財源である。ピケティは、それは債務によって直ちに確保されるとし、中央銀行がこの点を支えるとみなす。欧州全体ではもちろん、欧州中央銀行がその役割を担う。しかし、ここには大きなリスクもある。それは、そうしたマネーの創出が金融資産と不動産の相場を高騰させるというリスクである。そうだとすれば、中央銀行の政策は結局、富裕な人々を一層豊かにしてしまう恐れがある。このことは、実体経済の構造的問題の解決につながらないどころかむしろ、投資の不足、不平等の拡大、さらには環境危機さえも引き起こしてしまう。

ピケティはこのように把握した上で、一つのよりよい解決策を提示する。それは、単一の利子を持つ共同債の発行である。これにより債務は相互化される。そしてこのことは、コロナ禍で大きな問題を抱えるイタリア、スペイン、並びにフランスが共同で提案する一方、かれらはドイツを説得する必要がある。さらに、この共同債の発行によるマネーの創出は証券相場を高騰させるのではなく、環境と社会の復興に融資されねばならない。このように彼は、コロナパンデミックによる被害が大きくなる中で、そこから脱出して復興するためのブループリントをいち早く描いていた。その一つの手段として共同債の発行が提案された。これが現実のものとなったことはすでに見たとおりである。

他方でピケティは、それこそ先に見たＩＭＦの提言と時を同じくして、これまで主張し続けてきた累進税の必要をコロナ危機の解消のために改めて訴える。この点について彼は二〇二一年四月にル・モンド紙に投稿して次のように論じる。(30) ピケティはここで、国際的な租税システムの改革に関する議論を展開した。その際に彼が注視する一つの問題は、バイデンの提起した多国籍企業に対する課税である。かれらは、タクスヘイブンを利用しながらグローバルレベルで巨大な利潤を生み出す。しかもそのほとんどは富裕国に還元され、貧困国に回る分はほんのわずかしかない。したがって多国籍企業に対する租税の改革なしでは、世界の不平等は増すばかりである。その意味でピケティは、バイデン政権による最低法人税率の提案を高く評価する。そこで彼は、この最低法人税率からさらに進んで累進税論を展開した。ここに彼の議論の真骨頂を見ることができる。つまりピケティに言わせれば、多国籍企業に対する租税改革も、最も高い所得と資産に対する累進税という一層広いパースペクティブの下で議論されねばならない。最低法人税率は累進税率に組み込まれる必要がある。彼はこう訴える。その具体的な根拠は税収の違いにある。ＯＥＣＤは、仮に最低法人税率を二一％にしたとしても、それによる収入は一〇〇〇億ユーロ以下であり、この額は世界のＧＤＰ（約一〇〇兆ユーロ）のたった〇・一％以下にすぎないことを示す。これに対してピケティは、次のように試算する。それは、一〇〇〇万ユーロを上回る資産に対して仮に二％の世界的な単一の税率を設ければ、これによって年に一兆ユーロの収入がもたらされる。すなわち、それは世界のＧＤＰの一％に相当し、最低法人税率による収入の一〇倍に達する。こうした累進税による巨額の収入を、人口の割合に応じて各国に再分配することができる。

このようにピケティは、コロナ危機を契機として累進税をつうじた国際的連帯の問題を提起した。さらに彼は、多国籍企業と地球上の億万長者から累進税を徴収する理由として、次の二点を示す。一つの理由は、各人は健康、教育、並びに発展に対して最低限の等しい権利を持っている点にある。これは、バイデン政権もＩＭＦも主張した機会均等の考えに基づく。もう一つの理由は、富裕国の繁栄は貧困国なしにはありえないことにある。先進諸国の富はつねに、国際分業と地球上の資源（自然と人間）の搾取に支えられている。ピケティはこうして、コロナ危機から脱出する最重要な手段としての累進税を強調すると同時に、それが一国規模のみならず世界的規模で適用されることにより、現存の不平等体制を打破できると唱える。それはまた、今こそ国際的連帯が必要なことを明らかにするものであった。

一方、この国際的連帯に関してピケティは、コロナウイルスに関するワクチンの特許に対してもそれを強く訴える。彼は、ワクチンの特許に基づく所有権は、貧困国ではその生産が不可能なのでかれらから取り去ることにはならないとする考えを真っ向から否定する。なぜなら、かれらの一部はすでに、ワクチンの大きな生産能力を持っているからである。それゆえかれらが、所有権の削除を世界保健機関（ＷＨＯ）に対して要求するのは当然であろう。富裕国は、このワクチンの特許をめぐって時代を変えるよい機会を失ってしまった。ピケティはこのように、富裕国（先進国）のワクチンの特許に対する姿勢を鋭く批判する。彼のこの見解は全く正当である。先に筆者も論じたように、ワクチンは他の薬品と同じく、否それ以上に一つの最重要なグローバル公共財とならなければならない。その開発・生産を、薬品会社のビジネスチャンスとして捉えては決してならないのである。それでなくても富裕国はこれまで、富を集中させてきただけではなく、まさに知的所有権をも独占してきた。ワクチンを含めた薬品の開発は、それを象徴している。

ところで、ピケティが唱えた累進税の必要をめぐる考えは、前章で見たようにフランスの人々とりわけ低所得の庶民の間で強く支持されている。二〇二一年四月に入ってからのフランス大統領選に関する世論調査でも、七〇%以上のフランス人が、高所得層に対する一層の課税に賛成していることがわかる[31]。それゆえ、より富裕な人々に対する累進税は、選挙キャンペーンの重要なテーマとなるに違いない。ところが人々の圧倒的賛成とは裏腹に、フランスの政治家の間で累進税に対する考えは一致していない。左派の社会党は、コロナ危機のような例外的事態には例外的対策が必要と語るものの、かつてのような連帯富裕税の再建には反対する。かれらは、とくに非常に上昇した所得からの例外的な税徴収を主張する。つまり社会党は、累進税を一般のものとしてではなくあくまで特殊なものとみなす。これに対して極左派の不服従のフランスは、非常に高い所得と資本に対する一層の課税をつねに強調してきた。他方で右派の姿勢は、これらの考えと全く異なる。かれらは、フランスではすでに税金が非常に高いので、租税のこれ以上の引上げは根本的に誤っていると主張する。連帯富裕税は解決にはならず、むしろ投機的活動に対して課税するのが正論である。かれらはこう唱える。そしてマクロンは、すでに示したように当初より連帯富裕税を否定すると同時に、コロナ禍でのいかなる増税にも反対した。この点でマクロン政権は、右派の考えと全く同じである。かれらにとって、公正な租税システムひいては公正な社会という発想はない。

しかし、ここにきてマクロンの姿勢に変化の兆しを思わせるような事が起こった。彼は、元IMFのチーフエコノミストであったO・ブランシャール（Blanchard）と二〇一四年にノーベル経済学賞を受賞したトゥールーズ大学教授のJ・ティロール（Tirole）に、経済危機脱出のための助言を求めた。それにしたがいかれらは、五〇〇ページ以上にわたる勧告書を作成した。[32] その中でブランシャールは、より富裕な人々への課税を例外的な連帯税として考慮すべきことを唱える。同時に彼は、相続税の改革の必要を説く。これは、出生による不平等に対する闘いを意味する。彼はこうして、より富裕な人々はこれまで課税を免れてきたのであり、新たにかれらに課税することによって不遇な若者を支援できることを指摘する。同報告書は総じて、政府は人々の苦しみ、低い報酬、並びに不十分な経歴などを考慮する必要のあることを謳う。そのためには、財政支出の拡大は止むを得ない。しかし、そこから生じる債務問題は心配するに至らない。かれらはこのように主張した。この勧告は、以上に見たピケティの考えに全く添うものである。マクロンは果して、かれらの助言に真摯に耳を傾けるであろうか。もしそうでなければ、次期大統領選を控えた彼は、低所得の人々や社会的に排除された人々から手痛い反逆を受けるに違いない。

他方で、こうした富裕者に対する例外的課税に関し、フランスのエコノミストの間でも意見の相違が見られる。[33] 左派のエコノミストは、そうした租税は政治的に非常に重要であり、それは、一定の人々がコロナ禍で利益をえているとする議論に応じることができると主張する。これに対してリベラル派のエコノミストは、過度の課税は消費の再興を打ち砕くリスクがあると反論する。かれらは先に示したように富裕税を嫌悪すると共に、あくまでもトリクルダウン効果を信じて疑わない。公正な租税と富裕者の優遇のどちらの側に立つかによって、見解は根本的に異なる。ここで問題とされるべき点は、一般の人々とりわけ低所得層が満足するような租税システムは何かという点であろう。

現実を振り返って見ると、リベラル派の唱えるトリクルダウン効果はこれまで全く現れなかった。これに対して、例えばフランスではコロナ流行の間に億万長者は富を一層拡大した。それゆえその間に、かれらと所得の減少した人々との間で格差は広がるばかりであった。あるいはまた、二〇二一年四月の調査報告によれば、フランスを代表する四〇社の株主に支払った配当は五〇〇億ユーロ以上に達した。それはフランスの復興プランの半分以上に相当する。こうした事実を踏まえれば、ブランシャールとティロールの著した勧告書が示すように、政府はまずもって低所得の苦しみに喘ぐ人々に対する支援を実行するのは当然ではないか。そのための財源確保として、より富裕な人々と巨大多国籍企業に対する特別税を設ける必要がある。

ところで、コロナ危機から脱出するために富裕者と大企業に対して一層の税を課すべきとする考えは、フランスにおいてのみ現れているのではない。それは今日、先に見たイギリスのみならず隣国のドイツでも同様に見られる[34]。ドイツ資本主義の一つの大きな特徴は、家内企業の資産の保護にある。しかもそれは、ドイツの租税システムの下で促された。これにより家内企業は、ドイツで最も裕福になる。この租税システムは、かれらの資産の集中を強化した。それゆえ、この資産を相続できる人とそうでない人との格差がますます拡大した。ドイツでは、全体の一%に相当する最も富裕な人々が、純国富の三五%を占めるに至る。そこでドイツでも、コロナ危機で生じた巨大な債務を融資するために、そうした資産に一層の税を課すことについて議論され始めた。一九九七年に廃止された資産税を復活すべきかどうか。この点に関してフランスの場合と同じく、左派と右派の間で見解が全く異なる。

極左派のディー・リンケ（Die Linke）は、金持ちに一層の税を課すべきとする。また社会民主党（SPD）と緑の党も、富に対する課税あるいは相続税の改革を謳う。これに対して右派の保守党は、フランスのそれと同じく租税の引下げを約束する。

ここで考えるべきことは、くり返しになるが、富の不平等と社会的公正の問題であろう。ドイツでは、とくに不動産価格の上昇が大きな社会問題となっている。多くのエコノミストは、この価格の引上げが資産の不平等拡大に与える効果に対して警鐘を鳴らす。かれらは、伝統的なドイツ経済のモデルである家内企業のモデルはすでに変化しているとみなす。実際に家内企業は、不動産や金融市場への投資を盛んに行っている。今日のドイツで、そうした企業に対する課税がなぜ問題とされるのか。その根拠の一つとして、かれらの投資傾向の変化があることは否定できない。ドイツの家内企業が、果して実体経済の面でほんとうに社会に貢献しているかが問われるのである。

このようにして見ると、コロナ禍のＩＭＦの提言に沿うかのように、欧州においてもフランスとドイツを中心に、公正な租税システムを目指すための議論が積極的に展開されていることがわかる。それはまた、機会均等の考えに基づいた社会的公正を図ろうとするものである。こうした動きはまさしく、コロナ効果とも呼ぶべきものであろう。

三．累進税と社会的公正

以上で見たように、コロナ危機で生じた巨大な債務をいかにカバーしたらよいかという難題が、とりわけ先進諸国で発生した。これに対して、コロナ税とも言うべき特別税を富裕者に対して課すべき案が打ち出された。この累進税としての性格を表す租税の考えは、ＩＭＦにより提言されると共に、欧州でも一般の人々とくにコロナ禍で大きな影響を受けた低所得の人々の間で強く支持された。一方、多くのエコノミストもその案に賛同した。では、どうして今日累進税の設定が必要とされるのか、またそれは社会に対していかなる役割を担うのか。我々は、これらの問題について考察することを迫られるであろう。同時に、累進税はどのような学問的バックボーンに組み込まれるか。この点も問われるであろう。以下では、現代の学問的状況を念頭に入れながら、これらの問題をやや理論的な側面から検討することにしたい。

（一）ピケティの累進税論

累進税に関する議論は決して新しいものではない。不平等論をいち早く展開したあのＪ・Ｊ・ルソー（Rousseau）は、一八世紀半ばの段階で累進税の不平等解消に果す役割をすでに強調していた[35]。そして、このルソーの考えを引き継ぐかのように、累進税の意義を執拗に追求したのがピケティであった。そこでまず、彼の議論を把握しながら累進税の果す社会的役割について考察することにしたい。

累進税の設定をつうじた所得と資産の再分配による不平等の解消という視点は、実はピケティの理論構築の出発点にすでに据えられていた[36]。そして彼のこの視点に基づく分析は、最新の大著『資本とイデオロギー』で大成される[37]。以下では同書における議論を追いながら、ピケティの累進税論を検討することにしたい。

ピケティは、累進税をめぐって一つの明確なヴィジョンを示す[38]。それは、累進税を軸とする公正な租税システムをつくり上げることが、同時に公正な社会を建設することにつながるというものである。それゆえ彼の分析の主眼は、そうした社会のヴィジョンを描くことにある。そこでは当然に、公正な所有権や公正な教育が主要論点になる。ピケティの念頭にはつねに、所得や所有権さらには学歴などに現れる社会的不平等をいかに解消するかという問題意識がある。

このようなヴィジョンと問題意識の下に歴史を振り返って見ると、かつて累進税が不平等の解消に対して実に大きな役割を果したことがわかる。ピケティは、実際に二〇世紀前半こそが世界の不平等構造を累進税によって深く転換させたと認識する[39]。最上位の所得と資産に対する七〇〜八〇％もの極めて高い累進税率で示された租税革命が、不平等を著しく減少させたのである。このような財産の集中が低下する現象は一九七〇年代まで続いた[40]。それは、累進税が二つの形態で発展したことによる。一つは所得全体に対する累進税であり、もう一つは遺産に対するそれである。租税システムの累進化が不平等の解消に果す役割は非常に大きい。このことは確かに、歴史的に実証されたのである。この点を忘れるべきでない。さらにピケティは、そうした累進税の導入に対して働いた政治の力に注目する[41]。第二次世界大戦後の欧米における社会 - 民主主義の登場が、同税の導入を成功に導いた。彼はこのように認識する。

ところが、一九八〇年代以降に事態は一変した。イギリスと米国が主導した保守的革命の下に累進税率は一挙に低下する一方、不平等は逆に前代未聞なほどに拡大し続けたのである[42]。この革命は、中流階級としての庶民に大きな負の効果を与えた。かれらは、社会から見捨てられたという思いを爆発させた。イギリスのＥＵ離脱も、米国のトランプ現象も、そうしたかれらの思いを直接反映するものであった。

なぜこのような逆転が生じてしまったのか。ピケティは、その一つの要因として社会‐民主主義の限界を指摘する。かれらは迫りくる租税競争の激化を前にして、累進税の維持・拡大を前面に出して闘うことを放棄したのである[43]。そこでは、累進税の低下→不平等の拡大→経済成長の低下というシェーマが描かれる。これは、それ以前と全く逆の姿を示す。この点をぜひとも銘記する必要がある。社会‐民主主義者は、社会的な租税国家を起国民的レベルでつくり上げることができなかった。これによって租税の累進性は、一九八〇年代以降にそれ以前と比べてはるかに低下した[44]。同時に、租税の違法的回避の問題も考慮されなかった。欧州で租税改革が遅れたことや、バイデン宣言の下で欧州がやっと法人税改革に乗り出せたことは、こうした歴史的経緯を見るとよくわかる。

さて、ピケティは以上のような累進税の歴史認識を経て、さらに一般的な議論を展開する。累進税はごく簡単に言えば、最も貧しい人々に対して一層低い税を課す一方、より富裕な人々に対する税を次第に高めることである。そこで彼は、この累進税の概念を三つのカテゴリーに分類することによって、その中味をより具体的に把握する[45]。それらは所得に対する累進税、遺産に対する累進税、並びに資産の所有権に対する累進税で示される。この三つの累進税は各々正当性を持つと同時に、それらは互いに補完される。各々の具体的内容を見ると次のようになる。第一に、所得に対する累進税は、一定の年度内に認められる所得（労働所得あるいは資本所得）の全体に課せられる。第二に、遺産に対する累進税は、資産の移転が生じたときに課されるものであり、それによって財産の世代間の永続的所有と資産の集中を減少させることができる。そして第三に、資産の所有権に対する累進税は、財産、資本、あるいは資産に対する課税を示し、それは毎年、所有する資産全体に応じて徴収される。この最後の累進税は、一層永続的に貢献すると共に、それは唯一所有権の永続的再分配と資産の真の循環を可能にする。

ピケティは、このような累進税の概念整理をつうじて、とくに資産の所有権に対する累進税を注視する。というのも、米国と欧州で私的所有権に対する年々の、かつまた永続的な累進税が議論され、それは二一世紀に入ると租税に関する中心的テーマとして現れたからである。このことはまた、一九八〇年代以降に私的所有権が高まって資産が極度に集中したことを反映するものであった。彼が、同書における一つの重要なテーマとして累進税を掲げたのもそのためであった。累進税が、資本の普遍的な贈与を可能にする一方、それによってグローバル資本主義下で生じた不平等に立ち向かうことができる。ピケティはこのように捉える。

ところで、この資産に対する累進税と混同する概念として資産税がある。ピケティは、両者の基本的相違を次のように指摘する[46]。第一に、不動産税のような資産税は、厳密に比例的であって累進的ではない。それは例えば、企業が専門職的財を所有する、あるいは利用するレベルに応じて課税されるにすぎない。第二に、資産税は金融資産の数多くを課税対象から外しており、それは資産全体に対する課税ではない。この点は、資産に対する累進税との本質的な違いである。今日、資産の中で金融資産が大半を占めていることを考えると、この違いは非常に重要な意味を持つと言わねばならない。実際に、金融資産に対するそうした免税措置は、例えば米国で見られた。これにより、国家の税収は巨額の損失を被る[47]。それにもかかわらず米国政府がそうした免税を行った背後に、巨大な金融資産を保有する富裕者の要求があったことは確かである。一方欧州でも、フランスを例にして見ると、資本所得に対する累進税は廃止され、代わりにフラット課税という単一の税が設けられた[48]。そこには、金融資産が一定の雇用を生み出すという思惑があった。しかし現実には、金融資産取引の発展はフランスで雇用を全く創出しなかったのである。

ピケティはこうして、金融資産を含めた資産全体に対する累進税を主張する。彼はまた、同税を将来の社会ヴィジョンと結びつけて考える。その社会とは、グローバル資本主義システムの下で強まった不平等体制を乗り越えるものであり、共同参加型社会主義と称されるものである[49]。それは市民の共同参加と権力の分散を目指し、そのために累進税が重要な役割を担う。同時にそうした新しい社会主義は、公正な社会をつくらなければならない。そこで、公正な社会とは何かが問われるであろう。ピケティは、その内容が十分に明らかでないことを認めつつ、それを一応次のように規定する。「公正な社会は、そのメンバー全体に対して、最も広く行き渡る諸々の基本的な財・サービスへのアクセスを可能にするものである[50]」。そうした社会はまた、機会均等の達成される社会でもある。そしてそれらの財・サービスには、当然に医療関連のものが含まれる。コロナ禍で、医療用資財と医療サービスに対してすべての人が必ずしもアクセスできないことが明らかになった。そうである以上、現代社会は、少なくともピケティの規定する公正な社会にはほど遠いと言わねばならない。

ピケティは以上のように論じた上で、公正な社会をつくるための累進税の役割を殊更に強調する[51]。租税システムの強い累進化は、社会的かつまた教育的な平等に基づく発展戦略の重要な要素となる。しかも累進税は、一国レベルだけでなく、グローバルレベルでの国際協力の下でも設定されねばならない。このようなピケティの議論に沿って考えてみれば、今回のコロナパンデミックはまさに、累進税に基づく公正な社会をグローバルに実現させる絶好の機会を我々に与えてくれるのではないか。彼の最新の大著は、コロナ流行以前に出版されたものである。しかし、そこで展開された累進税論は、ポストコロナの世界で我々が検討すべき重要な論点を提供していると言ってよい。

（二）財政社会学の現代的意義

累進税を中心とする租税改革が、公正な社会建設の礎となることは疑いない。一九八〇年代以降のグローバル資本主義の原理は、新自由主義の旗印の下で競争の原理に支えられてきた。それは今日、公正の原理に差し換えらねばならない。その際に、累進税の復権が強く求められる。そうした租税改革が行われない限り、コロナ危機から真に脱出することはできないのではないか。他方で、競争から公正への原理的転換の期待は、学問領域の面でも新たな動きとなって現れている。少なくともフランスで、この点がはっきりと見られる。それは、財政社会学（sociologie fiscale）の再評価として示された。そこで次に、最近のフランスにおける研究動向を追いながら、その学問の現代的意義について考えることにしたい。

M・ボーシャール（Bauchard）はごく最近、これまでの財政社会学研究の成果を踏まえながら、新たな地平を開く書物を著した[52]。以下では、彼の議論をフォローしながら、財政社会学研究の意味を確認することにしたい。

ボーシャールの分析の主眼は、同書のサブタイトルに示されているように、高い所得と資産に対する租税政策に据えられる。要するに彼は、ピケティと同じく累進税の問題に焦点を当てながら、富裕層に対する租税改革の意義を明らかにした。

最初に彼の問題意識を押えておきたい[53]。租税を課すことはそもそも反経済的行為とみなされる。それは、企業にとっても世帯にとってもコストとなり、その結果生産や消費を低下させてしまうからである。それゆえ租税が正当性を持つためには別の要素が導入されねばならない。それが租税政策に他ならない。そこで問われるのはその目的である。ボーシャールはここで、租税政策の目的として再分配に注目する。この再分配をつうじて租税政策は、経済アクターの行動を変えることができる。その際に守られるべきは租税の公正である。しかもこの公正は、社会的公正という枠組の中で図られねばならない。そこで累進的な租税に基づく再分配政策こそが、そうした公正を実現させる。その意味で、租税の公正は分配の公正を指す。その際に目指されるのは平等である。

ところで、このような平等を根拠とする租税のあり方は、ボーシャールによればフランス革命の人権宣言（第一三条）ですでに表されていた[54]。そこでは、租税は、すべての市民の間でかれらの能力にしたがって等しく割り当てられる必要のあることが謳われた。この原則は、租税が人々の能力に応じて増大することを示す。累進税もこの枠組の中で捉えることができる。それによって人々の間の不平等が解消されるとすれば、租税政策は社会政策の重要な要素となるに違いない。累進税による公正な再分配はまさしく、租税の社会化をもたらすと言ってよい。社会学者が、租税の領域にますます関心を寄せ始めたのはそのためではないか。この傾向は他方で、今日の租税システムがそれだけ不公正なものと化しており、それを是正するための改革がぜひとも必要であることを意味している。

これまで本書でくり返し述べてきたように、コロナ禍で喘ぐ人々による累進税（富裕税）の要求は全世界で強まっている。ＩＭＦの提言がそれに基づいていることは先に見たとおりである。ボーシャールも、租税政策を市民社会の個人による要求の結果として把握する[55]。こうして彼は、租税改革を社会学的に分析する。この改革は、社会的公正と租税の公正な再分配に基づくものでなければならない。決してその逆であってはならない。彼のこの主張は、ピケティのそれと同じく全く正当なものである。

ところが経済学者とりわけリベラリストのかれらは、これまで最適税率論を振りかざす一方、租税の社会的公正という点には全く関心を示してこなかった[56]。かれらは租税を、あくまで経済効率の観点から捉える。それゆえ租税は、供給が最も硬直的な生産要素、すなわち資本よりも労働に対して優先的に課されるべきことが唱えられる。より変動的な金融資産に対してよりも不動産資産に対する課税が重視されたのもそのためである。マクロン政権下の租税政策はまさに、このリベラル派の考えに基づく。ボーシャールはこのようにして、自由主義的経済学者を徹底的に批判した。

一方、こうした経済効率の観点からの租税政策は、もう一つの大きな問題を引き起こした。それは租税競争の問題である。この点について、ボーシャールは次のように論じる[57]。グローバリゼーションの進む中で資本はますます国際的に移動し、このことが、資本とその収益に課す税率の低下をつうじて租税競争を全世界で正当化した。この点は先に見たように（第七章）、資本の自由移動を原則に掲げた欧州で鮮明に現れた。では、そうした税率の低下で生じた税収の減少分を、誰がカバーするのか。これは租税の帰着という問題であり、結局その分は、より可動的でない労働によって支払われるのである。こうした中で各国政府は、外国資本を引き付けるために税率を引き下げ、これにより多国籍企業の外国直接投資が促進された。そしてこの租税競争は最終的に、企業の労働に対する需要を低下させた。労働コストの増大から、労働は資本に置き換えられたのである。これによって失業が促されたことを考えると、そうした租税政策は社会的公正に根本的に反すると言わねばならない。バイデンが最低法人税率を設定して租税競争を廃すことを謳ったのも、このような問題意識に根ざしているのではないかと思われる。

以上、ボーシャールの議論を追いながら、社会的公正のパラダイムに基づく公正な租税政策とは何かという問題について検討した。これにより、累進税が公正な租税システムに果す重要な役割とその正当性を確認することができた。パリ・シアンス・ポリティークの歴史研究センターの研究員であるN・ドランド（Delalande）が正しく指摘するように、自由主義的経済学者は一九世紀末以来、租税の累進化に一貫して敵対的であった(58)。かれらの眼に、累進税は資産の没収と映ったのである。しかし租税の累進化は、経済的な側面からだけでなく、哲学的・倫理的な面からも正当化される。それを支えたのが連帯主義（solidariste）という考えであった(59)。この考えは、相互依存という名の下に租税の累進化を正しいものとみなしたのである。

他方で、累進税に関して一つの厄介な問題が残されている。それは、租税の前の平等という問題である。累進税はこれまで、実はこの観点から強く批判されてきた。最後に、この問題について考えることにしたい。

フランスの財政社会学を主導する社会学者で国立科学研究センター長のA・スピール（Spire）は、早い段階からこの問題を論じている。彼は、フランス革命で謳われた租税の前の平等という原則を、社会学の視点から問題視した(60)。例えば、そうした原則を典型的に示す消費税は、人々の所得から独立して同じ税率を課すものである。ところが同税は、租税の不公正を大いに導く。彼はこのことを、租税の前の社会的不平等と称す。

さらにスピールは、このような社会的不平等を三つの観点から捉える。第一に、納税の仕方について。これは自己申告かそうでないかという問題である。フランスではかつて、富裕者が支払う連帯富裕税は自己申告制であった。したがってそこには、大きな違反の可能性がある。他方で、住民税や源泉徴収の所得税は一層コントロールされたものである。第二に、納税のアドバイスについて。高所得と大資産の所有者が、弁護士や会計士などの専門家のアドバイスを受けられるのに対し、低所得の庶民はそうすることができない。そして第三に、租税の回避について。庶民階級が租税の規則を無視できないのに対し、富裕層や大企業はかれらの利害にしたがって規則を相対化できる。多国籍企業が、税率の低い国で国籍を取得するのはその典型である。このようにして見るとスピールが主張するように、租税の前の社会的不平等という姿が歴然として現われる。そうだとすれば、租税の前の平等という原則は、累進税を批判する上で説得力をもはや持たない。実はマクロンも、この原則にしたがって租税政策を打ち出したのである。

一方、公正な租税をめぐるもう一つの注視すべき問題がある。それは、租税に関する社会的闘争の問題である。ルソーはかつて、租税は人々の同意によって正当に設けられねばならないと同時に、国家権力によって要求されてはならないと論じた[61]。この観点から歴史を振り返れば、租税の設定は確かに、人々と国家権力との間の交渉と闘いの産物でもあった。スピールも、課税は社会契約の基盤であり、それは被統治者と国家権力との間で締結された関係の生み出したものとみなす[62]。このことはまた、租税の社会化の歴史的成果を示すものであった。

租税の問題は、このようにして社会運動と直結する。それは、より公正な再分配と公共サービスの再建を求めて引き起こされた[63]。したがって、租税の正当性が認められるとすれば、それはあくまで市民の権利に基づくものである。その際に、課税の受容に関して社会階層間で意識の相違が見られる点に留意する必要がある。社会的ヒエラルキーの下位にある庶民階級の多くは、つねに税徴収に対して苦痛を訴えた[64]。このことが、かれらの市民としての権利を守るために租税に反抗する運動を引き起こす。近年の燃料税に反対してフランスで生じた黄色いベスト運動は、その典型であった[65]。

財政社会学研究を代表する一人のドラランドも、課税に対する社会的闘争の歴史を描く中で、スピールと共通の認識を表す[66]。ドラランドは課税を、社会的グループと社会的利害の闘いを経て生み出された社会的相互依存の産物とみなす。したがってそれは、社会的関係と再分配のベクトルを示すものであって社会契約の基本を成す。このことが、人々に対して公正な租税の基準を表すのである。

ドラランドは、租税に関する国家と市民との間の合意は、二つの信頼関係から成ると捉える[67]。一つは垂直的信頼であり、それは市民と行政当局の間で保たれる。もう一つは水平的信頼であり、それは、社会の構成員が集団的努力の一部を引き受けることから生まれる。それゆえ、これらの信頼関係の一つでも崩れれば、租税をめぐる社会的闘争が引き起こされるに違いない。課税の問題はこうして、民主主義の歴史と不可分なものとなる。

以上に見られるように、フランスに限って見ても、最近の財政社会学研究はめざましい発展を遂げている。それはまた時代の産物でもある。くり返しになるが今日、租税の公正を示す累進税は著しく低下するか撤廃される一方、租税の不公正は、燃料税などの逆進税としての消費税の引上げや、多国籍企業による租税回避などで大いに高まっている。こうした中で、累進税を軸とした公正な租税システムをもう一度つくり上げる必要がある。この熱望が、社会的公正を訴える社会学者に租税論を展開させたのである。その意味で、ピケティは財政社会学者でもある。

実際に、コロナ危機で生み出された巨大な公的債務を、富裕者と大企業に対する課税で返済させるべきとする声が、とりわけ低所得で同危機により最も被害を受けた庶民の間で非常に高まっていることは前章で見たとおりである。財政社会学は、こうした動きを理論的な側面からサポートする。ここに、同学問の現代的意義をはっきりと見出すことができる。もしも政府が、そのような人々の要求を無視すればどうなるか。かれらは、公正な租税を求めて社会運動を展開するに違いない。これは、ドランドが論じたように歴史的に証明された動きである。そしてこの運動は同時に、グローバル規模で進展した今日の資本主義体制そのものの転換を迫るのではないか。最後に、この点について検討することにしたい。

四．グローバル資本主義の転換

今回の人類全体に及ぶ健康危機は、これまで世界を牽引してきた自由主義に基づくグローバル資本主義モデルを問い直すきっかけをつくったと言わねばならない。同モデルが、不確実性をコントロールすることで将来の経済・社会を保障するとみなしたのは、先進資本主義国のたんなる思い上がりにすぎなかったのではないか。コロナ危機は、二一世紀の迫りくる大危機に対して警鐘を鳴らしているのではないか。これらが真に問われているのである。

今から四〇年以上前の、グローバル資本主義が全面展開される直前に、M・フーコー（Foucault）はコレージュ・ド・フランスの講義で、健康問題を強く意識しながら生政治（biopolitique）論を展開していた。ここで生政治は、健康や衛生などの人々に固有な現象が統治に対して提起した諸問題をいかに合理化しようとするかを示している(68)。そしてこれらの諸問題は、とくに一九世紀以降にますます重要性を帯びてきた。フーコーはそこで、それらを自由主義という枠組の中で考察する。なぜなら、そうした諸問題は自由主義に対する挑戦を意味していたからである。この炯眼をもって鳴るフーコーの問題提起は、まさしく今日のコロナパンデミックの世界につうじる。国家権力が人々の生物としての生活にまで及ぶことを考慮すれば、コロナ危機は前代未聞の生政治的現象であると言ってよい(69)。

実際に、人々の健康と生命は、超自由主義とも言える政治・経済システムによって破壊されるリスクに晒された。コロナウイルスはそうした世界の下で、その絶大な負の効果を発揮したのである[70]。人類を襲った健康をめぐる大被害は、我々がこれまでグローバル資本主義の下に培ってきた産業文明の崩壊を示すサインと化した。この危機的状況からいかに脱出すべきか。そのためには、グローバル資本主義に代わる新たな道を探る必要があるのではないか。

ジュネーブ大学の社会経済学教授であるJ‐M・ボンヴァン（Bonvin）は、グローバル化された経済とコロナ感染との関連を論じながら、これまでの経済システムの見直しを訴える。彼がとくに問題にするのは、多国籍企業を軸として成立するグローバルネットワークに据えられたグローバル都市である[71]。それは確かにイノベーションの場である一方、トランスナショナルな経済取引を可能にした。しかし同時に、それはコロナ感染の世界的震源地でもあった。グローバル化された経済の核となるそうした都市が、ウイルス感染のリスクに最も晒されたのである。それはまた、グローバル都市のネットワークによって引き起こされた。そうだとすれば、グローバル経済の空間的規制が必要とされねばならない。市場経済はそもそも、時間的、空間的、さらには社会的な制約を受けている。ところがグローバル化された経済は、それらの制約をあたかも全く受けずに運営されるとみなされた。コロナパンデミックによる経済活動の停止は、そのことが幻想にすぎないことを我々にまざまざと見せつけたのである。

こうしてボンヴァンは、経済活動が中断されたときに何が必要で、何が保持されねばならないかを問う[72]。そこでは、財・サービスの市場（交換）価値よりも使用価値が問題とされる。健康維持のための医療用資財はその典型である。事実、先に論じたように（第五章）、そうした財がグローバルネットワークの中で不足して健康危機が引き起こされた。本来ならば、それは他の財を犠牲にしてもつねに備蓄されておかねばならないはずである。このようにして見れば、経済価値の基礎となるものが再検討されねばならないのではないか。価値観の転換こそが、コロナ危機を契機に図られる必要がある。ボンヴァンの唱えるように、それは使用価値の再評価であろう。

他方で、資本主義経済の目的は何かという点も問われる。果してそれは、富の最大化だけであろうか。我々は、この点も見直さなければならない。ここでボンヴァンが重視するのはストックの観点である。[73] 資本主義経済はこれまで、フローの観点から成長を促してきた。しかし、このフローモデルはコストゼロを目指すことでストックの重要性を無視した。医療用資財は言うまでもなく、生産に必要な原料や部品の不足はこの点を如実に物語る。コロナ危機は、そうしたモデルの欠陥を露呈させたのである。

筆者は先に租税システムの改革を論じる中で、グローバル資本主義を支えてきた原理、すなわち新自由主義に基づく競争の原理から公正の原理に転換すべきことを訴えた。この後者の原理に立って見たとき、財・サービスの有用性という使用価値が再評価されねばならないことに気づくはずである。

一方、経済と社会の関係も再検討される必要がある。先に論じたように、市場経済は社会的制約を免れることができない。新自由主義を標傍する経済学者は、この点を省みることがなかった。しかしコロナパンデミックは、市場経済が社会的条件の下で調整されねばならないこと、したがって市場の社会的構築（社会化）を進めねばならないことを目に見える形で示したのである。[74] 市場経済は社会的枠組の中でこそ機能することを、我々は再認識しなければならない。外出制限による経済活動の停止が、これまでの市場経済モデルを再考させる契機となることは疑いない。そこでは、社会の経済化ではなく、経済の社会化が強く求められるのである。

他方で今回のコロナ危機が、左派の政治家を勢いづけたことは間違いない。かれらは、以上に見たような経済価値観の変更によるグローバル資本主義の転換という認識を共有するからである。この点は、フランスに即して見てもはっきりとわかる[75]。かれらの多くは、コロナ危機の淵源に新自由主義によるグローバリゼーションの進展を見る。それはエコシステムを崩壊させながら、ウイルスの感染を広げるきっかけをつくったのである。

さらに、左派の政治家が長い間唱えてきた脱成長という考えも、コロナパンデミックを契機に蘇った。我々は、社会的、経済的、並びに環境的な犠牲を成長に対して払ってきた。しかし、そこで描かれた人々の豊かさと自由は幻想にすぎないことが明らかになった。医療に関する施設、人員、並びに資財が大いに不足するという社会的状況は、このことを端的に物語る。成長と収益性を専ら追求するという自由主義的市場経済のロジックは、突然に破綻した。コロナパンデミックは、この点を一目瞭然に示した。現実のグローバル資本主義のモデルには明らかに欠陥がある。それは、グローバリゼーションの破壊効果となって現れたのである。すでに見たように、医療用資財の海外生産化による同財の国内での不足という現象はその典型であろう。そうしたモデルは、社会的に一層抵抗力のあるモデルに生まれ変わらなければならない。

こうした左派の政治家の主張は、ある意味で当然に予想されるものであった。今回驚くべきことはむしろ、現行の新自由主義モデルが右派の政治家によっても批判された点であろう[76]。この点もまたフランスで明確に現れた。フランスを代表する右派の共和党の議員は、新自由主義を問うのは避けられないことを表明する。さらに、グローバル経済モデルに対する批判は共和党に限らない。この批判をリードしたのは右派の若いメンバーである。健康維持のような領域は神聖化されるべきなのに、それは今まで社会的支出の減少によって排除されてきた。フランスは明らかに、健康危機から生じる経済的・社会的問題を考慮することに失敗した。右派の多くは、左派と同じくこのように捉える。

このような右派による現行の経済モデルと経済政策に対する批判の背後に、政権を奪回させるという政治的思惑が働いていることはもちろん否定できない。しかし、この点を十分に斟酌した上でなお確実に言えることは、前代未聞のコロナ危機下で、そうしたモデルを再考しない訳にはいかない状況が鮮明に現れているという点である。右派による批判は、政治的戦略の観点のみから発せられたのでは決してない。

では、以上に見たようなグローバル資本主義の転換という考えは、たんなる思考の産物かと言えばそうではない。それは、一つの政治・社会運動の大きなうねりをつくりつつある。この点もやはり、フランスで明白に見ることができる。そこでは、コロナ危機から脱出するための社会と経済の転換に向けた大プランが、早い段階（二〇二〇年五月）から準備された[77]。しかもそれは、市民の共同参加的イニシアティブによるものとされた。市民は第一に、健康維持の自律性とケア社会の再建を望んでいる。だからこそかれらは、経済の復興だけでなく社会モデルの変更を求める。こうした市民の意思を汲みながら、与党の左派と環境派、社会党、並びにエコロジー・緑の党は結束する。かれらは例えば、病院や介護施設の増大を国民的に優先させることを謳ったのである。

ところで、このような連合による現行の経済・社会モデルの転換を主張する動きは、政党の間でのみ現れたのではない。それは、さらに広範なグループや一般の人々を巻き込んだ、一層大きな前代未聞の連合をフランスで形成したのである。実はこの動きは、コロナ流行以前からすでに準備されていた。そうした巨大な連合は、二〇一九年一二月の年金改革に対する反対運動として出発した[78]。それを主導したのは労働組合とエコロジストの運動家であった。かれらは、「社会的公正と気候のために」共同で人々に呼びかけた。そしてコロナパンデミックが現れた二〇二〇年三月末に、「危機に対する民主的、社会的、並びにエコロジカルな対応」が発表された。健康危機はまさに、社会的グループの多様性という問題を克服したのである。そこでの共通の考えは、社会運動と政党の間に存在する機密性を取り除くことによって「人民の連合」をつくり出す点にある。この状況はまさしく、第二次世界大戦前の一九三六年のときに類似している。マクロンが、コロナに対する闘いは戦争であると表現したことは、そのまま人民の側でも意識されたのである。

このようにしてかれらは、「危機からの脱出」プランを作成する。数多くの組織と労働組合から成る連合は、健康危機に対する緊急提案のプラットフォームを発表した[79]。それは、社会的かつ環境的にラディカルなものであり、新自由主義的な生産システムから脱却する必要を訴えるものであった。この点でかれらは、これまでのエコロジストや一部の労働組合らの運動と一線を画す。また、この連合は消費主義を批判すると同時に、システム転換に要する資金を株主などの民間の富裕者に求める。かれらは、社会と環境の改善に向けて富のより大きな共有を主張したのである。他方でかれらは、政治的な動きを示さないことも明言する。そこで問われるのは、そうしたアプローチの仕方であろう。以上のようなプラットフォームが現実に実を結ぶためには、やはり政治的な成果を勝ちとらなければならないからである。それなのに、かれらはどうして政治色を打ち消すのか。そこには人々の根強い政治不信があると言わねばならない。

実際に市民の側は、現在の議会制民主主義体制そのものに疑いを持ち始めている。かれらは、社会の変化は結局、そうした政治体制の根本的変革なしには達成されないと感じているのである。実際に今日の議会で、フランスを例にしても一般納税者としての代議員が極端に不足している。議員の中で、より高い学歴と都会に住む市民が平均的な市民よりもはるかに多い[80]。そこには、オピニオンの水平性が欠如している。フランスの黄色いベスト運動が、「市民主導の国民投票（référendum d'initiative citoyenne, RIC）」を強く求めたのも、現行の議会制民主主義の欠陥を打破するためであったからに他ならない[81]。

フランスにおける最近のアンケート（二〇二一年二月）においても、回答者の三分の二の人々が、民主主義がよく機能するには、市民がすべての大きな政治的決定に一層参加するのが条件であると答えている[82]。民主的プロセスに対する一般市民の意識はより高まっている。それはまた、民主主義の赤字が依然として埋められていないことを意味する。

コロナパンデミックは明らかに、民主主義を市民主導の下に盛り返す動きを促す絶好の機会を与えた。コロナ危機の管理には、すべての個人が参加しなければならない。この観点から例えばスイスでは、コロナに関する市民社会契約なるものが設けられた[83]。それは、コロナ危機の管理における市民社会化を示す。この市民社会によるイニシアティブが持つ潜在能力が、危機管理に大きく貢献することは疑いない。このことはまた、行政当局と市民の対話で支えられると共に、民主主義の新たな地平を切り開くものである。コロナパンデミックはこうして、現行の経済と社会のモデルだけではなく政治のモデルさえも転換させる端緒になると言ってよい。危機はまさに、事態の変化を示すベクトルの向きを逆転させる臨界点になるのである。

注

(1) Conesa, E.,“La《Biden-mania》gagne les politiques et les économistes français”, *Le Monde*, 16, avril, 2021.

(2) Vallet, C., “Bruxelles prêt à s'endetter pour financer le plan de relance de 806 milliards d'euros”, *Le Monde*, 16, avril, 2021.

(3) Paris, G., “Joe Biden obtient un accord sur les infrastuctures”, *Le Monde*, 26, juin, 2021.

(4) Leparmentier, A., “Joe Biden veut augmenter les impôts des plus fortunés aux Etats-Unis”, *Le Monde*, 30, avril, 2021.

(5) Charrel, M., “Taxe sur les multinationales: ce que l'Europe pourrait gagner”, *Le Monde*, 2, juin, 2021.

(6) Piketty, T., *Capital et idéologie*, Seuil, 2018, pp.640-642.

(7) Allègre, G., “L'impôt sur les sociétés peut-il constituer une ressource propre de l'Union européenne?”, in OFCE, *L'économie européenne 2021*, La Découverte, 2021, p.83.

(8) *ibid*., p.88.

(9) *ibid*., pp.90-91.

(10) Michel, A., “Transparence fiscale: l'Europe en quête d'un compromise”, *Le Monde*, 22, avril, 2021.

(11) Charrel, M., *op.cit.*

(12) Giles, C., “World's leading economies agree on global minimum corporate tax rate”, *Financial Times*, 2, July, 2021.

(13) Bouissou, J., et Michel, A., “130 pays approuvent l'impôt mondial”, *Le Monde*, 3, juillet, 2021.

(14) Ducourtieux, C.,“Revanche et surenchère du G7 sur les dons de vaccins aux pays pauvres”, *Le Monde*, 13-14, juin, 2021.

(15) IMF, *Fiscal Monitor, A Fair Shot,* IMF, April, 2021.

(16) *ibid.*, p.ix.

(17) *ibid.*, p.xi.

(18) *ibid.*, p.xii.

(19) *ibid.*, pp.27-31.

(20) *ibid.*, p.32.

(21) *ibid.*, pp.33-35.

(22) *ibid.*, p.33.

(23) *ibid.*, pp.35-36.

(24) *ibid.*, pp.36-37.

(25) Piketty, T., *op.cit.*, pp.620-622.

(26) IMF, *op.cit.*, p.43.

(27) *ibid.*, pp.37-39.

(28) *ibid.*, pp.39-41.

(29) Piketty, T., "Après la crise, le temps de la monnaie verte", *Le Monde*, 11, mais, 2020.

(30) Piketty, T., "Des droits pour les pays pauvres", *Le Monde*, 11-12, avril, 2021.

(31) Tonnelier, A., "En France, le gouvernement n'entend pas mettre davantage à contribution les plus aisés", *Le Monde*, 30, avril, 2021.

(32) Tonnelier, A., "Sortie de crise: les pistes des économistes", *Le Monde*, 25, juin, 2021.

(33) Madeline, B., "Face au Covid-19, l'idée de taxer les riches fuit son chemin", *Le Monde*, 30, avril, 2021.

(34) Boutelet, C., "Imposer le patrimoine, le dilemme allemand ", *Le Monde*, 30, avril, 2021.

（35）Rousseau, J.-J., Discours sur l'économie politique, in Bermardi, B., dir., *Rousseau—Discours sur l'économie politique*, Librairie philosophique, L.Vrin, 2002, pp.72-76.

（36）Piketty, T., *L'économie des inégalités*, La Découverte, 1997, p.20.　尾上修悟訳、トマ・ピケティ『不平等と再分配の経済学』明石書店、二〇二〇年、三二ページ。

（37）Piketty, T., *Capital et idéologie*, Seuil, 2018. 本書に関する全般的検討については、拙稿「不平等体制と累進税――トマ・ピケティ『資本とイデオロギー』をめぐって」『西南学院大学経済学論集』第五五巻第四号、二〇二一年三月を参照。

（38）Piketty, T., *Capital et idéologie*, Seuil, 2018, pp.57-59.

（39）*ibid.*, pp.489-490.

（40）*ibid.*, pp.523-524.

（41）*ibid.*, pp.567-568.

（42）*ibid.*, pp.50-51.

（43）*ibid.*, pp.637-638.

（44）*ibid.*, pp.649-650.

（45）*ibid.*, pp.650-652.

（46）*ibid.*, pp.659-660.

（47）*ibid.*, pp.661-663.

（48）拙著『「社会分裂」に向かうフランス』明石書店、二〇一八年、二五二ページ。

（49）Piketty, T., *Capital et idéologie*, Seuil, 2018, pp.1111-1115.

（50）*ibid.*, p.1113.

(51) *ibid.*, pp.1139-1143.

(52) Bauchard, M., *Emmanuel Macron et l'imposition de la richesse—La politique fiscale des hauts revenus et patrimoines entre 2017et 2019*, L'Harmattan, 2020.

(53) *ibid.*, pp.14-16.

(54) *ibid.*, pp.17-19.

(55) *ibid.*, pp.23-24.

(56) *ibid.*, pp.99-101.

(57) *ibid.*, pp.102-105.

(58) Delalande, N., *Les batailles de l'impôt, Seuil*, 2014, pp.161-162.

(59) *ibid.*, pp.171-172.

(60) Spire, A., *Faibles et puissants face à l'impôt*, Raison d'agir, 2012, pp.7-10.

(61) Rousseau, J.-J., *op.cit.*, pp.72-76.

(62) Spire, A., *Résistances à l'impôt—Attachement à l'état*, Seuil, 2018, pp.7-8.

(63) *ibid.*, p.12.

(64) *ibid.*, p.16.

(65) 拙著『「黄色いベスト」運動と底辺からの社会運動』明石書店、二〇一九年、第一章参照。

(66) Delalande, N., *op.cit.*, pp.9-11.

(67) *ibid.*, p.304.

(68) ミシェル・フーコー、慎改康之訳『生政治の誕生』筑摩書房、二〇〇八年、三九一ページ。

(69) Truong, N., "Le Covid-19 bouleverser la philosophie politique", *Le Monde*, 6, juin, 2020.

（70）Mestre, A., “La coronavirus , acte de décès attend du système《ultralibéral》?”, *Le Monde*, 16, mars, 2020. Mestre, A., et Zappi, S., “Comment la gauche pense l'après-coronavirus”, *Le Monde*, 4,avril, 2020.

（71）Bonvin, J.-M., “ Les dynamiques productives à l'épreuve du virus”, in Gamba, F., et.al., dir., *Covid-19 Le regard des sciences sociales*, Seismo, 2020, pp.72-73.

（72）*ibid.*, pp.74-75.

（73）*ibid.*, pp.76-77.

（74）*ibid.*, pp.79-80.

（75）Mestre, A., et Zappi, S., *op.cit.*

（76）Belouezzane, S., “LR débat à nouveau du libéralisme et de la rigueur budgétaire”, *Le Monde*, 1, avril, 2020.

（77）Garric, A., et Lemarié, A., “Floraison d'initiatives citoyennes pour《après》”, *Le Monde*, 14, mai, 2020.

（78）Wakim, N., et Zappi, S., “Une alliance soutenue par les partis de gauche, sauf LFI et le NPA”, *Le Monde*, 27, mai, 2020.

（79）Wakim, N., et Zappi, S., “《Il faut sortir du système néolibéral et productiviste》”, entretien avec La CGT, Greenpeace et Attac, *Le Monde*, 27, mai, 2020.

（80）前掲拙著『「黄色いベスト」と底辺からの社会運動』一六〇～一六三ページ。

（81）同上書、一五四～一五七ページ。

（82）Cautrès, B., Ivaldi, G., et Rouban, L., “La fossé du démocratique français n'a pas été comblé”, *Le Monde*, 23, février, 2021.

（83）Gamba, F., Cattacin, S., Ricciard, T., et Nardoue, M., “Sciences sociales et humaines comme sciences de l'orientation”, in Gamba, F., et.al., dir., *op.cit.*, pp.330-331.

あとがき

コロナパンデミックの終息する目処が中々付かない。ワクチン効果の限界も論じられている。一体、この先どうなるのか。誰しも不安を感じているに違いない。こうした中で二〇二一年の夏に、六名の疫病に関連する専門家が連名で『フォーリン・アフェアズ（Foreign affairs）』誌に驚くべき論文を投稿した[1]。同論文は、「果てしないウイルス」と題された。かれらは、コロナパンデミックの背後にあるウイルスは消え去ることがないことを、今こそ声高に唱えるときと謳う[2]。このことが真実であればどうすればよいか。それは、長期的な闘いの戦略を練る以外にない。その際にかれらが強調するのは、一国の利己的な考えとナショナリズムが、この場に及んではもはや通用しないという点である。だからこそ世界は共同で、このパンデミックに耐えるシステムをつくり出さなければならない[3]。かれらのこうした論調は、冒頭で述べたジョンズ・ホプキンズ大学の健康安全保障センターによる勧告につうじる。国際的連帯こそが、コロナ危機脱出の最有力手段になる。この点を改めて認識する必要がある。

では、国際協力の下でコロナ感染を仮に阻止できたとして、それでもって一件落着かと言えば決してそうではない。コロナ禍で様々に出現した、人々の新たな不安を取り除く作業が残されているからである。そこではまさに、「コロナ不平等」とも呼べる現象が爆発的に表された。したがって各国政府と国際組織のリーダーは、この不平等の解消に尽力しなければならない。それが果せないとき、コロナ危機は民主主義の危機を引き起こすに違いない[4]。人々は、コロナパンデミックに対する政府を初めとした様々な機関の処方に「うんざり感」と不満を極めている。すべての為政者は、この点を銘記しなければならない。

筆者は二〇二〇年三月に退職し、余生を静かに送るつもりであった。しかし、ちょうどその頃からコロナ感染が急速に広がり始め日常生活も制限される事態に陥った。まさかの思いが募った。そうした中で筆者は、日々のコロナ流行とその影響を追うことにより、コロナウイルスがまさに現代社会の告発者と化しているという思いを強く抱いた。このことが、本書執筆の動機となったことを記しておきたい。

最後に、厳しい出版状況の中で本書の企画を快諾し、つねに暖かく励ましていただいた明石書店の大江道雅社長に心より深謝申し上げたい。また、当初より適切なアドバイスをいただき、編集の労をとっていただいた編集部長の神野斉様にも心より御礼申し上げたい。

なお、私事になって恐縮であるが、これまで筆者を精神面で支えてくれた息子（至問）と娘（玲奈）に本書を捧げたい。

注

（1）Brilliant, L., Danzig, L., Oppenheimer, K.,Mondal, A., Bright, R., & Ian Lipkin, W., " The forever virus—A strategy for the long fight against Covid-19", *Foreign affairs*, July/August, 2021.

（2）*ibid*., p.76.

（3）*ibid.*, p.91.

（4）Conesa, E., "L'État face à la perspective d'une économie sous《Covid long》", *Le Monde*, 24, juillet, 2021.

参考文献

尾上修悟『フランスとＥＵの金融ガヴァナンス』ミネルヴァ書房、二〇一二年。
尾上修悟『欧州財政統合論』ミネルヴァ書房、二〇一四年。
尾上修悟『ギリシャ危機と揺らぐ欧州民主主義』明石書店、二〇一七年。
尾上修悟『ＢＲＥＸＩＴ「民衆の反逆」から見る英国のＥＵ離脱』明石書店、二〇一八年。
尾上修悟『「社会分裂」に向かうフランス』明石書店、二〇一八年。
尾上修悟『「黄色いベスト」と底辺からの社会運動』明石書店、二〇一九年。
尾上修悟『欧州通貨統合下のフランス金融危機』ミネルヴァ書房、二〇二〇年。
児玉昌己『現代欧州統合論』成文堂、二〇二一年。
瀬能 繁『コロナ危機とニューヨーク』日本経済新聞出版、二〇二〇年。
Barbier-Gauchard, A., *Intégration budgétaire européenne*, De boeck, 2008.
Bauchard, M., *Emmanuel Macron et l'imposition de la richesse*, L'Harmattan, 2020.
Bernardi, B., dir., *Rousseau Discours sur l'économie politique*, Librairie philosophique, J. Vrin, 2002.
Delalande, N., *Les batailles de l'impôt*, Seuil, 2014.
Dévoluy, M., et Koenig, G., dir., *L'Europe économique et sociale*, Press Universitaires de Strasbourg, 2011.

Gamba, F., et.al., dir., *Covid-19 Le regard des sciences sociales*, Seismo, 2020.

Guilluy, C., *La France pérpihérique*, Flammarion, 2014.

IMF, *Fiscal Monitor*, IMF, April, 2021.

IMF, *World Economic Outlook*, IMF, April, 2021.

Insee, *L'économie française*, Insee, 2019.

Insee, *Tableaux de l'économie française*, Insee, 2020.

Johns Hopkins, Center for Health Security, *Global Health Security Index*, Johns Hopkins, October, 2019.

Mabille, F., *Covid19: vers la société internationale du risque*, L'Harmattan, 2020.

OFCE, *L'économie française 2021*, La Découverte, 2020.

OFCE, *L'économie européenne 2021*, La Découverte, 2021.

Piketty, T., *L'économie des inégalités* , La Découverte, 2015.
（尾上修悟訳、トマ・ピケティ『不平等と再分配の経済学』明石書店、二〇二〇年）。

Piketty, T., *Capital et idéologie*, Seuil, 2019.

Porcher, T., *Les Délaissés*, Fayard, 2020.

Spire, A., *Faibles et puissants face à l'impôt*, Raisons d'agir, 2012.

Spire, A., *Résistances à l'impôt attachement à l'état*, Seuil, 2018.

わ行

ま行

や行

ら行

は行

な行

た行

さ行

か行

《事項索引》

あ行

索　引

《人名索引》

【著者略歴】

尾上 修悟（おのえ しゅうご）

1949年生まれ。西南学院大学名誉教授。京都大学博士（経済学）。2000年と2004年にパリ・シアンス・ポリティークにて客員研究員。主な著書は『イギリス資本輸出と帝国経済』（ミネルヴァ書房、1996年）、『フランスとEUの金融ガヴァナンス』（ミネルヴァ書房、2012年）、『欧州財政統合論』（ミネルヴァ書房、2014年）、『ギリシャ危機と揺らぐ欧州民主主義』（明石書店、2017年）、『BREXIT 「民衆の反逆」から見る英国のEU離脱』（明石書店、2018年）、『「社会分裂」に向かうフランス』（明石書店、2018年）、『「黄色いベスト」と底辺からの社会運動』（明石書店、2019年）、『欧州通貨統合下のフランス金融危機』（ミネルヴァ書房、2020年）、A.アルティ『「連帯金融」の世界』（訳書、ミネルヴァ書房、2016年）、T.ピケティ『不平等と再分配の経済学』（訳書、明石書店、2020年）、『国際金融論』（編著、ミネルヴァ書房、1993年）、『新版国際金融論』（編著、ミネルヴァ書房、2003年）、『新版世界経済』（共編著、ミネルヴァ書房、1998年）など。

コロナ危機と欧州・フランス

——医療制度・不平等体制・税制の改革へ向けて

2022年2月25日　初版第1刷発行

著　者　　尾上修悟
発行者　　大江道雅
発行所　　株式会社 明石書店

〒101-0021 東京都千代田区外神田6-9-5
電話　03（5818）1171
FAX　03（5818）1174
振替　00100-7-24505
https://www.akashi.co.jp

装丁　清水 肇（プリグラフィックス）
印刷／製本　モリモト印刷株式会社

（定価はカバーに表示してあります）　ISBN978-4-7503-5342-5

「社会分裂」に向かうフランス

政権交代と階層対立

尾上修悟［著］

◎四六判／上製／384頁　◎2,800円

フランスは二〇一七年五月の選挙でマクロン大統領を誕生させたが、イギリスのEU離脱やアメリカのトランプ政権登場などの世界情勢の激変の中、国内の社会階層間の対立による「社会分裂」が深まっている。フランスの政治・経済・社会の今を鋭く分析する一冊。

【内容構成】

序　章　フランス大統領選で問われているもの

第1部　オランド政権の政策とその諸結果

第1章　オランド政権下の経済・社会政策をめぐる諸問題

第2章　オランド政権下の経済的社会的諸結果

第3章　オランド政権の「社会的裏切り」

第2部　フランス大統領選の社会的背景

第4章　大統領選キャンペーンと社会問題

第5章　本選候補者（マクロンとル・ペン）決定の社会的背景

第6章　国民戦線（FN）の飛躍と庶民階級

第3部　マクロン政権の成立と課題

第7章　マクロン新大統領の誕生

第8章　総選挙における「共和国前進」の圧勝

第9章　マクロン政権の基本政策をめぐる諸問題

第10章　マクロン政権下の社会問題

終　章　フランス大統領選の意味するもの

〈価格は本体価格です〉